Jahrmarkt · Das TAO-Management

Manfred Jahrmarkt

Das TAO-Management

Erfolgsschritte zur ganzheitlichen Führungspraxis

Rudolf Haufe Verlag
Freiburg im Breisgau

CIP-Titelaufnahme der Deutschen Bibliothek
Jahrmarkt, Manfred:
Das Tao-Management: Erfolgsschritte zur ganzheitlichen Führungspraxis/Manfred Jahrmarkt. – 3., überarb. Aufl. – Freiburg im Breisgau: Haufe, 1991
(Haufe-Management-Praxis)
ISBN 3-448-02373-6

ISBN 3-448-02373-6 Best.-Nr. 01.26
1. Auflage 1988 (ISBN 3-448-01896-1)
2. Auflage 1989
3. Auflage 1991

Umschlag-Entwurf: Philippe Dudek, Freiburg i. Br.
Herstellung: Rombach GmbH Druck- und Verlagshaus, Freiburg i. Br.

Vorwort zur 3. Auflage

Als ich vor etwa zweieinhalb Jahren im Vorwort zur ersten Auflage einleitend schrieb, daß ich ein aggressives Buch vorlegen wolle, das nach Möglichkeit einen Dialog zwischen meinen Lesern und mir in Gang setzen solle, konnte ich nicht ahnen, wie sehr diese damals noch Wunschvorstellung sich tatsächlich erfüllen würde. Inzwischen ist die Resonanz groß, und es gibt zahlreiche Leser, die mit mir Kontakt aufgenommen haben, sei es, um Informationen zu bekommen, Ratschläge zu geben, um Vorträge und Seminare nachzufragen oder einfach um mir zu sagen, daß ich in diesem Buch das ausgedrückt habe, was sie auch denken und empfinden.

Über diese Reaktionen habe ich mich natürlich sehr gefreut. In der Zwischenzeit ist der Stoff des „TAO-Management“ auch seminarerprobt. Hier ist die Resonanz erfahrungsgemäß noch größer, da der Inhalt an vielen Punkten diskussionsfähig ist und auch weiterentwickelt werden kann. Was mich ebenfalls gefreut hat, ist die Tatsache, daß sich auch das Ausland für dieses Buch interessiert und es in anderen Sprachen erscheinen wird.

Die jetzt vorliegende dritte Auflage habe ich sprachlich und inhaltlich da überarbeitet, wo es notwendig war. An den Grundgedanken war nichts zu revidieren – sie hielten jeder Diskussion und Überprüfung stand. Die größte und für mich wichtigste Probe hat das Buch wohl auch bestanden: Ich wollte für realistisch denkende Führungskräfte schreiben. Solchen in der Regel nüchtern empfindenden Menschen konnte ich Gedankengänge und Überlegungen nahebringen, die sich nicht ohne weiteres in Bilanzzahlen und meßbaren Vorgängen ausdrücken lassen. Das ist wohl das schönste Ergebnis dieses Buches: Viele haben erkannt, daß es neben ihrer reinen Geschäftswelt noch etwas anderes gibt, über das sich nicht nur lohnt nachzudenken, sondern das auch praktiziert werden kann. Dadurch wird das Leben insgesamt erfüllter, aber auch ruhiger, gewissermaßen ein Gegenpol zu der immer hektischer werdenden Umwelt.

Freiburg im Breisgau, November 1990 Manfred Jahrmarkt

Vorwort zur 1. Auflage

Es mag vermessen erscheinen, die Führungsproblematik der heutigen postmateriellen Gesellschaft in Verbindung zu bringen mit der Weltanschauung und Philosophie des Taoismus, dessen Blütezeit fast drei Jahrtausende zurückliegt. Beim Lesen wird sich aber der scheinbare Gegensatz zweier „Welten“ auflösen und ein geschlossenes Denksystem und ein Bündel von Handlungsalternativen entstehen. Den Titel des Buches habe ich bewußt so gewählt, damit möglichst viele Unternehmer und Manager provoziert und herausgefordert werden, sich mit diesem Thema zu beschäftigen.

Ich wollte ein praktisches Buch schreiben, und das ist es wohl auch geworden. Bücher, in denen die allgemeine Misere und viele Probleme dargestellt werden, gibt es im Übermaß. Praktische Bücher, deren Ideen und Hinweise im Unternehmen sofort umsetzbar sind, gibt es zu wenig.

Hoffentlich ist es auch ein „aggressives“ Buch geworden. Ich möchte Sie dazu bringen, etwas zu tun, nämlich im Management und bei der Führung von Mitarbeitern neue Wege zu gehen. Dabei fasse ich Aggressionen im ursprünglichen Wort-Sinn auf: als ein Herangehen an Probleme und Dinge, aber nicht im Sinne von Zerstörung, sondern im Sinne von heilender Veränderung. Diese Herausforderung sollten Sie annehmen.

Damit fordere ich Sie gleichzeitig zu einem „Umweg“ in der Führungspraxis auf, damit Sie im Endeffekt aber schneller ans Ziel kommen. Im übrigen ist es ein sehr hoffnungsvolles und optimistisches Buch geworden, weil ich zeige, wie es positiv weitergehen könnte. Und es ist ein Buch mit normativem Charakter entstanden, aber ohne strenge Religiosität oder undurchsichtige Esoterik.

Warum habe ich dieses Buch geschrieben? Weil mich die Sorge um die Zukunft des Managements, der Unternehmen und ihrer Mitarbeiter umtreibt. Und weil ich glaube, daß die Zeit reif ist für ein Umdenken in Richtung ganzheitlicher Führungspraxis, deren Ziel das umweltfreundlichere und menschengerechtere Unternehmen ist, das langfristig erfolgreich existieren kann.

Freiburg, Mai 1988 Manfred Jahrmarkt

Inhaltsverzeichnis

Verzeichnisse der Kurztests zur Selbsteinschätzung Ihrer Fähigkeiten und Fertigkeiten

1. Kapitel:

Für wen ist dieses Buch geschrieben?

Zielgruppe: Manager und Unternehmer – Kein New Age und keine Esoterik – Der unternehmerische Erfolg ist vorrangig – Weg und Ziel ist der Mensch

Während der Osten über den Wald meditiert,
zählt der Westen die Bäume.
M. FERGUSON

Wenn Sie ein *rein wissenschaftliches oder akademisches Buch* erwarten, in dem ich anhand von Quellen nachweise und aufgrund mathematischer Verfahren beweise, daß jahrtausendealte östliche Weisheiten und Weltanschauungen die Basis westlicher Managementlehren oder des Wirtschaftens überhaupt sind oder sein können, sollten Sie nicht weiterlesen. Dieser Denkansatz und eine solche Absicht sind mir zu einseitig und wohl ausschließlich kartesianisch* geprägt. Das in diesem Fall von Ihnen gewünschte, von mir bewiesene und insgesamt isoliert dastehende Ergebnis der Untersuchung kann ich Ihnen nicht herbeizaubern. Sie müssen vielmehr bereit sein, eine gehörige Portion Phantasie und Kreativität mitzubringen, wenn Sie dieses Buch lesen, was aber wohl Managern nicht schwerfallen dürfte!

Ein *beschreibendes Buch,* das lediglich nachzeichnet und verdeutlicht, wie andere es schon gemacht haben, kann und will ich auch nicht vorlegen. Wenn Sie also aufgrund dieses Buches für sich und Ihr Unternehmen rein technisch vorgehen wollen und aus jedem Kapitel eine *„me-too-Strategie"* entwickeln wollen, wird das auch nicht funktionieren. Eigenes Denken und Mitfühlen und Nachspüren ist gefragt. Nur kopierfähiges Material kann ich nicht liefern. Praktische und für Sie umsetzbare Schritte zum Unternehmenserfolg finden Sie allerdings (besonders Kapitel 5). Ausprobieren und gehen müssen Sie sie selbst.

Wenn Sie *Esoteriker* oder gar *Mystiker* sind, wird Sie dieses Buch genausowenig zufriedenstellen wie den *typischen Manager* oder *Unternehmer,* der nur in Zahlen denkt und denken kann und bei dem in der Regel die musischen Fähigkeiten und das Gefühl unterentwickelt sind. Gefordert sind Leser und Menschen, die integra-

* Alle mit diesem Zeichen versehenen Begriffe sind im Glossar (Kapitel 10.4) erläutert.

tive Fähigkeiten besitzen, die kreativ und innovativ sind. Solche, die sich vorstellen können, daß es möglich ist, östliche weltanschauliche Ganzheitsideen in unser materialistisches Welt- und Führungsbild einzufügen und sie dort zum Nutzen aller zu verbreiten und anzuwenden.

Wenn Sie sich ein sogenanntes *„New-Age-Buch“* ausgedacht haben, werden Sie auch enttäuscht sein. Die heute vielfach propagierten Gedanken des Paradigmenwechsels* mit weitreichenden Folgen für den Menschen, für Wirtschaft und Management, sind im Grunde nicht neu. Die Bezeichnung „New Age“ ist irreführend, allerdings wohl im Sinne einer Vermarktung der Ideen recht geschickt gewählt. Es sind überwiegend jahrtausendealte Gedanken und Philosophien, die heutzutage zum Teil mit neuer Verpackung wieder aktualisiert werden. New Age ist heute ein Sammelbegriff und ein Modewort für alles, was sich unter der Etikette Wendezeit tummelt. New Age hat sich so zum Schlagwort entwickelt, und vieles wird zu einfach und zu irrational und dadurch einfach falsch dargestellt. Die Weltanschauung des Taoismus dagegen wird deutlich, wenn heute von Ganzheit (Holismus), Ökologisierung der Unternehmen (Naturbezogenheit), Netzwerkdenken, Führung durch Vorbild, kreativem Kommunikations-Management, Visionsfähigkeit u. a. gesprochen wird.

Ich habe dieses Buch für alle solche Menschen geschrieben,

- die offen und aufnahmebereit im Herzen sind und
- die fühlen, daß sich im Umgang mit unseren natürlichen Ressourcen und der Menschen untereinander vieles ändern muß, und
- die Führungsverantwortung auf irgendeiner Ebene tragen und für andere Menschen in irgendeiner Form zu sorgen haben und
- die so phantasiebegabt und visionsfähig sind und sich vorstellen können, daß vieles schon einmal dagewesen ist und lediglich die Schwierigkeit besteht, Essenz und Kern früherer Erscheinungen und Lehren zu erkennen und anzuwenden.

Ich beschränke mich in diesem Buch bewußt thematisch auf Unternehmensführung und Management, da ich hier jahrzehntelange Erfahrungen habe. Die Weisheitslehren, besonders die grundlegenden (gelebten!) Ideen des Taoismus, lassen sich aber auf alle Bereiche unseres Lebens und der Welt übertragen.

Sie haben also ein Praktikerbuch aufgeschlagen, auch wenn es auf den ersten Anschein nicht so aussieht. Und Sie werden manchmal erstaunt sein, wenn zwei „Welten" aufeinanderprallen – die östliche Philosophie des TAO und die westliche materialistische Wirtschaftswelt. Ich bin sicher, daß ich Sie mindestens zum Nachdenken über unsere heutigen Probleme anregen kann. Wenn Sie dann ab und zu auch Handlungsschritte folgen lassen, werden Sie mehr Erfolg haben als bisher.

2. Kapitel:

Was will dieses Buch?

Die neuen Probleme – Die Verwirrung wächst – Explosion der Informationen – Ende des autoritären Führungsstils – Wertewandel – Stimmen die Zahlen im Unternehmen? – Vorsicht: Experten – Umwelt und Umfeld

Was wir beobachten, ist nicht die Natur selbst, sondern die Natur, wie wir sie beobachten.
W. HEISENBERG

2.1 Die neuen Probleme

Ich beabsichtige auf keinen Fall eine theoretisch-akademische Übung. Vielmehr möchte ich konkrete Hinweise geben, wie die derzeitige Unternehmensführung und das Management aus der für mich ersichtlichen Sackgasse oder Krise herauskommen könnten.

Daß die Entwicklung bei der Führung von Unternehmen in eine Sackgasse geraten ist oder zumindest die Weichenstellungen in vielen Fällen nicht richtig waren, beweisen einerseits die vielen neuen Denkanstöße zum Thema Unternehmensführung, die zum Teil unter dem Schlagwort „New Age im Busineß" firmieren.[1] Zum anderen sind tatsächlich eine Menge neuer Probleme aufgetaucht oder bereits seit einiger Zeit bestehende Schwierigkeiten jetzt ganz besonders deutlich geworden, die insgesamt nur durch neue Ansätze gelöst oder mindestens einer Lösung nähergebracht werden können.

Die „neuen" Probleme sind vielfältig und zum Teil auch noch in sich komplex. Ich gehe einmal von folgenden Problemansätzen und Prämissen aus, die ich dann anschließend im einzelnen verdeutlichen möchte:

- *Turbulenz und Komplexität* in der Welt nehmen zu;
- die *Informationslawine* wächst weiter;
- der *autoritäre Führungsstil* funktioniert oft schon nicht mehr;
- es vollzieht sich ein *gesellschaftlicher Wandel;*
- die *Unternehmenssteuerung* allein aufgrund von Zahlen reicht mittel- und langfristig nicht mehr aus;

- die *Wissensexplosion* führt zum Spezialistentum mit der Gefahr der Abhängigkeit von Experten;
- manche Ressourcen werden knapp, und die *Natur* wehrt sich immer stärker.

Die Verwirrung wächst – Turbulenz/Komplexität/Chaos

In der Tat geht bereits das Wort von „Chaos-Management" um.[2] Hierbei wird versucht, das tägliche Chaos durch ein bewußt geschaffenes Chaos (Chaos-Kultur) zu ersetzen. Durch das bewußte Verrücken der Ordnungen, Strukturen und Hierarchien soll Raum geschaffen werden für Innovation und neue Kreativität. Ein zwar in sich innovativer Ansatz, wie ich finde, aber doch kein echter Neubeginn, wenn ein Chaos durch ein anderes, wenn auch sehr bewußtes ersetzt wird. Trotzdem ist es bezeichnend für die Management-Kultur unserer Zeit, wenn solche Strategien vorgeschlagen werden.

Jeder Manager wird bestätigen können, daß die täglichen Probleme komplexer geworden sind. Es sind jeweils wesentlich mehr Randbedingungen und zum Teil unbekannte Variable zu berücksichtigen als Jahre zuvor. Abläufe außerhalb des Unternehmens haben sich neben einem auch hier wachsenden Komplexitätsgrad zunehmend beschleunigt, was in der Regel ebenfalls raschere Reaktionen des Managements bei unsicherer Entscheidungsgrundlage erfordert. Nicht umsonst widmen sich bereits einige Berater der Bewältigung von inner- und außerbetrieblichen Turbulenzen.[3]*

Explosion der Informationen

Die Menge an Informationen, die täglich auf uns einstürmen und die in irgendeiner Form verarbeitet werden müssen, wächst seit einiger Zeit exponentiell. Informationen sind heute zu einem weiteren *Produktionsfaktor* in betriebswirtschaftlichem Sinn geworden.

Unsere Gesellschaft wandelt sich zur Informationsgesellschaft. Die angewendeten neuen Technologien haben gesellschaftliche, soziale und politische Auswirkungen. Auch die Politik hat wohl richtig erkannt, daß nur durch eine Integration dieser Erscheinung auf allen Stufen die Probleme gelöst werden können. Verweigerung führt zum Stillstand und Rückschritt.[4]

Wenn Informationsverweigerung kein Thema ist, kann es nur noch darum gehen, Informationen richtig zu kanalisieren und zu verarbeiten sowie zu vermeiden, daß unnötige Redundanz* auftritt. Über die neue Rolle der Information, die auch im Unternehmen zusammen mit den Mitarbeitern verarbeitet werden muß, gibt es inzwischen fundierte und gute Untersuchungen. Folgende Aussagen[5] sind sicher richtig:

- Information ist eine neue transformierende Ressource der Gesellschaft;
- Information erzeugt weitere Wandlungen;
- Information revolutioniert die Produktion von Waren und Dienstleistungen;
- Information ist das überwiegende Geschäft der Zukunft;
- Information ist eine logistische Herausforderung an das Management (Informationsversorgung „just in time“).

„Information ist die Mehrwertquelle von morgen. Sie ist der Baustein des Wissens, die Brutstätte neuer Produkte und Dienstleistungen und wird in zunehmendem Maße das wichtigste Werkzeug zur Herstellung dieser Produkte und Dienstleistungen sein.

Sie revolutioniert die Landwirtschaft, erneuert das Fließband und strukturiert jede Dienstleistung von der Schulbildung bis zum Einzelhandel. Sie wird das Hauptgeschäft der Zukunft und der wichtigste Teil jeder anderen Betätigung sein. Kein struktureller Wandel wird so bedeutsam sein und keiner so viele andere beeinflussen.“[6]

Da zur Zeit zu viel Information und viel *zu wenig Kommunikation* in den Unternehmen herrscht, ist dieses Problem eine Führungsaufgabe. Es kann durch ganzheitliche Führungsmethoden bewältigt werden, wie ich noch zu zeigen habe.

Das Ende des autoritären Führungsstils

Die autoritäre oder patriarchalische Führung, wie sie zum Beispiel im 19. Jahrhundert in Staat, Verwaltung und im Militär praktiziert wurde, funktionierte nach dem Prinzip Befehl und Gehorsam. Dieser „Führungsstil" wurde zu Beginn der industriellen Entwicklung auf die betriebliche Organisation übertragen. So erhielt der Unternehmer (Fabrikherr!) die Rolle des Patriarchen, der aufgrund seines Direktionsrechtes und seiner Amtsautorität Weisungen erteilte.

Charakteristische Merkmale dieser autoritären Führung sind:

- Vorgesetzter gibt detaillierte Anweisungen bezüglich der Art der Aufgaben sowie ihrer Erledigung;
- Vorgesetzter greift häufig in den Arbeitsprozeß ein;
- Vorgesetzter nimmt häufige Kontrollen vor, die in Einzelheiten gehen können;
- Vorgesetzter verfügt über eine fachliche Überlegenheit auf einem (Spezial-)Gebiet.[7]

Durch die fortschreitende industrielle Arbeitsteilung, die zunehmende Vielfalt der Aufgaben in den Betrieben, den Anstieg der Qualifikation der Mitarbeiter und ihr daraus resultierendes gesteigertes Selbstwertgefühl verlor der autoritäre Führungsstil bis heute immer mehr an Bedeutung. Heute spricht man von Formen der kooperativen Führung – den kooperativen Führungsstil schlechthin gibt es wohl nicht.

Merkmale und wesentliche Grundgedanken einer kooperativen Führung sind folgende:

- Beteiligung der Mitarbeiter am Entscheidungsprozeß;
- Berücksichtigung von Mitarbeiterinteressen und Bedürfnissen;
- Leistung und Orientierung zum Mitarbeiter hin als gleichwertige Komponenten.

Der Umgang mit Mitarbeitern verändert sich also laufend. Autorität kraft Amtes wird immer weniger akzeptiert. Qualifikation und Selbstwertgefühl der Mitarbeiter steigen, die Anforderungen an Manager und Unternehmer verändern sich drastisch im Bereich der Personalführung. Die Zeiten, in denen ein Unternehmer Mitarbeitermotivation lediglich durch die Bezahlung betreiben konnte, gehören der Vergangenheit an. Gerade diese neuen menschlichen Probleme der Interaktion und des Miteinander bis hin zur Teamarbeit eignen sich hervorragend für die Anwendung taoistischer Führungsgrundsätze.

Gesellschaftlicher „Wertewandel"

Es vollzieht sich ohne Zweifel eine Verschiebung gesellschaftlicher Werte.[8] Familie ist wieder „in". Umfragen zeigen, daß mindestens in Europa Freizeit zum Teil schon wichtiger geworden ist als Arbeit und Beruf. „Mehr tun, was Freude macht" ist ein (für mich zweifelhaftes) Schlagwort, nach dem die Selbstverwirklichung des einzelnen so eher möglich sein soll. Daß gerade in der strikten und verstärkt geforderten Trennung von Beruf und Privatem ein falscher Ansatz liegt und es hier gilt gegenzusteuern, zeige ich in Kapitel 5.7.

Die Verhaltensweisen der Menschen in Europa und zum Teil in den USA verändern sich so stark, daß sehr oft schwerwiegende Auswirkungen für die Unternehmen auftreten. Wenn es dem Management und der Personalführung hier nicht gelingt, mindestens ausgleichend, besser aber noch integrierend zu wirken (den Lauf der Dinge zu akzeptieren und die Unternehmensziele einzubauen), werden wirtschaftliche Folgen bis hin zu Liquidationsfällen auftreten. Zu den neuen Verhaltensweisen und persönlichen Zielen gehören[9]:

- Es wird eine Vielfalt von Lebensstilen toleriert oder angestrebt; man spricht von *Multioptionsgesellschaft,* auf die sich die Unternehmer einstellen müssen.[10]
- *Qualität* wird der Quantität vorgezogen; man strebt nach Neuem und Unterschiedlichem, vor allem nach Dingen, die der *Selbstverwirklichung* dienen.
- Man schenkt der *Erhaltung und dem Schutz* dessen, was erworben wurde, größere Aufmerksamkeit.
- Die Werte *Gesundheit, Bequemlichkeit und Sicherheit* werden stärker betont.
- Es wird mehr *Mitsprache* bei allen Entscheidungen gefordert, die alle Bereiche des Lebens berühren oder gar gestalten.

Stimmen die Zahlen im Unternehmen?

Die Beantwortung dieser Frage allein reicht dem Management heute nicht mehr aus. Die Frage müßte vielmehr lauten: Stimmen Zahlen und die Richtung im Unternehmen?

Es zeigt sich immer deutlicher, daß Unternehmenssteuerung allein aufgrund von Zahlen heute mittel- und längerfristig nicht mehr ausreicht, um die Lebensfähigkeit eines Unternehmens zu garantieren.[11] Der notwendige Zielwechsel von der Gewinnmaximierung zur langfristigen Existenzsicherung (des Unternehmens und der Arbeitsplätze) führt automatisch dazu, daß neben rationalem Denken und Rechnen Fähigkeiten wie *Intuition, Vision und Kreativität* stärker und gleichgewichtiger eingesetzt werden müssen. Auch das *Gefühl* muß bei der Unternehmensführung wieder stärker in den

Vordergrund treten. In dürren Worten heißt dies, daß die Vorherrschaft der linken Gehirnhälfte abgebaut werden muß. Es gilt die rechte Hemisphäre des Musisch-Schöpferischen zu fördern.[12] Dies kann hervorragend bewerkstelligt werden mit den Grundprinzipien des Taoismus. Das TAO-Management zeigt gerade auf diesem Gebiet seine volle Stärke.

Das neue Spezialistentum – Vorsicht: Experten!

Die Explosion und Vielseitigkeit des Wissens hat zu einem hohen Grad der Spezialisierung geführt. Spezialisten gelten auch heute noch vielfach als „Könige". Die zunehmende Qualifizierung der Mitarbeiter führt zwangsläufig zum Spezialistentum. Die ebenfalls steigende Komplexität der Abläufe und Probleme sowie die wachsende Vernetzung auf und zwischen allen Ebenen fördert diese Entwicklung noch sehr stark.

Dies wiederum führt zu *betrieblichen Netzwerken* und anderen *informellen Organisationsformen,* zum *Projektmanagement* und zu den verschiedensten Arten von *Teamarbeit.* Diese Entwicklungen sind im Interesse der Mitarbeiter und der Sache zu begrüßen. Sie bringen aber für das Management neue Herausforderungen, besonders im Bereich Personalführung, Kompetenzverteilung und Abtretung von Teilverantwortungen mit sich.

Experten und Gelehrte auf Spezialgebieten haben manchmal keinen Blick für das Ganze. Ihr Rat ist sicher sehr oft unentbehrlich, der Manager jedoch muß die Ganzheit der Probleme und Abläufe sehen, sonst kommt es zu Fehlentscheidungen. Hierzu fällt mir die Meinung der Taoisten ein: Vom taoistischen Standpunkt aus ist der Gelehrtenverstand zwar gelegentlich für bestimmte Analysen brauchbar, aber tiefergehende und weiterreichende Dinge entziehen sich doch seinem Zugriff. Der Taoist TSCHUANG TSE (vgl. Kapitel 3.2) faßte das folgendermaßen in Worte:

„Es kann sich ein Brunnenfrosch kein Bild vom Meer machen noch ein Sommerinsekt einen Begriff von Eis. Wie kann dann ein Gelehrter das TAO verstehen? Seine eigene Gelehrtheit hält ihn in Schranken."

Ökologisierung des Unternehmens

Darunter verstehe ich eine solche *geistige Haltung und Kultur* des Unternehmens sowie eine solche tatsächliche Stellung, daß sie grundlegenden Naturgesetzen oder natürlichen Abläufen nicht entgegensteht. Sich einpassen in den Lauf der Dinge, Menschen menschengerecht und die Natur naturgerecht behandeln, nur dann ist das langfristige Überleben des Unternehmens gesichert.

Ökologisierung im und mit dem Unternehmen ist kein parteipolitisches Gebot, sondern bedeutet für mich umweltgerechtes Management im weitesten Sinne. Das Unternehmen steht nicht isoliert von Natur und Umwelt da. Es ist mit seinen Menschen, seinen Produkten und Dienstleistungen Teil der Natur. Wird es zum „ökologischen Fremdkörper", dann wird es im biologischen Regelmechanismus im weitesten Sinn irgendwann einmal abgestoßen oder erleidet mindestens erheblichen Schaden.

> Wer seinen Körper nur lebt,
> stirbt mit dem Leib.
> Wer seinem Geiste nur lebt,
> verweht mit dem Geist.
> Doch wer als Ganzes sich weiß,
> gewinnt die Ganzheit des Lebens.
> Denn nur wer die Ganzheit erlebt,
> gewinnt als Körper das All.
> LAMA ANAGARIKA GOVINDA

2.2 Das TAO-Management kann helfen

Ausgehend von diesen problembeladenen Herausforderungen für das Management in den kommenden Jahrzehnten, wage ich in diesem Buch den Versuch, *neue Denkanstöße und Handlungsalternativen* zu geben:

Ich möchte mithelfen, den *Stillstand in Theorie und Praxis im Management* westlicher, schon klassischer Prägung zu überwinden. Verhaltensänderungen von Managern und Unternehmern sollen durchaus provoziert werden. Mindestens möchte ich erreichen, daß heutige Positionen und eingelernte Handlungsroutinen überdacht werden.

Unternehmensführung muß menschlicher und menschengerechter werden, da letztlich der Mensch im Mittelpunkt des betrieblichen Geschehens steht und die Veranstaltung „Unternehmen" kein Selbstzweck ist, auch nicht für Aktionäre und Kapitaleigner zur Renditeerzielung erfunden wurde. Hier scheint Umdenken notwendig, aber auch möglich.

Ich möchte auch den Versuch machen, den handelnden Personen zu einem *höheren Bewußtseinsstand* zu verhelfen. Nur wenn die Verantwortlichen selbst „gesünder" werden, also ganzheitlich denken und handeln lernen, wird sich das Unternehmen insgesamt nach dem Grundsatz „wie oben so unten“ behaupten können. Die *„innere“ Gesundheit,* die natürliche Ausgeglichenheit des Managers und Unternehmers, die methodisch geübt und erreicht werden kann, ist deshalb auch Thema dieses Buches (in Kapitel 6).

Es geht mir auch darum, bei wachsender Komplexität der Wirtschaftsabläufe, zunehmender Dynamik und verstärkter Verschachtelung von Prozessen und oft schwer erkennbaren Steuerungselementen dem Unternehmensleiter deutliche *Fixpunkte* zu geben. Es müssen Pflöcke gesetzt werden, um der *Orientierungslosigkeit* mit der Folge der Resignation[13] im Management vorzubeugen. Insofern hat das Buch auch einen ethischen und normativen Ansatz.

Das Rüstzeug und die Theorie für die Führungskräfte und Unternehmer der „neuen Generation“ zur Bewältigung der großen Aufgaben, die ich aufgezeigt habe, zur Verfügung zu stellen ist keine unlösbare Aufgabe. Ich glaube, daß alles Wesentliche in seinen Grundsätzen bereits gedacht wurde und daß es auch Handlungserfahrungen dazu gibt. Es geht vielleicht nur um zwei Probleme:

- das Wissen um das „alte Wissen“ hervorzuholen und
- es auf heutige Verhältnisse umzusetzen, ohne die Grundprinzipien und elementaren Gedanken zu verfälschen.

Nach jahrelanger intensiver Beschäftigung mit „östlichen Wegen“ und jahrzehntelanger Praxis im Management glaube ich, daß die *Grundgedanken des Taoismus* ganz besonders geeignet sind, im *notwendigen ganzheitlichen Management* von heute mit großen Zukunftsaussichten angewendet zu werden. Für die Physik[14], die Medizin[15], die Psychologie[16] und die Biologie[17] sind meines Erachtens bereits einleuchtende Nachweise erbracht worden, daß alte Weisheiten und modernes Denken sich exzellent ergänzen können. „Es hat den Anschein, daß wir uns immer mehr einer phänomenalen Synthese des Alten und Neuen und einer weitreichenden Integration der großen Errungenschaften des Ostens und des Westens annähern, die für das Leben auf diesem Planeten vermutlich tiefgreifende Folgen haben dürftc."[18]

Ich bitte Sie deshalb, mir möglichst vorurteilslos auf dem Weg des TAO-Managements zu folgen. Auch hier gilt der Satz, der den ganzen Taoismus mit Leben erfüllt: *Der Weg ist das Ziel.*

3. Kapitel:

Das TAO und seine Bedeutung

Das unbeschreibbare TAO – Yin und Yang ist überall – Te ist die Wirkkraft des TAO – Die aktionslose Aktion – Das Buch der Wandlungen – Der Weg ist das Ziel – Die drei Großen – TAO heute – Zwischen Buddhismus und Konfuzianismus

Was ein Mensch denkt,
wird er.
UPANISHADEN *

3.1 Was ist das TAO? – Idee und Grundelemente

Das unbeschreibbare TAO

Als westlich orientierter und kapitalistisch geprägter Mensch, der aktiv mitten im Wirtschaftsleben steht, werden Sie einige Probleme haben, folgenden Satz zu verstehen oder gar zu akzeptieren:

Wenn du es eilig hast, mache einen Umweg.

Unsinn – werden Sie sagen –, wenn ich es eilig habe, versuche ich, so schnell wie möglich ans Ziel zu kommen. Ein Umweg hindert mich und verärgert mich nur.

Die östliche Weisheitslehre des Taoismus und ihr nachfolgend die Zen-Meister des Buddhismus hielten den Umweg in diesem Fall für heilsam, weil er dem Betreffenden die Chance gibt, über die oft schon zur Routine gewordene Hektik und Eile nachzudenken, sie abzustellen und so mehr zu sich zu finden. Dies wiederum dient in der Regel auch der Sache, die dann ihrerseits wieder recht rasch erledigt werden kann. Aus dem scheinbaren Paradox ist ein brauchbares Hilfsmittel geworden.

Noch eine Kostprobe:

Konzentriere dich, um dich zu entspannen.

Hier fällt Ihnen möglicherweise das Stichwort „Autogenes Training“ ein, ein therapeutisches Verfahren der konzentrativen Selbstentspannung, das in den Bereich der Eigenhypnose gehört. Bekanntlich kann der Patient durch stufenweise erlernbare autosuggestive Übungen zur Selbstentspannung einzelner Körperteile und dadurch zur erhöhten Besinnung und Selbstfindung kommen.

Zur Einstimmung, und deshalb ohne Kommentar, noch einige typische Weisheiten des Taoismus:

Wer irgend etwas erreichen will, soll mit dem Gegenteil beginnen.

Weit gehen heißt zurückkehren.

Führt ein ganz Großer, so weiß das Volk kaum, daß er da ist.

Mindere werden geliebt und gelobt, noch Mindere werden gefürchtet, noch Mindere werden verachtet.

Vielleicht haben Sie jetzt schon eine schwache Vorstellung, worum es beim Taoismus gehen könnte. Möglicherweise können Sie sich auch denken, daß das Prinzip des TAO als Führungslehre geeignet sein könnte.

Das TAO begrifflich zu umschreiben ist sehr schwierig. „Das TAO, das sich aussprechen läßt, ist nicht das ewige TAO. Etwas, was sich benennen läßt, ist nicht das ewige TAO.“[1] Es muß also etwas definiert werden, was sich nach Ansicht der Großen des Taoismus weder sprachlich noch begrifflich festhalten läßt.

Die ungefähre Bedeutung des chinesischen Wortes „tao“ ist „Weg“, „Pfad“. Verbal gebraucht, wird es umschrieben als „einen Weg bahnen", „führen" oder „eine Verbindung herstellen". Im weiteren Sinne wird unter TAO auch „Lehre" verstanden. Schon früh wurde der Begriff auch im Sinne von menschlichem Verhalten und moralischen Regeln gebraucht. Man sprach vom „Weg des Menschen".

Im TAO TE KING, das als *Basiswerk des philosophischen Taoismus* gilt[2], bekommt das TAO erstmals eine metaphysische* Bedeutung. TAO ist zugleich eine Kunst, eine Methode und eine Macht.[3] Es ist das Ordnungsprinzip, das sich in allen Bereichen der Wirklichkeit wiederfindet.

Eine moderne Definition erschließt den Begriff und die Allgegenwärtigkeit des TAO sicher auch solchen Menschen, die weniger vertraut sind mit philosophischer oder gar religiöser Ausdrucksweise[4]:

This is what TAO is not:
- *it is not a thing*
- *it is not a sound or any other vibration*
- *it is not divisible into parts*
- *it does not change*
- *it cannot be diluted or augmented*
- *it has no partner or complement*

This is what TAO is:
- *it is one; it is unity*
- *it determines everything*
- *it comes before everything*
- *it is the law of everything*

Das TAO ist also namenlos und auch nicht benennbar. Es ist zugleich Urquell allen Seins. Ich möchte es als das *kosmische Prinzip* schlechthin bezeichnen, besser noch als den *kosmischen Prozeß* – es ist die Ordnung der Natur, des Zusammenlebens aller Kreaturen. In das TAO kehren aber auch alle Dinge zurück. Auch dies ist ein universelles Gesetz: „Die Bewegung des TAO ist das Zurückkehren."[5]

Im TAO TE KING[6] wird das TAO auch beschrieben als unsichtbar, unhörbar, unergründlich, ewig und durch keine äußeren Einflüsse veränderbar. Eine ganz gute Einführung in östliches Denken und vor allem in die dort gebräuchliche Ausdrucksweise ist es, wenn Sie das nachfolgende 14. Kapitel des TAO TE KING laut und langsam sich selbst vorlesen:

Du schaust danach und siehst es nicht, man nennt es das Unsichtbare.
Du hörst darauf und hörst doch nichts, man nennt es das Unhörbare.
Du greifst danach und faßt doch nichts, man nennt es das Unergründliche.
Jedes der drei entzieht sich aller Nachforschung.
Darum verschmelzen sie in eins.
Oben macht kein Licht es lichter,
Unten macht keine Dunkelheit es dunkler.
Unaufhörlich dauert es fort . . .

Sehr einfach und verständlich drückt sich Benjamin HOFF[7] in seinem wunderbaren Buch „TAO TE PUH" aus, wenn er den Grundtaoismus definiert als eine bestimmte Art und Weise, alles, was das tägliche Leben mit sich bringt, wertzuschätzen, daraus zu lernen und damit zu arbeiten. Dazu gehört aber ein tiefes Grundverständnis der wichtigsten *Elemente des Taoismus.* Diese Elemente sind:

- *Yin und Yang* – die ewige Polarität
- *Te* – die Tugend und Demut
- *Wu Wei* – die aktionslose Aktion.

Yin und Yang ist überall

Yin und Yang sind als *Ausdruck des ewigen Dualismus zwei polare Kräfte.* Durch ihr Wechselspiel und ihre Interaktion entstand das gesamte Universum. Die Spannung zwischen diesen beiden Polen bewegt das ganze Universum. Im Taoismus sind es aber auch die Gegenpole Yin und Yang, die dem Zyklus des Wandelns seine Grenzen setzen. Das dynamische Zusammenspiel zwischen Yin und Yang – dem Weiblichen und dem Männlichen, zwischen Erde und Himmel – ermöglicht letztlich das TAO. So wurde Yin und Yang zum *Leitmotiv der chinesischen Kultur:* Jedes Leben ist die gemischte und aufeinander abgestimmte Harmonie von Yin und Yang.

Im Vergleich zu anderen philosophischen Denksystemen auf der Welt weist das Yin-Yang-System *zwei entscheidende Besonderheiten* auf:

- Es sind zwei *Gegenpole.* Schon definitionsgemäß kann der eine Pol nicht ohne den anderen gedacht werden. Jeder der beiden Pole trägt den Wesenskern des anderen in sich. So sind die beiden Pole nicht nur miteinander verbunden, sondern bilden auch die End- und Höhepunkte eines einzigen und unteilbaren Ganzen. Anders ausgedrückt: Sie sind zugleich zwei und eins. Dies ist sehr einfach aus der Symbolik des Yin und Yang zu erkennen:

- Die zweite Besonderheit ist, daß sich das Yin-Yang-Prinzip auf *alles Existente* anwenden läßt. Es findet sich im Makrokosmos und im Mikrokosmos, auf der menschlichen Ebene und in bezug auf alle Dinge.

Ich möchte bereits hier darauf hinweisen, daß das Yin-Yang-Prinzip sich in allen taoistischen Lebensregeln wiederfindet. Auch in den darauf aufbauenden Führungsgrundsätzen taucht es laufend auf, so daß das Grundverständnis für dieses kosmische Prinzip von wesentlicher Bedeutung ist für ein erfolgreiches TAO-Management.

Wie liest sich das Prinzip des Yin und Yang im TAO TE KING? Im Kapitel 2 findet sich folgender Text:

Erst seit auf Erden
Ein jeder weiß von der Schönheit des Schönen,
Gibt es die Häßlichkeit;
Erst seit ein jeder weiß von der Güte des Guten,
Gibt es das Ungute.
Sein und Nichtsein entspringen einander;
Schwer und leicht bedingen einander;
Lang und kurz vermessen einander;
Hoch und tief erzwingen einander;
Die Stimme fügt sich dem Ton im Chor;
Und ein Danach folgt dem Zuvor . . .

Im System der Entsprechungen des Makro- und Mikrokosmos werden dem Yin und Yang verschiedene Eigenschaften und Erscheinungen zugeordnet. Ich stelle Ihnen hier eine Auswahl zur Verfügung:

YIN	YANG
weiblich	männlich
negativ	positiv
passiv	aktiv
empfangend	schöpferisch
dunkel	hell
Nacht	Tag
Kälte	Hitze
weich	hart
feucht	trocken
Winter	Sommer
Schatten	Sonne
Erde	Himmel.

Ursprünglich bezeichnete der Begriff des Yin den nördlichen, von der Sonne abgewandten Hang eines Berges und wurde mit kaltem trüben Wetter und wolkenbedecktem Himmel in Verbindung gebracht.[8] Yang bezeichnete den der Sonne zugewandten Hang und wurde mit Helligkeit und Wärme assoziiert. Recht wahllos zähle ich noch ein paar Gegensatzpaare des Yin und Yang auf, damit Sie sehen, daß sich dieses System überall ohne Ausnahme findet:

YIN	YANG
unten	oben
Ruhe	Bewegung
intuitiv	rational
Eis	Wasser
unterbrochen	durchgehend[9]
Weisheit	Planmäßigkeit
Garten	Haus
Gerinnung	Lösung
Metall, silber	Jade, gold
Körperoberfläche	Körperinneres
Viereck	Kreis[10]
Nachdenklichkeit	Ausführung.

Folgerichtig wurde dieses *Prinzip des Dualismus,* der dauernden Ambivalenz*, auf *alle Lebensbereiche angewendet.* Ich erwähne hier nur beispielhaft und kurz die Medizin. Die traditionelle chinesische Medizin geht davon aus, daß der Körper nur dann gesund ist, wenn sich Yin und Yang im Gleichgewicht befinden. Überstarkes Yang ruft eine gesteigerte Organtätigkeit hervor. Herrscht das Yin vor, besteht eine Unterfunktion der Organe (Vergleichen Sie einmal die obigen Dualismen!). Dieses System hat u. a. zur Akupunktur[11] und zu anderen Behandlungsmethoden, wie z. B. Shiatzu, Heilmassage und Atemtherapie, geführt.[12]

Das TAO-Management ist eine Führungslehre, aufbauend auf der Denkhaltung des Taoismus. Da das Yin-Yang-Prinzip ein wesentliches Element des TAO ist, versuche ich jetzt, weitere Gegensatzpaare darzustellen, die zwar abstrakt sind, aber auf die Ausrichtung des TAO-Managements wesentlichen Einfluß haben:

YIN	YANG
Raum	Zeit
Gemeinschaft/Team	Hierarchie/Ordnung
Nicht-Urteilen	Urteilen/Verurteilen
Spontaneität	Planung
Einheit	Entweder/Oder
Vision	Gesetzmäßigkeit
Ganzheit	Differenzierung
Beziehung	Individualisierung.

Es fällt nicht schwer festzustellen, daß in der westlichen Wirtschaftswelt und in unserem kapitalistischen Denken das *Yang-Prinzip* (das Männliche) *überbetont* ist. Diejenigen Erscheinungen und Fähigkeiten, die sich eher oder ganz eindeutig dem Yin-Prinzip (dem Weiblichen) zuordnen lassen, sind verkümmert oder werden gar nicht zur Kenntnis genommen. Ein *Umdenken* zur mindestens gleichgewichtigen Betonung des Yin-Prinzips in allen Bereichen des Lebens, aber vor allem auch in der Wirtschaft, hat ansatzweise begonnen.[13]

Das bis jetzt herausgearbeitete Yin-Yang-Prinzip gibt bereits Hinweise, wie der Manager mit Polaritäten bzw. Gegensätzen umgehen sollte. Dies gilt sowohl für seine eigenen Polaritäten als auch für diejenigen von Mitarbeitern. Wenn beispielsweise eine bestimmte Eigenschaft oder Fähigkeit überstrapaziert wird, wird sie sehr deutlich und augenfällig. Beispiel: Wenn sich jemand fast ausschließlich um sein Äußeres kümmert, wird er nach einiger Zeit auf seine Mitmenschen wohl eher häßlich wirken; wenn jemand immer und übertrieben freundlich ist, erscheint er den anderen nach einiger Zeit eher eigennützig und egoistisch. Es liegt also an der Überbetonung des einen oder anderen Elementes, d. h. an extremen Ungleichgewichten. Dies möchte ich bei den ganzheitlichen Führungsgrundsätzen (Kapitel 5) wieder aufgreifen.

HEIDER sagt in seinem eher esoterisch-mystisch geschriebenen Buch „The TAO of Leadership“[14]:

> *Who would be first ends up last – Knowing how polarities work, the wise leader does not push to make things happen, but allows process to unfold on its own.*

Das Erlangen der Reife und Ganzheit liegt also in der zugegebenermaßen sehr schwierigen Akzeptanz von Gegensätzen, die sich bekanntlich anziehen: in der Annahme des Lichts und der Dunkelheit, des Guten und des Bösen, des Lebens und des Todes und in der Versöhnung mit ihnen.

Te – die Wirkkraft des TAO

Zu den beiden Gegenpolen Yin und Yang gehört auch eine treibende Kraft, eine Energie, die das TAO zum Leben erweckt. Diese Wirkkraft oder Energie muß aber so tugendhaft gestaltet sein, daß sich das TAO verwirklichen kann als Prinzip des Universums und als der Weg oder die Lebenskunst, die darin besteht,

- der Natur ihren Lauf zu lassen und
- nicht in den Lauf der Dinge unnötig und eitel einzugreifen.[15]

Diese Wirkkraft wird als Te bezeichnet. Übersetzt wird Te zum Teil auch mit „Wirklichkeit“ oder „Tugend“. Das Wort „Tugend“ darf aber nicht im Sinne von moralischer Rechtschaffenheit verstanden werden. Te ist schlicht und einfach die Verwirklichung oder der Ausdruck des TAO im tatsächlichen Leben.[16]

Im TAO TE KING wird über das Te folgendes gesagt[17]:

> *Das TAO erzeugt.*
> *Das Te nährt.*
> *Die Umgebung gestaltet.*
> *Die Einflüsse vollenden.*
> *Darum ehren alle Wesen das TAO.*
> *Und schätzen das Te.*
> *Das TAO wird geehrt,*
> *das Te wird geschätzt*
> *ohne äußere Ernennung, ganz von selbst.*
> *Also: das TAO erzeugt, das Te nährt,*
> *läßt wachsen, pflegt,*
> *vollendet, hält,*
> *bedeckt und schirmt.*

Ich versuche, für das Te moderne Ausdrücke zu finden, die der heutigen Managersprache angemessen sind:

- Te ist das natürliche Funktionieren im gewöhnlichen Leben;
- Te ist auch die gewöhnliche und deshalb bemerkenswerte Natürlichkeit eines weisen und reifen Führers;
- Te ist die ungekünstelte und natürliche Geschicklichkeit in sozialen und praktischen Dingen;
- Te ist die natürliche Autorität einer Persönlichkeit (nicht Person);
- Te ist das versöhnliche, ausgleichende, und dadurch dynamische Element;
- Te ist gleichzeitig natürliche Ehrlichkeit und Demut.

So wie das TAO, das man beschreibt, nicht das wirkliche TAO ist, könnte man auch sagen, das Te, wenn es künstlich gemacht oder vorgeschrieben ist, nicht das wahre Te ist. Die wahre Tugend, das

Wissen um das natürliche Funktionieren der Welt, läßt sich also nicht vorschreiben. Sie kann allenfalls erlernt werden.

Wu Wei – die aktionslose Aktion

Wu Wei bedeutet wörtlich übersetzt „Nichts tun!“ Gemeint ist damit allerdings nicht Faulheit oder Trägheit, auch nicht die Haltung des Laissez-faire oder bloße Passivität. Unter aktionsloser Aktion versteht der Taoist die Haltung des Nichteingreifens in den natürlichen Ablauf der Dinge.

Wu Wei als wesentliches Verhaltensmerkmal des Taoismus bezeichnet also nicht eine absolute Apathie, sondern ein von jeder Begierde und Eitelkeit freies Handeln, das in den Lauf der Dinge eingepaßt ist. Das TAO TE KING schreibt[18]:

> *Das TAO ist beständig ohne Aktion (Wu Wei), wodurch es nichts gibt, was nicht geschieht.*

Eine moderne Fassung dieser Aussage könnte lauten: „Das TAO tut nichts, und doch bleibt nichts ungetan.“[19]
Diese Aussage erinnert sehr an den *Ablauf in der Natur* selbst, wo alles ohne besonderen Eingriff von selbst geschieht. Deshalb hütet sich auch derjenige, der nach dem TAO leben will, in den natürlichen Ablauf der Dinge einzugreifen und dadurch natürliche Gleichgewichte zu verschieben. Nur spontane Eingriffe, aus dem Wesen der Situation heraus, sind möglich und sinnvoll.

Wichtig ist, daß sich jeder, der in einer Führungsposition steht, nach seiner Maxime verhält. Das heißt nicht, daß man Abläufen und Ereignissen tatenlos zusehen sollte. Sie lassen sich vielmehr stark steuern, wenn es entweder situationsgeboren spontan geschieht oder sanft eingepaßt wirkt. Schädlich ist somit, etwas „erzwingen wollen, sich einmischen oder künsteln“[20].

Das beste Beispiel für die Technik des Wu Wei sind wohl die japanischen Künste wie z. B. Judo und Aikido*. Bei diesen Sportarten wird der Gegner durch den Anstoß oder die Wucht seines eigenen Angriffs besiegt. Das Prinzip des Wu Wei wird durch die Parabel von der Pinie und der Weide im tiefen Schnee anschaulich gemacht. Der Ast der Pinie ist starr und zerbricht unter der Last, während der Ast der Weide dem Gewicht nachgibt und den Schnee abgleiten läßt. Man beachte, daß die Weide nicht schlaff ist, sondern federnd. Wu Wei ist daher der Lebensstil eines Menschen, der dem TAO folgt, und ist in erster Linie als eine Form von Intelligenz zu verstehen. Das heißt, man kennt die Prinzipien, Strukturen und Neigungen menschlicher und natürlicher Dinge so gut, daß man im Umgang mit ihnen ein Minimum an Energie verbraucht. Aber diese Intelligenz ist nicht bloß intellektuell. Es ist die unbewußte Intelligenz des ganzen Organismus und im besonderen die dem Nervensystem innewohnende Weisheit.[21]

LAOTSE erläutert im TAO TE KING die Haltung des Wu Wei bei Herrschern [22, 23]:

> *Wer nach der Macht strebt und diese durch aktives Tun zu erreichen hofft, dessen Scheitern sehe ich voraus.*

> *Ein großes Land regieren ist wie das Bereiten einer Fischsuppe (d. h. man darf nicht zuviel in ihr herumrühren).*

Das Wu Wei ist eine heute wohl schwer und selten genug zu beobachtende Haltung, die aber demjenigen, der sie einzunehmen vermag, echte Macht und Autorität verleiht. Denn, so sagt LAOTSE, der die paradoxe Ausdrucksweise liebt, „das Weiche und das Schwache siegen über das Harte und das Starke“[24].

Ich glaube, daß damit klar geworden ist, worum es beim Handeln und Führen geht. Schädlich ist das Eingreifen in natürliche Abläufe genauso wie das Handeln und Erzwingen von Ergebnissen aufgrund rein persönlicher Motivation, wie z. B. Machtstreben, Eitelkeit, reine Gewinnsucht, purer Egoismus. Ich komme auf die Auswirkungen dieser Aussage und des Wu Wei auf die Führungsprinzipien noch zurück (Kapitel 5).

Trigramme/Hexagramme und das Buch der Wandlungen

Aus der grundlegenden Symbolik des Yin (= durchbrochene Linie – –) und des Yang (= gerade, nicht durchbrochene Linie ———) entstanden die drei- und sechsgliedrigen Schaubilder, wie sie im Buch der Wandlungen (I Ging) festgehalten wurden.[25] Die dreigliedrigen Schaubilder (Trigramme) bestehen aus einer Kombination dreier Linien (durchbrochen und/oder durchgezogen). Mathematisch ergeben sich so acht Kombinationen.

Diese acht Trigramme (im Chinesischen als Pa Kua bezeichnet) sollen eine Vorstellung vermitteln, was sich auf der Erde abspielt an grundlegenden Erscheinungen und Abläufen. Sie beschreiben das Entstehen der Dinge aus der Dualität von Yin und Yang und sind somit unmittelbar Ausdruck des taoistischen Denkens.

Rein technisch werden in den Trigrammen die beiden Pole Yin und Yang durch ein weiteres Element ergänzt. Die acht Trigramme sind folgende[26]:

KIEN:	☰	Himmel, Schöpfer, Vater. Es ist Zeichen der Stärke, der schöpferischen Kraft und des Aufstiegs und symbolisiert den erhebenden Erfolg.
K'UEN:	☷	Erde, Mutter. Gilt als ergeben und aufnahmebereit. Ist geprägt von Anpassungsfähigkeit und Sanftmut, die Erfolg nach sich zieht.
TCHEN:	☳	Donner; das, was wachruft. Ältester Sohn und als solcher Zeichen des Antriebs und der Bewegung.
SUEN:	☴	Der Wind, das Wilde, Durchdringende. Zeichen der Unschlüssigkeit, der Norm, aber auch der Arbeit und des Geistes.
K'AN:	☵	Wasser, Abgrund, das Unergründliche. Es stellt die Unbeständigkeit, die Umwege und die Gefahr dar.
LI:	☲	Feuer, Sonne, Blitz. Es ist von vollkommener Schönheit, Klarheit, Intelligenz und Symbol der Bewegung und des Wachstums.
KEN:	☶	Der Berg, Festigkeit, Beständigkeit. Es bedeutet auch Einsamkeit. Im Ruhezustand symbolisiert es all das, was schwer in Bewegung zu setzen ist.
TUEI:	☱	Der See, das Fröhliche, Heitere. Zeichen der Entschlossenheit, der Freude und Fruchtbarkeit. Symbol einer dem Äußeren zugewandten Intelligenz.

Besonders bedeutsam unter den Pa Kua sind die Symble Kien und K'uen. Sie symbolisieren die Urkräfte (z. B. Himmel und Erde genannt), aus denen alle Erscheinungen entstehen. Kien (Ch'ien) ist reines Yang, reine männliche Energie, während K'uen (K'un) reines Yin oder weibliche Energie darstellt. Das Verschmelzen oder die Abwandlung dieser Grundelemente bringt die anderen Trigramme hervor.

Im Laufe der Jahrhunderte kombinierten chinesische Gelehrte die Trigramme miteinander und erweiterten dadurch die Zahl der Bilder kosmischer und menschlicher Situationen. Aus den verschiedenen Verbindungen der Trigramme untereinander entstanden vierundsechzig Hexagramme. In jedem Hexagramm treffen zwei Trigramme aufeinander; es entsteht eine Symbolik von sechs Linien.

Die Hexagramme wurden im Laufe der Zeit mit Begriffen und Deutungen versehen. So kam es zum Weisheits- und Orakelbuch I Ging, das Buch der Wandlungen, das ohne Zweifel auch heute noch zu den wichtigsten Werken der Weltliteratur zählt. Aufgrund des allgemein zunehmenden Interesses für fernöstliche Weisheiten wird das I Ging langsam aber sicher zu einer sogenannten „New-Age-Bibel“[27]. Wenn Sie sich einen Eindruck verschaffen wollen, wie weit die Technik des Orakels aus dem Buch der Wandlungen entwickelt wurde, empfehle ich Ihnen das Arbeitsbuch zum I Ging.[28]

Für das TAO-Management sind nur die Grundidee von Yin und Yang sowie die möglichen Verbindungen und ihre Auswirkungen von Bedeutung. Da Management mit Weissagung und dem Stellen von Orakeln nichts zu tun hat, werde ich in diesem Buch nicht mehr auf I Ging, die Trigramme und die Hexagramme und ihre Bedeutung eingehen. Mir schien es aber zum leichteren Grundverständnis des Taoismus wichtig, Ihnen auch diese Seite zu zeigen.

Das TAO verstehen: Der Weg ist das Ziel

Der Taoismus betont vor allem die existentielle Situation. Hier und jetzt und in jedem Augenblick soll TAO erlebt werden. Um es sehr einfach auszudrücken:

Der Weg, auf dem ein Ziel verfolgt wird, ist das Entscheidende, weniger das Ziel selbst.

Für das Management, das heute gewohnt ist, Ziele zu formulieren und vorzugeben, ist dies sicher nicht einfach zu verstehen. Natürlich müssen Ziele vorgegeben werden. Aber bei der Vorgabe muß entscheidend darauf geachtet werden, daß sie nicht nur mit dem Unternehmenszweck übereinstimmen, sondern auch mit dem natürlichen Ablauf der Dinge und den Bedürfnissen der Menschen unter Berücksichtigung der Lebensregeln des Taoismus. Nur dann läßt sich das Ziel zur Befriedigung aller Beteiligten erreichen. Andernfalls wird es ein Management-Befehlshandeln, das nur zur Bedürfnisbefriedigung einiger weniger dient. Also ist der Weg, der beschritten wird, d. h. das Wie, das Entscheidende.

Diese östliche Denkweise ist uns im Prinzip nicht so fremd, wie es auf den ersten Anschein aussieht. Auch der christliche Glaube spricht und denkt sehr oft in der Kategorie „sich auf den rechten Weg machen." Auszugsweise zitiere ich eine Aussage von Pater STEINDL-RAST zum Thema Weg[29]:

„In den Anfangstagen waren die Männer und Frauen, die an Jesus Christus glaubten, als jene bekannt, die dem WEG folgten (Apostelgeschichte 9, 2). Erst später bezeichnete man sie als Christen (Apostelgeschichte 11, 26). Um nicht durch Bezeichnungen paralysiert zu werden, muß man ständig der dynamischen Erfahrung des Auf-dem-Weg-Seins vertrauen. Jesus sagt: ‚Ich in der Weg' (Johannes 14, 6). Wir aber wollen dies bedauerlicherweise so eingrenzen, als sei es nur ein Weg (wenn auch der einzig richtige) unter tausend anderen. So ist das aber nicht gemeint. Vielmehr, wer immer sich ‚auf dem Weg' zu Gott befindet, ist auf dem Weg Jesu. Sein Name bedeutet ja ‚Gott schenkt Heil'. Wer immer der

tiefsten Sehnsucht des menschlichen Herzens folgt, ist ‚auf dem Weg'. Es spielt keine Rolle, welchen Namen wir jenem Weg geben. Sich am Wegweiser festzuhalten, bedeutet nicht ‚auf dem Weg sein', selbst wenn das Straßenschild die richtige Bezeichnung trägt. Was zählt, ist das Gehen. Alle jene, die sich vorwärts bewegen, sind auf dem WEG. Das aber heißt, um auf dem Weg zu sein, muß man mit jedem Schritt voran den Weg hinter sich lassen."

Ich finde, das könnte auch ein taoistischer Text sein. Aber es scheint mir unwichtig, aus welcher Religion gerade die wesentlichen Grunderkenntnisse herausgezogen werden, denn sie sind überall zu finden. Es ist die allen religiösen Traditionen zugrunde liegende gemeinsame Weisheit (sophia perennis), die das verbindende und zugleich entscheidende Element ist. Den Taoismus habe ich nur deshalb als Grundlage für eine ganzheitliche Management-Auffassung gewählt, weil er nach meinem Empfinden ganz besonders deutlich zum Ausdruck bringt, was heute mehr denn je notwendig ist.

In einem sehr gescheiten Dialog zwischen einem Sterbenden und Gott läßt R. M. SMULLYAN unter der Überschrift „Ist Gott Taoist?" Gott sagen[30]: „Ich bin nicht die Ursache des kosmischen Prozesses, ich bin der kosmische Prozeß selbst . . . Die alten Taoisten waren der Wahrheit ganz nahe, wenn sie von mir (sie nannten mich ‚TAO') sagten, ich täte nichts, doch würde alles durch mich getan."

> Wir müssen die Zukunft willkommen heißen; dabei bedenken, daß sie bald die Vergangenheit sein wird. Wir müssen die Vergangenheit respektieren; dabei bedenken, daß sie einmal alles war, was Menschen schaffen konnten.
> GEORGE SANTAYANA

3.2 Eine kurze Geschichte des Taoismus

Die drei Großen

LAOTSE ist der in der westlichen Welt wohl bekannteste Vertreter des Taoismus und wird als dessen Begründer angesehen. Sein Werk TAO TE KING gilt als die „Bibel" des Taoismus und wird zunehmend wieder beachtet. So gibt es allein in Deutschland fast zehn kommentierte Fassungen dieses Standardwerks.

LAOTSE war ein Zeitgenosse des KONFUZIUS (6. Jahrhundert v. Chr.). Der Konfuzianismus war das System und die Philosophie der sozialen Ordnung, des gesunden Menschenverstandes und des praktischen Wissens. Das chinesische Erziehungssystem und strenge Regeln der Moral entstanden aus ihm. Der Taoismus andererseits war die Philosophie der Naturbeobachtung und der Erforschung des richtigen Weges, des TAO. Diese zwei Denkrichtungen sind gegenläufig und entsprangen grundsätzlich verschiedenen Lebensauffassungen.

Über das Leben von LAOTSE ist wenig bekannt. Er soll aus einem Dorf der heutigen Provinz Honan stammen. Sein Familienname war Li. In den meisten philosophischen Texten wird er LAOTSE (alter Meister) oder Lao Tan genannt. Eine Zeitlang war er Archivar am Königshof von Chou. Eines Tages ritt er nach Westen, als er den Niedergang jenes Herrscherhauses kommen sah. Um nach

Westen zu gelangen, mußte er den Hsienku-Paß überschreiten. Dabei geschah es, so erzählt die Legende, daß er auf Verlangen des Paßwächters ein Werk in zwei Teilen verfaßte, in dem er seine Gedanken über das TAO und das Te niederlegte und welches mehr als 5000 Worte umfaßte. Darauf setzte er seine Reise fort, und niemand weiß, was aus ihm geworden ist.[31] Vermutlich ist LAOTSE eine legendäre Gestalt und die Entstehung des TAO TE KING nicht ausschließlich ihm zuzuschreiben.

TSCHUANG TSE ist im Gegensatz zu LAOTSE eine historisch belegbare Person (ca. 370 bis 300 v. Chr.).[32] Das Werk von TSCHUANG TSE trägt den gleichen Namen und wird sogar von vielen Kennern des Taoismus höher geschätzt als das TAO TE KING. Letzteres erklärt die Prinzipien des Weges und der Kraft bzw. der Tugend (Te). Im Werk von TSCHUANG TSE wird der Mensch des Taoismus dargestellt.

„Als weise gilt für TSCHUANG TSE nicht derjenige, der sich im Laufe eines dem Studium und der Enthaltsamkeit gewidmeten Lebens einen großen Fundus an Verdiensten erworben hat, sondern der Mensch, dem es gelungen ist, allen Gedankenströmungen gegenüber geistige Unabhängigkeit zu bewahren und in dem sich die Kraft des TAO spontan und ungehindert entfalten kann. Er verweilt lange, in mehreren seiner Texte, beim Thema dieses mit einer höheren Macht ausgestatteten Menschen."[33]

Der dritte „Vater" des philosophischen Taoismus ist LIE TSE. Über seine Biographie ist so gut wie nichts bekannt. Sein Buch, das Lietse oder das „Wahre Buch vom quellenden Urgrund", ist kein geschlossenes Werk, sondern eine Zusammenreihung von Anekdoten und Schlußfolgerungen.[34]

Aus der Lehre von LIE TSE vermittle ich Ihnen folgende Aphorismen, um Ihnen rein atmosphärisch von seinem Schaffen einen Eindruck zu geben:

„Um die Früchte zu erkennen, achte auf die Wurzeln. Studiere die Vergangenheit, um die Zukunft zu erkennen."

„Wenn die Straße gerade ist, (dann) gehe ich schnell und ohne Anstrengung; wenn sie sich windet und schlängelt, dann mache ich für mich das Beste daraus."

„Der Weise befindet sich in der Gesellschaft derer, die vom Leben und Tod genauso denken, wie man von Wachen und Schlafen denkt, und er gehört nicht zu jenen, die die Bedeutung des Zurückkehrens vergessen haben."

„Die Alten betrachteten den Tod als ein Heimkehren, das Leben als ein Abschiednehmen."

Taoismus zwischen Buddhismus und Konfuzianismus

Innerhalb der chinesischen Gesamtreligion des Universalismus haben die taoistischen Ansichten wegen ihrer feinen mystischen Eigenarten nie die offizielle Anerkennung und Verbreitung gefunden wie beispielsweise der *Konfuzianismus*. Vielmehr wurde die Lehre des Konfuzianismus zur offiziellen Staatsdoktrin, in der philosophische und religiöse Gesichtspunkte genauso ihren Platz hatten wie sozialpolitische und einfache lebensanschauliche Aspekte. Die Grundidee von KONFUZIUS war, daß durch rechtes Verhalten die Harmonie mit der Weltordnung erreicht werden könne. Dieses rechte Verhalten bestehe in Treue gegenüber sich und anderen, in Selbstlosigkeit, Menschlichkeit und Rechtschaffenheit, Schicklichkeit und Aufrichtigkeit. Für China ist die daraus entstandene Sittenlehre des Konfuzianismus viele Jahrhunderte lang maßgebend gewesen. Pietät und Moral sind danach die Grundlage des Familienlebens und des Staates. Im Laufe der Jahrhunderte kam es zu vielen Reformbewegungen, die immer wieder von konservativen Reaktionen abgelöst wurden. Bis heute spielt der Konfuzianismus in der Lebensphilosophie der Chinesen eine wichtige Rolle und konnte sich trotz Republikzeit und Kommunismus erhalten.

In den ersten beiden Jahrhunderten nach Christi Geburt gelangte der *Mahayana-Buddhismus** nach China. Er schlug sich dort besonders durch eine reiche Literatur und Kunst nieder. Seine rasche Verbreitung wurde durch den Taoismus stärker begünstigt als durch den Konfuzianismus, da viele Chinesen in Buddha eine Wiedergeburt Laotses erblickten. Im Ganzen war die Geschichte des Buddhismus in China gekennzeichnet durch ein ständiges Auf und Ab. Manche Herrscher begünstigten seine Ausbreitung, andere verfolgten die als fremd empfundenen indischen Einflüsse. In neuerer Zeit verfiel der Buddhismus in China mehr und mehr. In der Gegenwart der Volksrepublik China hat er eher ein trauriges Schicksal, vergleichbar dem des tibetischen Buddhismus seit der Annexion Tibets durch die Chinesen.

In China folgten den Gedanken des Taoismus nur breitere Schichten als einer synkretistischen Bewegung, d. h. einer Vereinigung von Lehren und Gedanken zu einem Ganzen ohne wirkliche innere Einheit. Wichtige Einschnitte in der Geschichte des Taoismus sind die Begegnungen mit dem Buddhismus, nach dessen Muster sich das taoistische Mönchtum entwickelte und die Entstehung einer taoistischen Kirche beschleunigt wurde. Als deren Begründer gilt Chang Tao-ling (geboren 23 n. Chr.). Er wurde zum Begründer einer regelrechten taoistischen Papstwürde, die, trotz aller Wechselfälle der Geschichte, ihre Bedeutung bis in unser Jahrhundert bewahren konnte. Die zeitweise mehr als einhunderttausend Priester (tao-shih) spielten in der zur Volksreligion entarteten Lehre Laotses bei den magischen Beschwörungen, Praktiken und der Wahrsagerei über Krankheiten und den Tod eine wichtige Rolle. Die eigentliche Lehre vom TAO und vom Te des LAOTSE wurde von den Europäern erst im 19. Jahrhundert entdeckt, da sie durch die vollkommen veränderte Volksreligion überwuchert und verdeckt wurde. Danach aber gehörten die Grundgedanken der taoistischen Philosophie (nicht der Religion) zu den am meisten bewunderten, bearbeiteten und übersetzten Zeugnissen der chinesischen Kultur.

Eine häufige Gefahr ist es,
daß der Mensch den Wegweiser
mit dem Weg verwechselt.
DETHLEFSEN

3.3 TAO heute

Aus religiöser Sicht ist der Taoismus heute in China eine derartige Mischform, daß er sich kaum angemessen beschreiben läßt. Es vermengen sich Mythisches, Magisches, Mystisches, religiös verbrämte Zauberei, naturalistischer Götter- und massiver Dämonenglaube, Weihungen und Beschwörungen durch Taoistenpriester. Es ist ein Konglomerat entstanden, aus dem „sich jeder holen kann, was er für sein religiöses Bedürfnis braucht“[35].

Jedoch ist die überwiegend religiöse Seite des Taoismus sowohl in seiner früheren als auch in seiner derzeitigen Ausprägung nicht wesentlich für dieses Buch. Entscheidend ist der *ursprüngliche philosophische Taoismus,* der als eine originelle, hochstehende, mystisch-ethische Weisheitslehre sehr gut zu charakterisieren ist.[36] Diese taoistische Philosophie hat von Anfang an einen tiefen Einfluß auf Künste wie Kalligraphie*, Malerei und Dichtung gehabt. Das gesamte chinesische Denken wurde bis heute vom philosophischen Taoismus beeinflußt. Seit einiger Zeit beginnen sich diese Grundideen des Taoismus als ethische Norm oder schlicht als Überlebensregel für die Menschheit auch im Westen zu etablieren. Der wohl beste Kenner des gesamten Taoismus, John BLOFELD, schreibt deshalb sicherlich zu Recht: „Deshalb bin ich der Ansicht, daß taoistisches Fühlen, Denken und Betrachten in China noch lange weiterleben werden.“[37]

Das seit zwei Jahrzehnten zunehmend zu beobachtende Interesse des Westens für die bestimmte chinesische Art, zu denken und zu handeln[38], führt, einer Pendelbewegung vergleichbar, dazu, daß auch in China selbst wieder eine verstärkte Hinwendung zu solchen Künsten, Fertigkeiten oder künstlerischen Ausdrucksweisen zu bemerken ist, die aus dem taoistischen Gedankengut stammen. Die Aspekte der chinesischen Vergangenheit, insbesondere der taoistischen Denk- und Handlungsweise, treten heute wieder aus dem Bannfluch der kommunistischen Dogmen heraus. Ich bin um das Fortbestehen der taoistischen Grundgedanken nicht bange, haben diese Weisheiten von ihrer ersten, uns überlieferten Zusammenfassung bis heute gut viertausend Jahre überstanden. Dies ist aber insofern leicht erklärlich und verständlich, als gerade der philosophische Taoismus die meisten Gedanken einer „ewigen Weisheit“[39] vielleicht nicht ausdrücklich beinhaltet, zumindest aber artikuliert und gut verdeutlicht.

> Was uns zerspaltet,
> ist die Wirklichkeit . . .
> GOETHE
> Faust I,
> Paralipomena 13

3.4 Zusammenfassung des dritten Kapitels

Dieses und das folgende Kapitel des Buches fasse ich am Ende jeweils kurz zusammen. Dies hat mehrere Gründe. Ich komme einerseits dem Manager und Unternehmer entgegen, der es gewohnt ist, schnell zu lesen, allerdings mit der Gefahr, daß gerade bei solchen Texten manches Wichtige überlesen wird. Hier besteht also für den Leser noch einmal die Möglichkeit der Korrektur oder Ergänzung der eigenen Gedanken. Andererseits ist die Zusammenfassung auch für mich ein wichtiger Prüfstein der Vollständigkeit in der gebotenen Kürze und der Logik des Aufbaus.

Das TAO kennzeichnet sich durch folgende Merkmale und Eigenheiten:

- Das TAO ist nicht nur das wichtigste, umfassendste und tiefgründigste Symbol der chinesischen Kultur, sondern hauptsächlich auch das Prinzip der universellen Ordnung. Es ist als kosmisches Prinzip des Weltenlaufs zugleich Ursache alles dessen, was ist. Es manifestiert sich in allen Erscheinungen und Abläufen, denen es als Urgrund zugrunde liegt.
- Das TAO regelt das dynamische Wechselspiel und die unentwegten Veränderungen der beiden Kräfte oder Pole des Universums, die innerhalb der chinesischen Symbolik mit dem Yin- und Yang-Zeichen verdeutlicht werden.
- Das TAO ist wesenlos, gestaltlos und namenlos, aber zugleich wegweisend. Die Bedeutung des TAO kann nur erfaßt werden,

wenn man sich eine holistische, d. h. ganzheitliche Schau des Universums zu eigen macht. Wir alle sind Realität des TAO.

- Dieser grundlegenden Einheit und Einigkeit mit dem TAO sind wir uns nicht immer bewußt. Wir haben uns eine bestimmte Realität geschaffen bzw. eine künstliche Vorstellung von der Realität, die paradoxerweise leichter zu verstehen ist als das, was die Realität wirklich (!) ausmacht.[40]

- Das TAO zu leben oder den Weg des TAO zu beschreiten heißt für mich, die tiefe Verbundenheit und Verbindung zwischen Mensch und Kosmos zu erfassen. Dann besteht die Möglichkeit, zur ursprünglich bestehenden Einheit oder zum ursprünglich herrschenden Zustand der Vollkommenheit zurückzufinden.

- Das TAO können nur solche Menschen offen erleben, die loslassen können, d. h. die Wu Wei praktizieren gelernt haben. Den Dingen ihren natürlichen Lauf lassen ohne Ehrgeiz übersteigerter Ichziele, das ist der richtige Weg.

- Die Gedanken und Regeln des TAO sind heute mehr denn je geeignet, im ökonomischen und ökologischen Bereich angewendet zu werden, da sie eine recht einfach zu begreifende Richtschnur wirtschaftlichen und ethischen Handelns darstellen.

- Das TAO und sein Verständnis stellen allerdings an den westlich geprägten Menschen einige Anforderungen. Nur offenen und selbstbewußten Menschen wird es gelingen, die eingeübten Verhaltensweisen mindestens zu überdenken.

4. Kapitel:

Lebensregeln des Taoismus

Das Rationale nicht überbewerten – Intuition – Spontan und kreativ sein – Alle Gegensätze annehmen – Das Leben ist Rhythmus – Freude am Schönen – Ein gesundes Verhältnis zur Zeit – Disziplin als Voraussetzung für Gesundheit – Den anderen Pol erkennen – Integrativ handeln – Bescheiden und glaubwürdig

> Spontaneität hat die Qualität
> des Tao insofern, als sie ist,
> was sie ist.
> COOPER

4.1 Sei intuitiv und spontan: das Rationale nicht überbewerten

Das spontane Handeln und die Spontaneität in allen Lebenslagen ist ein wesentliches Kennzeichen des Taoismus. TAO akzeptieren und danach leben heißt der Einfachheit im natürlichen Ablauf (genannt Wu Wei, vgl. S. 48) den Vorrang geben. Einfach etwas geschehen lassen ist das Stichwort. Hand in Hand damit geht die Spontaneität. Darunter verstehe ich die gelebte Fähigkeit zur Selbstbestimmung zu jedem Zeitpunkt im Gegensatz zur Rezeptivität, einem Zustand der reinen Aufnahmefähigkeit oder Empfänglichkeit von Hinweisen, Regeln und Maßnahmen, im schlimmsten Fall von Befehlen. Spontaneität ist die rasche Entschlußfähigkeit eines Individuums vor allem in sozialen Situationen. Dabei laufen Handlungen oder Unterlassungen ab, die ohne bewußte Denk- und Kontrollprozesse gelebt werden.

Der Grad der Spontaneität, der nicht naiven, sondern natürlichen Unbefangenheit des Handelns, hängt wesentlich von der Persönlichkeitsstruktur des einzelnen ab. Gestörte Persönlichkeiten, mit starken Kindheitsprägungen in bestimmten Richtungen, können zwar durchaus noch spontan handeln, aber wiederum oft nur einseitig und bedingt. Meistens ist jedoch bereits in den ersten Lebensjahren der natürliche Hang zur Spontaneität zumindest in der westlichen Zivilisation aufgrund von zu starken Zwängen und Ge- und Verboten verlorengegangen. Damit geht dem Menschen gewissermaßen ein wichtiger, in Urzeiten vielleicht noch lebensnotwendiger Instinkt ab, mindestens aber wird er sehr stark eingeschränkt.

Ähnlich wie spontanes Handeln favorisiert das TAO die *intuitive Weisheit oder die Intuition*. Diese Fähigkeit zu erhalten oder wieder zu erwecken scheint mir auch für das Management von wesentlicher Bedeutung. Intuition ist mehr als ein bloßer Einfall oder Gedankenblitz. Bei einer Intuition wird ein Sachverhalt oder ein Ablauf bzw. Teile daraus als wichtig gewahr oder erkannt, und zwar ohne daß bewußt und gezielt darüber nachgedacht wurde. Deshalb sind Intuitionen oft von einem starken Gefühl begleitet, das bis zu einer überwältigenden Evidenz und tiefen Einsicht gehen kann. Die Erkenntnis oder Einsicht kann jedoch in der Regel nicht (sofort) bewiesen werden und ist oft überhaupt nicht beweisbar.

Die Idee der Intuition, daß durch tiefgehendes „Ansehen" Erkenntnisse gewonnen werden können, zieht sich auch durch die ganze westliche Philosophie. Bei PLATO entstehen Ideen aufgrund von Intuitionen, für PLOTIN entsteht daraus das Übersinnliche. Ich meine jedoch, daß es eher umgekehrt ist. Nach ARISTOTELES werden die obersten Begriffe, nach DESCARTES die obersten Wahrheiten intuitiv eingesehen. Die Intuition ist gemeint, wenn LESSING sagt:

Es wäre wenig in der Welt unternommen, wenn man immer nur auf den Ausgang gesehen hätte.

Wenn die heutige Generation Sätze prägt wie „Tun, was Spaß und Freude macht", ist damit das Aussteigen („Ausflippen") aus Zwängen, Regeln, Terminen, Rezepten und Planungen gemeint. Ein eindeutiges Defizit an Spontaneität und Intuition wird ersichtlich.

In einer metaphysischen Grundeinstellung wie dem Taoismus, der sehr stark auf spontanes Handeln gründet, ist deshalb Logik und Folgerichtigkeit nur schwer zu erkennen. In der Tat sind diese wesentlichen Denk- und Verhaltenspfeiler westlicher Kultur in der östlichen Philosophie so gut wie nicht zu finden. „In Erkenntnis der

Grenzen und der Relativität des rationalen Denkens ist der Taoismus im Grunde ein Weg der Befreiung von dieser Welt ... Im Kontext der chinesischen Kultur bedeutete die taoistische Befreiung im besonderen eine Befreiung von den strikten Regeln der Konvention. Mißtrauen gegenüber konventionellem Wissen und Argumentieren ist im Taoismus stärker als in allen anderen Schulen östlicher Philosophie."[1] Ich zitiere zwei Sätze von TSCHUANG TSE:

Das größte Wissen weiß es nicht unbedingt;
Argumentieren macht die Menschen nicht darin weise. Die Weisen haben gegen beide dieser Methoden entschieden.

Der Disput ist ein Beweis dafür, daß keine Klarheit herrscht.

Aufgrund dieser Denkhaltung hat sich, vom Taoismus ausgehend, in der chinesischen Lebenskultur nie die strenge Notwendigkeit eines *Entweder-Oder-Denkens* ergeben. Diese Denkhaltung ist aber im Westen sehr verbreitet und erinnert stark an Mechanik und strenge Organisation, aber auch an übersteigertes Konkurrenzdenken. Die chinesische Philosophie dagegen geht davon aus, daß ein Ding aus dem anderen entstehen kann und daß beide auch leicht ihre Plätze tauschen können. Das Entweder-Oder-Prinzip stärkt Gegensätze, fördert Widersprüche und vertieft Gräben und Klüfte. Das liegt dem Taoismus fern, und daher kommt die geringe Betonung der strengen *Logik im östlichen Denken* insgesamt. Logik wird als zu statisch oder gar kleinlich empfunden und setzt oft Bedingungen, unter denen keine echte Fortentwicklung oder kreative Innovation möglich ist.[2]

Die für meinen Geschmack oft leicht überspitzte Ablehnung der Logik findet im Taoismus ihre Übertreibung im Ausdruck des *Paradox*. Der echte Taoist hat Freude daran, in jede Anekdote und

Erzählung ein Paradox einzubauen und damit womöglich noch ein Rätsel aufzugeben, hinter dem aber jeweils echte Weisheiten zu entdecken sind. „Taoistische Autoren sind Experten in der reductio ad absurdum."[3] Der Taoismus benützt aber nicht nur das Paradox, sondern ist selbst eines, da TAO, wie Sie gesehen haben, zugleich der intellektuellste und einfachste aller Wege ist. Das Paradox, das sich für die *Technik des Brainstorming* geradezu anbietet, hindert nach taoistischer Auffassung den Menschen daran, sich an Doktrinen festzuhaken und an Behauptungen zu klammern, die durch ihre Systematisierung oft mißverstanden werden. Ich lasse das TAO selbst in seiner Erscheinungsform als Paradox zu Wort kommen (TSCHUANG TSE):

Tao verursacht Fülle und Leere,
ist aber keines von beiden.
Es verursacht Erneuerung und Verfall,
ist aber keines von beiden.
Es verursacht Anhäufung und Zerstreuung,
ist aber keines von beiden.
Das Tao macht die Dinge zu dem, was sie sind,
ist aber selbst kein Ding.
Nichts kann Tao erzeugen,
und doch hat Tao alles in sich.

Des einen Freud, des
anderen Leid.
DEUTSCHES SPRICHWORT

4.2 Denke immer daran: Der Gewinn des einen ist zugleich der Verlust des anderen

Das ureigenste Gesetz des TAO ist die *Wiederkehr*. Alles auf der Welt kehrt immer wieder an seinen Ausgangspunkt zurück. Wollte man dieses Urprinzip symbolisch-grafisch umschreiben, könnte es nur ein Kreis sein. Im Chinesischen wird deshalb das Große Nichts, die Quelle des Seins, also das TAO, mit dem Symbol WU-CHI, dem vollen Kreis, gekennzeichnet:

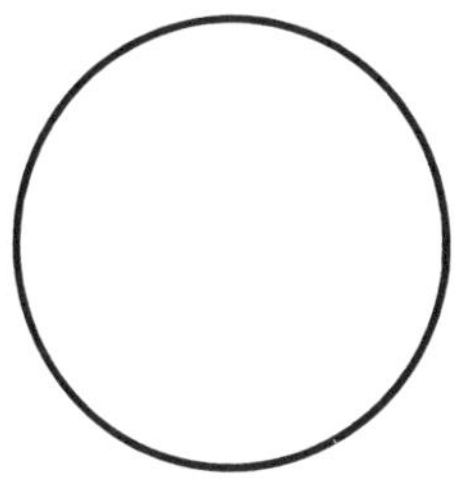

Im TAO TE KING heißt es dazu[4]:

> *Wiederkehr ist die Bewegung des TAO. Schwachheit ist die Wirkkraft des TAO. Alle Wesen dieser Welt entstehen aus dem Sichtbaren.*
>
> *Aus dem Sichtbaren entsteht das Unsichtbare.*

Dies bedeutet auch, daß das TAO vom Wesen her *Bewegung* ist. Ohne Bewegung gäbe es nur die undifferenzierte Einheit. Entscheidend ist aber, daß eine *zyklische, rhythmische Bewegung* gemeint ist. Der „Operationsmodus"[5] des TAO läßt sich deshalb aus dem Zyklischen, auf dessen ganzer Linie Anfang und Ende immer identisch sind, als ein Kreislauf bestimmen. Deshalb ist es fast für jeden Chinesen notwendig, ob taogläubig oder nicht, wenn er die Weisheit erstrebt, sich an den Rhythmus des Universums anzupassen. Dies bedeutet auch, sich dem Wechsel der Jahreszeiten gedanklich und vom Verhalten her zu beugen und diesen Jahreszeitenrhythmus zu akzeptieren.

Die Einstellung oder Überzeugung, daß alles auf dieser Welt in einem großen Kreislauf geschieht, also zyklisch-rhythmisch abspielt, führt zur zwangsläufigen Akzeptanz der Ganzheit. Zur ganzheitlichen oder holistischen Weltanschauung gehört ferner die Überzeugung, daß jeder Organismus, auch der Mensch, ein integriertes Ganzes ist. Ganzheit findet sich im Mikro- und Makrokosmos. Die Ganzheit selbst ist Ganzheit. Ehe ich zum Beweis dessen komme, was ich in der Überschrift dieses Abschnitts behauptet habe, muß ich jedoch noch weiter ausholen und auf neuere Forschungen und Erkenntnisse verweisen. Ich versuche, die wichtigsten *Erkenntnisse zur Ganzheitstheorie* schlagwortartig darzulegen:

① *Alle natürlichen Systeme sind Ganzheiten.* Sie setzen sich aus wechselseitigen Beziehungen und Abhängigkeiten ihrer Teile zusammen.

② Ganzheit ist nicht addierend, sondern *integrativ*. Deshalb können auch im Endeffekt zum Beispiel bei der Beurteilung und Therapie menschlicher Krankheiten körperliche und psychische Leiden nicht getrennt betrachtet werden.[6]

③ Ganzheitsauffassung denkt in *Systemen* und nicht in isolierten Einzelheiten. Das Denken in Systemen bedeutet Denken in Vorgängen und Abläufen. Form und Gestalt wird gedanklich assoziiert mit Geschehen. Zusammenhänge werden als Wechselwirkungen betrachtet, und Gegensätze werden durch Schwingungen vereint (Zyklus, Rhythmus, Kreis).

④ Ein wichtiger Aspekt solcher ganzheitlicher Systeme ist die *Selbststeuerung und Selbstorganisation.* Sie geschieht jedoch nicht so, daß das betreffende System sich selbst als autark und isoliert betrachtet, sondern so, daß es sich im Umfeld und der Umwelt selbst organisiert.

⑤ Dies hat folgerichtig zur Theorie der *„dissipativen Strukturen"* geführt.[7] Physik, Chemie und Biologie gingen in ihren bisherigen Betrachtungen und Überlegungen davon aus, daß Systeme von einer mächtigen Tendenz zur Willkür und Entropie (*) beherrscht seien. Dies führe zwangsläufig zum Untergang und zum Chaos. PRIGOGINES Erkenntnisse zeigen aber, daß immer dann, wenn ein System in irgendeinem Bereich durch vergangene Erzeugung von Entropie zu ersticken droht, es zu einem neuen Ordnungstyp wechselt.[8] Man könnte von einem *dynamischen Zustand von Nichtgleichgewichtssystemen* sprechen.[9]

Dies sind einige Gedanken und Hinweise zur Theorie der Ganzheit, die ihre philosophische Grundlage ganz besonders im Taoismus findet. Da alles eine Einheit ist und sich diese Einheit im Mikrokosmos genauso wiederfindet wie im Makrokosmos, kann es auf dieser Welt auch keinen Gewinn, Vorteil oder Fortschritt für eine Einheit geben, ohne daß zugleich auch für eine andere Einheit Verlust, Nachteil oder Rückschritt auftritt.

COOPER, eine intensive Kennerin des Taoismus, schreibt deshalb zu Recht: „Da der Taoismus eine zyklische Weltanschauung vertritt, betet er naturgemäß nicht vor dem Altar des Fortschritts."[9] Ich drücke es mit meinen Worten aus: Eine Gesellschaft, Kultur, Wirtschaftseinheit oder ein Mensch kann zwar zeitweise Fortschritte machen, dies geht jedoch immer zu Lasten anderer Einheiten. Ganzheit ist insofern auch beschränkt. Auch jeder Kreis hat eine äußere Umfangslinie. Deshalb kann der Taoismus die Folgen des bei uns im Westen nach wie vor ungebrochenen Wachstumsglaubens ausdenken und vorhersagen: Wirtschaftliches Dauerwachstum und steigender Wohlstand eines Staates und der einzelnen Menschen müssen zu Rückschritten und Nachteilen in anderen Bereichen, zum Beispiel bei den natürlichen Gegebenheiten und der Umwelt, führen.

Geschichtlich gesehen wird man wohl kaum von einem permanenten Fortschritt sprechen können. Zum einen fehlen die Bewertungsmaßstäbe über die Jahrtausende hinweg gesehen, und zum anderen ist Geschichtsschreibung sehr subjektiv. Selbst wenn wir ein Jahrhundert lang einen ununterbrochenen Fortschritt diagnostizieren könnten, berechtigt uns dies nicht zu der Annahme, daß es immer so weitergeht und dieser Fortschritt nicht irgendwann abnehmen oder sich in Rückschritt verkehren könnte.

Auf einem von mir vor einiger Zeit besuchten Unternehmerseminar, das sich mit der Unternehmenszukunft beim Eintritt in das Wassermannzeitalter befaßte, schrieb ich in einen Beurteilungsbogen auf die Frage, was unser Leben denn im wesentlichen bestimme, das Wort: „RHYTHMUS“. Der Seminarleiter konnte allerdings mit dieser Antwort nichts oder wenig anfangen. Es gelang mir auch nicht, ihm dies klarzulegen. Dies zeigt, wie tief verwurzelt im westlichen Wirtschaftsdenken der Glaube an eine evolutionär-geradlinige Entwicklung ohne wesentliche Hemmnisse ist. Zyklusdenken und Gefühl für Rhythmus oder salopp in der Wirtschaftssprache ausgedrückt: Jede Rechnung muß bezahlt werden, das ist für uns heute schwer verständlich. Selbst die Abläufe in der Natur mit den Jahreszeiten und ihren unterschiedlichen Stimmungen und Ausprägungen werden von uns kaum als Rhythmus betrachtet. Welcher Mensch denkt daran, daß der Winter nicht nur eine kalte Jahreszeit oder allenfalls zum Skilaufen geeignet ist, sondern daß er die notwendige Ruhephase der Natur ist, in der aber zugleich schon wieder Neues vorbereitet wird und entsteht. Wer das begriffen hat, durchlebt nicht nur den Winter anders, er kann auch solche Prinzipien leichter auf sich übertragen (z. B. selbst öfter besinnliche Ruhephasen einschalten und dabei zugleich Neues vorbereiten).

Thorwald DETHLEFSEN schreibt unter der Überschrift *„Leben ist Rhythmus“*[10]: „Rhythmus ist das Grundmuster allen Lebens. Zerstört man den Rhythmus, zerstört man das Leben. Rhythmus besteht immer aus den beiden Polen, ist also ein ‚Sowohl-Als-auch‘, niemals ein ‚Entweder-Oder‘ ... Solange der Mensch in seiner Haltung und Einstellung ‚für etwas‘ oder ‚gegen etwas‘ ist, zerstört er Einheiten. Der Mensch ist für Gesundheit und gegen Krankheiten. Er will nicht begreifen, daß Gesundheit und Krankheit als Polarität sich gegenseitig bedingen und voneinander leben. Die Gesundheit erhält erst durch Krankheit ihre Existenz. Gesundheit kann erst aus der Krankheit heraus entstehen.“ Hier kommt, für mich deutlich, Gedankengut des Taoismus in Reinkultur zum Ausdruck.

Fortschritt auf der einen Seite wird im allgemeinen von Rückschritt auf der anderen Seite begleitet. Je mehr ein Mensch selbst mit sich einig ist, um so weniger ist er getrennt und läßt sich durch Polaritäten beeinflussen. Je integrierter der Mensch ist, desto mehr erkennt er die Wechselbeziehungen aller Dinge und Erscheinungen untereinander. Der „getrennteste“ der Menschen allerdings ist der völlig isolierte und vereinsamte Psychotiker.[11]

Bildlich gesprochen bewegt sich ein separatistischer Mensch auf die Peripherie des Kreises (des Tao) zu. Im schlimmsten Fall wandert er immer auf der Kreisbahn. Die Bewegung weg von der Mitte trägt ihn immer weiter hinein in die Illusionswelt der Widersprüche, in Vielfältigkeiten und neue Wirbel. Dies meint wohl LAOTSE, wenn er sagt:

> *Je weiter man reist, desto weniger weiß man.*

Geht man als Mensch in die Mitte zurück, akzeptiert man also den Punkt, an dem sich Gewinn und Verlust aufheben, wird man mit sich eins. Dann hat man auch eine wichtige Ausprägung des holistischen[12] Prinzips verstanden und gelebt, daß nämlich der Gewinn oder Fortschritt der einen Seite zugleich der Verlust oder Rückschritt der anderen Seite ist. Diese Erkenntnis ist besonders für Unternehmer und Manager wichtig, da ihre Entscheidungen meistens von solcher Tragweite in der einen oder anderen Richtung sind, daß sie auch starke Gegenwirkungen haben können. Gerade Menschen der Wirtschaft aber sind sich am wenigsten bewußt, daß dieser Aspekt der Ganzheit überall existiert und bei fast allen Entscheidungen viel zu wenig beachtet wird.

Welche Folgen die Nichtbeachtung dieses in diesem Abschnitt beschriebenen Prinzips haben kann, zeigt der gegenwärtige Umgang mit der Natur durch die Wirtschaft und den Menschen schlechthin. Auf die dringend notwendige Ökologisierung der Unternehmen, d. h. die stärkere Beachtung des beschriebenen Ganzheitsprinzips im Unternehmen, komme ich deshalb in Abschnitt 5.10 (Seite 263) zu sprechen. Im Unternehmensbereich muß dieses Prinzip aber auch stärker als bisher für die Mitarbeiter Berücksichtigung finden. Hier könnte eine ernst gemeinte Erfolgsbeteiligung oder Beteiligung am Unternehmensvermögen das Humangleichgewicht leichter wieder herstellen als die zur Zeit eher zu beobachtende verstärkte Kapitalanhäufung in den Händen weniger Personen, besonders aber Institutionen.

A moderato ego
demonstrates wisdom.
HEIDER

4.3 Aus der Mode gekommen: einfach, bescheiden, rechtschaffen und glaubwürdig

Diese früher hochgeschätzten Eigenschaften sind heute weitgehend verlorengegangen. Sie gelten zum Teil in unserer Gesellschaft sogar als negativ.

Ein einfacher Mensch ist jedoch zugleich auf dem besten Weg, weise zu sein oder zu werden. Einfach bedeutet zum Beispiel nicht überintellektuell, nicht verwirrt, nicht verdorben zu sein etwa von der sogenannten Schicht intelligenter Leute, die in der Regel aber mehr mit ihrem eigenen Image und mit dem Wunsch, zu beeindrucken und zu gefallen, beschäftigt ist, als den wahren Dingen und Wirklichkeiten auf den Grund zu gehen.

Einfachheit ist der Schlüssel zur Wunschlosigkeit. „Sie räumt auf mit dem Zustand chronischen Begehrens, der nicht dadurch gelindert werden kann, daß er das augenfällige Objekt erlangt, da dieses Objekt nicht die Ursache, sondern lediglich der Vorwand dafür ist.“[13] Einfach wird vielfach heute gleichgesetzt mit simpel, gering und töricht. Dies hat mit der seit Jahrhunderten zunehmenden Komplexität der Dinge in der Welt zu tun. Nur derjenige, der noch bei höchst komplizierten Verhältnissen den Durchblick hat, gilt als kompetent und mit Führungsfähigkeiten ausgestattet. Auf der anderen Seite zeigt sich jedoch auch der Trend zu einfachen Problemlösungen, die insbesondere im Management zunehmend bevorzugt werden.

Auch die *Bescheidenheit* ist nicht mehr modern. Sie ist nur noch eine heimliche Tugend. Noch im Mittelalter bedeutete „sich mit etwas bescheiden", daß man damit zufrieden war und sich begnügte. Bescheidenheit bezieht sich jedoch nicht nur auf materielle Dinge. Ich meine auch die intellektuelle Bescheidenheit, die die Grundlage jeglichen Lernprozesses ist. Menschen, die von sich selbst glauben, alles zu wissen, sind arrogant und eben maßlos unbescheiden. Gerade diese Haltung ist auch heute noch sehr oft bei Führungskräften anzutreffen. Die Einstellung, alles schon zu wissen, äußert sich oft auch in Mißachtung und Geringschätzung gegenüber dem Denken und den Fähigkeiten Dritter.

Bescheidenheit hilft uns, in unserer Gesellschaft vernünftig zu leben, und gibt zugleich die Chance, daß andere Bereiche auch überleben können. Der beste Prüfstein für die Bescheidenheit eines Menschen, insbesondere einer Führungskraft, ist die Fähigkeit, Kritik zu ertragen. Wenn andere Menschen Unrecht haben, sind kluge Führungskräfte so diszipliniert, Ruhe zu bewahren und dazu noch freundlich und tolerant zu bleiben. Und was für den Taoisten und die Führungskraft gleichermaßen gilt, ist eine besonders positive Seite der Bescheidenheit: Sie besteht darin, über seine eigenen Schwächen lachen zu können.

Die höhere Form der Bescheidenheit ist die *Demut*. „Heutzutage ist Demut keine populäre Tugend; aber nur deshalb, weil sie falsch verstanden wird. Viele glauben, daß Demut darin bestehe, schlecht über uns selber zu reden, obwohl wir uns für besser halten, um dann noch im geheimen stolz auf diese geheuchelte Demut zu sein. Eigentlich bedeutet demütig jedoch irdisch oder erdig. Das englische Wort für demütig, ‚humble' ist mit ‚Humus' verwandt, der Gartenerde. Es ist ebenso mit ‚human' und ‚Humor' verwandt. Wenn wir die irdische Qualität unserer menschlichen Kondition akzeptieren und annehmen (und ein bißchen Humor ist dabei durchaus hilfreich), dann werden wir feststellen, daß wir das mit demütigem Stolz tun. In den besten Augenblicken unseres Lebens ist Demut einfach Stolz, der zu dankbar ist, um auf irgend jemanden herabzublicken."[14]

Zu den taoistischen Lebensregeln gehört auch die *Glaubwürdigkeit,* die gerade in unserer Zeit des Mehr-Scheinenwollens als Seins stark an Bedeutung verloren hat. Für den Taoisten ist Darstellung nach außen und Leben nach innen eine Einheit. Er kennt nicht die Fassade, die oft mühsam aufrechterhalten werden muß, sondern lebt so, daß er immer glaubwürdig ist. Besonders in der Politik und in der Werbung gibt es immer weniger Glaubwürdigkeit. Dies hat zur Folge, daß sich die jüngere Generation zunehmend mehr distanziert von solchen „unglaubwürdigen" Bereichen.

Zum Thema dieses Abschnitts sagt das TAO TE KING (Kapitel 24):

Wer auf Zehen steht, kann nicht stehen.
Wer die Beine spreizt, kann nicht gehen.
Wer sich ins Licht stellt, kann nicht leuchten.
Wer nur sich gelten läßt, kann nichts gelten.
Wer sich selbst wichtig nimmt, hat kein Gewicht.
Wer sich selbst lobt, ist nicht groß.

Solch unnatürliches Tun
verabscheuen die himmlischen Mächte;
auch der natürlich Empfindende verabscheut es.
Wer um seine Würde weiß,
Träger des Unergründlichen zu sein,
hält sich von solchem fern.

Das Erlangen der Reife, der Ganzheit,
liegt in der Annahme aller Gegensätze,
des Lichtes und der Dunkelheit,
des Guten und des Bösen,
des Lebens und des Todes,
und in der Versöhnung mit ihnen.
COOPER

4.4 Alle Gegensätze annehmen führt zur Harmonie

Leben im TAO bedeutet für den Menschen, nach seiner Natur und nach der Natur der kosmischen Kräfte zu leben. Dies heißt auch, im Einklang mit den Dingen und den natürlichen Abläufen zu sein und nicht zu versuchen, natürliche Gegebenheiten ständig zu verändern und zu manipulieren, in der Bildersprache: aus dem Winter einen Sommer zu machen. Und wer im Einklang mit den Dingen lebt, findet seinen Platz in der Welt und ist in Harmonie.

In der westlichen Welt wird allerdings unter Harmonie ein Leben in einer gleichbleibend ruhigen „heilen Welt" verstanden. „Für den östlichen Menschen gehören Störung, Leid und Schmerz untrennbar zum Leben, sie sind wesentlicher Teil des Universums. Harmonie meint hier Bewegung, Dynamik im sinnvollen Wechsel und Ausgleich der Lebenskräfte."[15]

Der Mensch erlangt nach taoistischer Auffassung nur dann Reife, also Ganzheit, wenn er bereit ist, alle Gegensätze anzunehmen, also sowohl Licht und Dunkelheit, Gut und Böse, das Leben und den Tod. Wer sich ständig gegen einen bestimmten Pol auflehnt, wird einseitig, kommt aus dem Gleichgewicht und wird immer weniger in der Lage sein, zur Ausgeglichenheit und Reife und zur inneren Ruhe zu finden. Die Akzeptanz von Yin und Yang in allen Dingen dieser Welt ist das Entscheidende. Wer dieses TAO-Prinzip verstanden hat, kann ganzheitlich, in sich ruhend leben.

Um zu diesem höchsten menschlichen Ziel zu kommen, das zugegebenermaßen sehr schwer zu erreichen ist, gibt es zwei einfache „Techniken“. Auf der einen Seite ist es wichtig, eine gewisse Gelassenheit zu den Dingen zu entwickeln. Dies gilt ganz besonders für Führungskräfte. Andererseits hilft besinnliches Nachdenken und eine gewisse Offenheit für Geheimnisse wesentlich weiter.

Martin HEIDEGGER hat diesen Begriff der *„Gelassenheit zu den Dingen“* geprägt.[16] Er entwickelte die Vorstellung eines idealen Verhältnisses zur zunehmenden Technisierung unserer Umwelt. „Wir können ‚ja‘ sagen zur unumgänglichen Benützung der technischen Gegenstände, und wir können zugleich ‚nein‘ sagen, insofern wir ihnen verwehren, daß sie uns ausschließlich beanspruchen und so unser Wissen verbiegen, verwirren und zuletzt veröden.“ Er nennt die Haltung des gleichzeitigen Ja und Nein die Gelassenheit zu den Dingen. Dies ist Taoismus in Reinkultur und ganzheitliche Denkweise in bester Ausprägung: So läßt sich Harmonie zur Technik finden.

Aber auch *das besinnliche Nachdenken* ist ein technisches Hilfsmittel auf dem Weg zur ganzheitlichen Betrachtung der Dinge und zur Erlangung der Reife. HEIDEGGER sagt: „So gibt es denn zwei Arten von Denken, die beide jeweils auf ihre Art und Weise berechtigt und nötig sind: das rechnende Denken und das besinnliche Nachdenken.“[17] Besinnliches Nachdenken ist Nachsinnen, den Gedanken zielgerichtet folgen, aber auch Abschweifungen zulassen. Das besinnliche Nachdenken taugt nichts für die Bewältigung der laufenden Geschäfte, es bringt nichts ein in der täglichen Praxis. Erst wer besinnlich nachdenken kann, wird in der Lage sein, die nächste Stufe, die Meditation, also die tatsächliche Ganzheit mit sich und allen Dingen zu erreichen.

Wer gleichzeitig ja und nein zu etwas sagen kann, ist auch *offen* für alles. Einen solchen Menschen können bestimmte Entwicklungen und Schicksalsschläge nicht aus der Bahn werfen. Taoistisch gedacht ist aber ein „offener“ Mensch zugleich leer. Dies ist nur scheinbar ein Paradox. Das chinesische Denken versteht unter Leerheit reine Unvoreingenommenheit, also die Fähigkeit, alles Kommende erst einmal zu akzeptieren. Eine Eigenschaft, die, wie ich finde, besonders bei Führungskräften weitgehend vorhanden sein sollte. Zu diesem Thema *Offenheit* möchte ich noch einmal David STEINDL-RAST zitieren mit einem Text, über den es sich lohnt nachzudenken: „Als er beobachtete, wie sich eine Anemone dem Morgenlicht öffnet, fragt Rilke: Und wir, wann sind wir jemals völlig offen und Empfänger? Offenheit in diesem Sinne steht für eine grundsätzliche Lebenshaltung, für die Bereitschaft, das Leben in seiner ganzen Fülle anzunehmen. Aber ist Offenheit selbst Fülle oder Leere? Man bedenke beispielsweise die Offenheit der Hoffnung für überraschtes Staunen. Hoffnung ist erst dann völlig offen, wenn sie sich aller Hoffnungen entleert hat. Selbst die Form des Buchstabens O, des ersten Buchstabens von Offenheit, ist doppeldeutig: Der leere Kreis ist das Symbol der Fülle. Das Wechselspiel zwischen Fülle und Leere findet seinen Angelpunkt in der Offenheit.“[18]

Sein und Nichtsein bedingen sich gegenseitig. Schwer und leicht verwirklichen sich gegenseitig.
Lang und kurz unterscheiden sich gegenseitig. Vorher und nachher folgen sich gegenseitig.
TAO TE KING (Kapitel 2)

4.5 Leben ist Rhythmus und Wandel und kein linearer Prozeß

Das grundlegende Denkmuster und die einzig richtige Verhaltensweise im Sinne des Taoismus ist zyklisch und auf keinen Fall evolutionär oder linear-prozeßbezogen. Die Welt wandelt sich ständig („alles fließt"), auch der Mensch befindet sich in einem dauernden Zustand der Veränderung und des Werdens. Dieses muß jedoch nicht unbedingt in einer Vorwärtsbewegung bestehen. Vermeintlicher Fortschritt ist sehr oft eine Rückwärtsbewegung oder sogar Rückschritt. „Der Weise identifiziert sich mit diesem Prozeß der Wandlung; in dem Maße, indem er mit der Schöpfung geht, wird er eins mit dem Tao."[19]

Den laufenden Prozeß des Wandels und der Veränderung bewirkt das Yin-Yang-Prinzip (vgl. S. 39). Diese beiden Elemente finden sich überall. Deshalb ist auch der Mikrokosmos des Menschen in der Struktur genauso angeordnet wie der gesamte Makrokosmos. Für den westlich geprägten Menschen ist diese Kosmologie nicht leicht zu verstehen, da er nach dem linearen Evolutionsprinzip denkt und handelt. Deshalb will ich das taoistische Grundmuster des Zyklusdenkens noch einmal von anderer Seite beleuchten. Philosophisch betrachtet wird das TAO als endloser Strom angesehen. In diesem Strom wandelt sich alles von Anfang an bis zum Ende unaufhörlich. Aber dieser endlose Wandel vollzieht sich nicht chaotisch oder ungeordnet, sondern er verläuft in geordneten Zyklen, wobei die einzelnen Grundmuster endlos wiederholt werden. „Das Kommen und Gehen des Herbstes an sich variiert nur in engen Grenzen, während fallende Herbstblätter niemals identische Muster auf dem Boden bilden.“[20]

Das Verständnis dieser Wandlungen und die Erforschung des laufenden Wechsels befähigen dazu, innerhalb bestimmter Grenzen vorherzusehen, was passieren wird. Auf diesem Prinzip beruht auch das Buch der Wandlungen (I GING), das ich Ihnen ab Seite 48 vorgestellt habe. Es gilt auch heute noch als unfehlbare Quelle der Weissagungen.

Wer dieses ständig sich wiederholende Zyklenmuster erkannt hat, versteht auch um so leichter die in Kapitel 4.2 getroffene Aussage, daß der Gewinn des einen immer zugleich der Verlust eines anderen sein muß.

In diesem Zusammenhang ist auch die Art des Wissenserwerbs im Taoismus sehr wichtig. Im westlichen Kulturkreis folgen die Schüler einem linearen Weg des Wissenserwerbs. Alles ist streng auf ein Lern- oder Fortbildungsziel ausgerichtet. Lehrer und Trainer haben die Aufgabe, den Wissensgegenstand auf schnellstem und einfachstem Weg zu vermitteln. Anders im Taoismus. Hier wird das Gelernte immer wieder in Frage gestellt. Vorurteile und Meinungen werden immer wieder zerstört. Es geht nie darum, Wissen zu erwerben, denn nicht das Haben, sondern das Sein ist entscheidend. Es gilt nicht das Grundmuster des Entweder-Oder, sondern die Denkhaltung des Sowohl-Als-auch. Ja und Nein sind gleichzeitig möglich, was wieder rein zyklisches Denken ist. Ich meine, wir tun gut daran, von dieser Grundeinstellung einiges zu übernehmen. Man lebt nicht nur leichter, wenn es gelingt, gedanklich alle Möglichkeiten einzubeziehen. Es werden auch hemmende Ängste überwunden.

Nichts anderes meint auch Thorwald DETHLEFSEN unter der Überschrift „Leben ist Rhythmus“[21]. Das Leben ist also kein linearer Prozeß von der Geburt bis zum Tod, wie die meisten Menschen westlicher Prägung viel zu einfach denken. Auch die Zeit an sich ist keiner linearen Betrachtung zugänglich. Wir werden zwar laufend älter, aber innerhalb des Stromes des TAO fließen wir im Wandel mit, in dem sich alles wiederholt.

Wer dieses Gesetz des Zyklus oder Rhythmus im kleinen und großen verstanden hat, weiß auch, daß man jedes Ziel nur über den Gegenpol erreichen kann und keinesfalls auf dem direkten (linearen!) Weg, wie es die meisten Menschen leider erfolglos versuchen. Sie haben dann geübt, mit dem Kopf durch die Wand zu gehen. DETHLEFSEN führt folgende Beispiele an: „Wer einen Stein möglichst weit werfen will, streckt sich ja auch nicht beim Wurf möglichst weit nach vorne dem Ziel entgegen, sondern holt vielmehr möglichst weit nach hinten in die Gegenrichtung aus. Der Gärtner düngt seine Rosen im Garten auch nicht mit duftendem Parfüm, damit die Rosen im nächsten Jahr besonders gut riechen, vielmehr düngt er mit stinkender Jauche, und dennoch wachsen daraus die duftenden Blumen."

Das tibetanische Totenbuch sagt: Wer nicht das Sterben gelernt hat, kann nicht das Leben lernen. Auch Christus lehrt uns, daß wir nur durch den Tod das Leben erringen. Alle Weisheitssysteme lehren, daß man nur durch die Unterordnung unter Gesetze frei wird. Doch dies zu begreifen und auch danach zu handeln scheint wohl sehr schwer zu sein. Besonders für Führungskräfte halte ich das Verständnis dieser Zusammenhänge für elementar wichtig.

Alle Systeme und das ganze System, das TAO, besitzen Kreislaufstruktur, also das Muster der Wiederholung, des Zyklus. Daraus folgt auch zwangsläufig, daß einzelne Variable des Systems nicht für längere Zeit oder immer maximiert werden können. Wenn man dieser Aussage folgt, muß man Zweifel bekommen am Fortschritts- und Wachstumsglauben der westlichen Welt. Das mechanistische Weltbild geht von einer unendlichen Fortschrittsmöglichkeit aus. Das taoistische Weltbild sieht zugleich Rückschrittsmöglichkeiten und Gefahren, also das System als Ganzheit. Diesen Grundgedanken sollte jeder Mensch bei seinen täglichen Entscheidungen vor Augen haben.

Too much noise overwhelms
the senses. Continual
input obscures genuine
insight.
HEIDER

4.6 Keine Hektik, sondern integratives Handeln

Der heutige Mensch westlicher Prägung neigt zu Hektik. Darunter verstehe ich Sprunghaftigkeit, krankhafte Betriebsamkeit, unüberlegte Eile und die Unfähigkeit, sich in etwas zu vertiefen. Das besinnliche Nachdenken und Nachspüren ist solchen Menschen nahezu unmöglich. Das Gehetztsein und das laufende Eingreifen in natürliche Abläufe oder in den Gang der Dinge ist zur Norm geworden.

Im Gegensatz dazu besagt eine der wichtigsten Lebensregeln des Taoismus, daß jegliches Handeln wider die Natur schädlich für die Natur und den handelnden Menschen selbst ist. Die aktionslose Aktion – Wu Wei – ist das entscheidende: Nicht aus egoistischen Gründen eingreifen in natürliche Abläufe! Wer diese Lebensregel beherrscht, lebt wesentlich leichter. Für westlich orientierte und geprägte Menschen ist es allerdings sehr schwierig, sich aus dem blinden Aktionismus zu lösen, der sie von Geburt an ständig umgibt und den sie sich sehr schnell zu eigen machen.

Was heißt nun: „im Einklang mit der Natur sein“? Was bedeutet, daß nicht in natürliche Abläufe eingegriffen werden soll? Es bedeutet zum Beispiel „wie ein Fisch mit der Strömung schwimmen oder wie ein Meisterhandwerker das Messer entlang den Strukturen führen“[22].

Wu Wei bedeutet nicht, stumpfsinnig zu warten, bis der Tag vergangen ist, sondern vielmehr jegliches nicht-spontanes Eingreifen zu vermeiden, auf jeden Fall aber mit vollem Einsatz und Geschick zu handeln, doch stets nur in Übereinstimmung mit der momentanen Notwendigkeit. Weiter bedeutet es, lebhaft zu sein, wenn es erforderlich ist, aber nie übereifrig und stets ohne Verkrampfung. Jegliche auf den eigenen Vorteil ausschließlich bedachte Aktivität muß vermieden werden. Auch die pure Berechnung kann kein Motiv für irgendeine Aktion sein.

Die Einstellung des Wu Wei, also das integrative Handeln, läßt sich recht gut an einem modernen Beispiel demonstrieren. Ein geschickter Autofahrer bedient Kupplung und Bremse sorgsam. Er tut immer nur das, was gerade notwendig ist. Die unmittelbare Notwendigkeit ist der absolute Handlungsmaßstab. Der Autofahrer agiert nicht aus Berechnung und fühlt auch keinen Zwang, die Handlung im Geist für später festhalten zu wollen und seiner Umwelt zu präsentieren, wenn sie vorüber ist.

Das integrative Handeln ohne Hektik, Berechnung und Verkrampfung ist im übrigen einer der Hauptfaktoren für den Erfolg taoistischer Anhänger, ihre geistigen und körperlichen Kräfte bis ins hohe Alter zu bewahren und ein langes Leben zu genießen. Wo Sorge und Berechnung fehlen, entsteht auch wenig Verschleiß; die Lebensenergie wird ökonomisch eingesetzt. Das integrative Handeln im Einklang mit dem Lauf der Dinge ist also auch ein wichtiger *Gesundheitsfaktor für den Menschen.*

> Das Entzücken, welches ein Kunstwerk gewährt, entspringt daraus, daß wir darin den Geist, der die Natur bildete, wieder in tätigem Schaffen gewahren.
> EMERSON

4.7 Wer Freude am Schönen hat, denkt positiv und ist zukunftsorientiert

Der Taoismus geht davon aus, daß der Weg des Lebens ein Weg der Freude ist. Das Universum und der Kosmos werden als grundsätzlich gut betrachtet. Deshalb gelten Dogmatismus und Puritanismus als ein Irrweg. Man muß die Fülle des Lebens nicht ablehnen. Es geht wohl wieder einmal darum, das rechte Maß zu finden. Das heißt konkret, daß der taoistisch orientierte Mensch seine Augen nicht vor der Schönheit der ihn umgebenden Welt verschließt, sich aber andererseits auch nicht von den sinnlichen Attraktionen dieser Welt aus der Ruhe bringen läßt.

Es gibt viele Heilslehren, die die Askese und Kasteiung als den Weg zu sich selbst ansehen. Der Taoist sieht in der *Schönheit einen Weg zur Spiritualität*. Spiritualität, das geistige Leben, ist ein Yin-Element, also freundlich und weiblich in der Art. Die Wahrheit und die Rechtschaffenheit (vergleichen Sie noch einmal Kapitel 4.3) sind das kraftvolle, durchdringende Yang-Element. Beide Pole sollten zur Freude am Leben und zur Würdigung des Lebens führen.

Das TAO ist ein Weg, der begleitet ist von Freude, Witz, Überraschung und Lachen. Ein sehr gutes Beispiel ist eine Legende, die sich um die Gründer der drei großen Religionen Chinas rankt. Alle drei standen um ein Faß mit Essig und probierten nacheinander mit dem Finger diese Flüssigkeit (Essig ist wohl hier als Symbol des Lebens selbst zu verstehen).

KONFUZIUS nannte den Essig sauer. Das war auch seine Auffassung vom Leben. Er war der Meinung, die Gegenwart sei nicht im Einklang mit der Vergangenheit. Es gebe viel zu regeln; alte Rituale seien besonders zu beachten. Von ihm ist auch das bezeichnende Wort überliefert: „Wenn die Matte nicht gerade liegt, setzt sich der Meister nicht."

BUDDHA erschien der Essig bei seiner Kostprobe bitter. Auch für ihn war das Erdenleben bitter. Er empfand es als voller Abhängigkeiten und Begierden, die nur Leiden bescherten. Die Welt war ein Leidensrad für alle Kreaturen, voller Fallen und Illusionen. Erstrebenswert war die Einkehr in das Nirwana, in den Zustand der inneren Ruhe.

LAOTSE fand den Essig süß. Er ging von der taoistischen Grundeinstellung aus, daß jeder zu jeder Zeit die Harmonie finden kann, die von Natur aus und von Anfang an zwischen Himmel und Erde besteht. Wer allerdings die durch allumfassende Gesetze geschaffene und gelenkte natürliche Ausgewogenheit verändert, für den entschwindet in um so weitere Entfernung die Harmonie und die Freude am Schönen.

Auch wir wissen, daß die Freude eine Kraft ist, die alle Krankheiten des Egoismus, der Angst und der Trennung verbannen kann. Wer keine Freude hat und nichts Schönes sieht, lähmt sich selbst. „Freude ist das natürliche spirituelle Ergebnis eines Lebens im Einklang mit dem TAO."[23]

Der westlich geprägte Mensch hat nicht ohne weiteres Freude am Schönen. Bei ihm ist oft zu viel blockiert und besetzt. Handlungen um der Handlung willen gehen vor. Deshalb müssen selbst die Freude und das Positive wieder gelernt werden. Aber aus der Wirtschaft machen wir selbst die Erfahrung: Eine positive Grundstimmung bringt Aufschwung, bringt Freude und Aktivität, vor allem aber Zukunftsorientierung, was für uns heute besonders wichtig ist.

Kommt Zeit, kommt Rat.
DEUTSCHES SPRICHWORT

Time is money.
AMERIKANISCHES SPRICHWORT

4.8 Ein gesundes Verhältnis zur Zeit entwickeln

Wir vertreiben uns die Zeit durch ein Hobby. Schon die Verwendung des Wortes Zeitvertreib deutet auf ein ungesundes Verhältnis zur Zeit hin. Warum vertreiben wir etwas, das wir grundsätzlich für gut und wichtig halten? Solche Menschen haben offensichtlich zu viel Zeit. Auf der anderen Seite ist der am häufigsten zu hörende Ausspruch eines Managers oder einer Führungskraft wohl „Ich habe (dazu) keine Zeit!". Solche Menschen haben offensichtlich viel zu wenig Zeit.

Wir verstehen unter Zeit in der Regel ein *quantitatives* Element. Wir fragen: Wie lange dauert es? Wie lange ist es her? Wieviel Zeit ist vergangen? Dieser quantitative Zeitaspekt erscheint im Griechischen unter dem Begriff „Chronós". Es gibt jedoch auch den *qualitativen Aspekt* der Zeit, den die Griechen unter dem Begriff „Kairós" zusammenfassen. Hierunter ist die gute, die günstige Zeit für ein Vorhaben zu verstehen. Der Zeitpunkt also, an dem eine Sache reif ist, zu dem sie auch gelingt wie durch einen Zustrom an fremder Hilfe durch fremde Mächte. Der Manager sagt in diesem Fall: Das „Timing" hat gestimmt.

Diese qualitative Zeit ist nicht meßbar und nicht vorherbestimmbar. Nur das persönliche, subjektive Erspüren von Zeit gilt hier. Es kommt darauf an, intuitiv (vgl. Seite 112) und doch konkret zu wissen, was jetzt und hier zu tun oder zu lassen ist, also geistesgegenwärtig abzuwägen und den Kairós des Augenblicks zu erfassen. Erfolgreiche Manager haben ein ausgezeichnetes Gefühl für Zeitströmungen; sie spüren den Pulsschlag der Zeit.

Nichts stört den Taoisten mehr als die „unaufhörliche, nutzlose und ständig beschleunigte Suche nach immer hektischeren Vergnügen und Zeittotschlagen“[24]. Für den Taoisten besteht die einzige Art und Weise, die Zeit zu „töten“, darin, über sie hinauszugehen oder aus ihr herauszugehen. Ich zitiere in diesem Zusammenhang LIN YUTANG (nach COOPER, a. a. O.) über die sogenannten „amerikanischen“ Laster: „Die drei großen amerikanischen Laster scheinen Tüchtigkeit, Pünktlichkeit und das Streben nach Leistung und Erfolg zu sein. Dies sind die Dinge, welche die Amerikaner so unglücklich und so nervös machen. Sie stehlen ihnen das unveräußerliche Recht aufs Faulenzen und betrügen sie um so manchen guten, müßigen und schönen Nachmittag. Das Tempo des modernen industriellen Lebens verbietet diese strahlende, herrliche Muße. Aber schlimmer noch als das, es erzeugt eine andere Auffassung von Zeit, nämlich wie die Uhr sie mißt, und es kann tatsächlich geschehen, daß das menschliche Wesen selbst in eine Uhr verwandelt wird.“ Ich finde, daß „amerikanisch“ hier mit dem größten Teil der westlichen Welt gleichzusetzen ist.

Die Zeit ist das einzige Gut, das alle Menschen gleich haben. Jeder Mensch hat vierundzwanzig Stunden pro Tag zur Verfügung, obwohl manche Menschen sich so verhalten, als ob sie zu viel Zeit hätten, andere wiederum erwecken den Anschein, sie hätten zu wenig.

Nur wenigen von uns westlich geprägten Menschen gelingt es, ein gesundes Verhältnis zur Zeit zu entwickeln. Dies bedeutet, sowohl dem quantitativen Aspekt als auch dem qualitativen Element der Zeit Beachtung schenken. Es gibt nicht nur den linearen Zeitablauf, sondern vielmehr auch einen *Zeitrhythmus,* der den Gedanken der Wiederkehr in sich birgt. Das deutsche Sprichwort „Kommt Zeit, kommt Rat“ drückt den qualitativen Aspekt hervorragend aus. Gute Gedanken oder Entscheidungen müssen auch eine Ruhephase durchlaufen. Man spricht in diesem Fall vom „Tempelschlaf“[25]. Auch der Winter ist für die Pflanzen und ihre Entwicklung von entscheidender Bedeutung, obwohl viele von uns geneigt sind zu sagen: „Mit den Pflanzen tut sich doch nichts im Winter.“

Kreativität und Spontaneität lassen sich nur in der qualitativen Zeitdimension entwickeln. „Nur in einer offenen Zeit, die Noch-nie-Dagewesenes, Erstmaliges zuläßt, hat es überhaupt Sinn, von Kreativität zu reden."[26] Wer nämlich auf die Uhr schaut, unter Zeitdruck und Hetze versucht, kreativ und spontan zu sein, der wird versagen. Wer im natürlichen Ablauf der Dinge lebt, sich Zeit läßt und bedenkt, daß bestimmte Dinge, vor allem Gefühle, die richtige Stimmung brauchen, der lebt nicht nur gesünder und ausgeglichener, sondern ist auch zur Führung wesentlich besser geeignet.

> Der Weise vermeidet das Übermaß, die Zügellosigkeit und die Genußsucht.
> TAO TE KING (Kapitel 29)

4.9 Ständige Disziplin als Voraussetzung für Gesundheit und langes Leben

Die *Doktrin der goldenen Mitte,* der der Taoismus anhängt, also das Leben im natürlichen Ablauf der Dinge, bedeutet, daß Übermaß, Zügellosigkeit und Genußsucht vermieden werden müssen, da eine solche verstärkte oder einseitige Ausrichtung gesundheitsschädlich ist. Der Taoist will lange leben und legt deshalb großen Wert auf gesundheitsfördernde Dinge. Dazu zählt alles, was nicht einseitig oder übertrieben ist.

Es ist besser, zuwenig zu haben als zuviel, und es ist besser, etwas ungetan zu lassen, als es zu übertreiben. Es kann sein, daß man mit dieser Einstellung mindestens nach unserer westlichen Lebensansicht nicht sehr weit kommt, man geht aber bestimmt in die richtige Richtung. „Wer weiter und weiter nach Osten gehen will, findet sich im Westen wieder, und wer mehr und mehr Geld anhäuft, um seinen Reichtum zu vergrößern, wird arm enden.“[27] Ich stimme CAPRA uneingeschränkt zu, wenn er daraus den Schluß zieht, daß die moderne Industriegesellschaft mit ihrem stetigen Versuch, den Lebensstandard zu heben, im Ergebnis die Lebensqualität für die Mitglieder dieser Gesellschaft senkt. Unser heutiger Zustand ist sicher ein Beweis für die Gültigkeit dieser alten taoistischen Grundeinsicht.

Die Taoisten verlangen in der letzten Konsequenz auch eine Disziplinierung der Sinnesorgane und der Leidenschaften. Das TAO TE KING beschreibt die Gefahren, denen wir heute laufend ausgesetzt sind, sehr gut und macht auf die Folgen aufmerksam (Kapitel 12):

Fünferlei Farben machen des Menschen Augen blind.
Fünferlei Töne machen der Menschen Ohren taub.
Fünferlei Würzen machen der Menschen Gaumen schal.
Rennen und Jagen machen der Menschen Herzen toll.
Seltene Güter machen der Menschen Wandel wirr.

Vom Taoisten wird also ein gewisses Maß an Enthaltsamkeit gefordert. Das heißt nicht, daß er dem normalen Gebrauch seiner Sinne entsagen soll. Er soll seine Sinne maßvoll einsetzen.

Das zentrale Gebot der Kultivierung des TAO heißt, anspruchslos und still zu sein. „Nichts ist schlimmer als eine unübersehbare Zahl von Wünschen: Lust, Zerstreuung und Gier beeinträchtigen die Seelenruhe.“[28] LAOTSE betont immer wieder, wie unklug es sei, nach Bekanntheit, Reichtum oder Rang und Ansehen zu streben. Diese Grundhaltung der chinesischen Kultur, die sich zum Teil bis heute erhalten hat, ist insbesondere in der Kunst sehr deutlich zu sehen. Sparsamste Beschränkung galt lange Zeit als untrügliches Kennzeichen ganz großer Kunst oder Kunstfertigkeit. Es findet sich wohl auch kein großes Werk aus Dichtung und bildender Kunst in China und Japan, das nicht nach dem Prinzip erlesener Schlichtheit aufgebaut wäre. Hervorragende Tuschmalereien sind oft mit sparsamen Pinselstrichen und ohne weitere Farben ausgeführt, dafür aber mit unterschiedlichen Schwarztönen durch fein dosierte Verdünnungen mit Wasser. Auch die Keramiken und Möbel bestechen durch einfache und klare Linienführung ohne Schnörkel.

Diese Liebe und Vorliebe des Taoisten für Einfachheit und zurückhaltendes Wesen stammt aus der Beobachtung der Natur selbst. Dort regeln sich Übermaß und Zügellosigkeit sehr schnell von selbst wieder und bilden nicht die Norm. Diese Grundeinstellung führt zu ausgeprägten *Gesundheitsregeln* und Hinweisen, die zum großen Teil auch heute noch anwendbar sind. Vielleicht ist ihre

Anwendungsmöglichkeit gerade in der heutigen Zeit noch gestiegen. Im 6. Kapitel dieses Buches komme ich deshalb auf die vielen praktischen Möglichkeiten für Sie zu sprechen. Zum Abschluß dieses Abschnitts noch einmal das TAO TE KING selbst zur Verdeutlichung des Gesagten (Kapitel 22):

Der Weise will nicht selber scheinen,
darum wird er erleuchtet.
Er will nicht selber sein,
darum wird er herrlich.
Er rühmt sich selber nicht,
darum vollbringt er Werke.
Er tut sich nicht selber hervor,
darum wird er erhoben.
Denn wer nicht streitet,
mit dem kann niemand auf der Welt streiten.

Dinge, die weh tun, helfen.
BENJAMIN FRANKLIN

4.10 Den gegenteiligen Pol erkennen und entwickeln

Yin und Yang ist überall. Dies hatte ich Ihnen in Kapitel 3.1 (besonders ab Seite 41) dargestellt. Sie wissen, daß Yin und Yang zwei polare Kräfte sind, die überall mindestens im Ansatz vorhanden sind, auch wenn sie nicht sofort sichtbar gemacht werden können. Ohne Yin kein Yang und umgekehrt; dies zeigt auch die Symbolik dieses ewigen Dualismus, in dem und durch den wir leben.

In diesem Denken steckt die Vorstellung der Einheit aller Gegensätze. Dies nachzuvollziehen fällt uns besonders schwer, da wir in der Regel auf einen Pol schwerpunktmäßig programmiert und geprägt sind. Alle Abläufe, sofern sie natürlich sind, geschehen durch das Zusammenspiel von Yin und Yang. Daraus leiten die Taoisten eine weitere Lebensregel ab: Wer etwas erreichen will, soll mit dem Gegenteil beginnen. Das TAO TE KING erklärt das ganz einfach (Kapitel 36):

Was du zusammendrücken willst,
das mußt du erst richtig sich ausdehnen lassen.
Was du schwächen willst,
das mußt du erst richtig stark werden lassen.
Was du vernichten willst,
das mußt du erst richtig aufblühen lassen.
Wem du nehmen willst,
dem mußt du erst richtig geben.
Das heißt Klarheit über das Unsichtbare.
Das Weiche siegt über das Harte.
Das Schwache siegt über das Starke.
Den Fisch darf man nicht der Tiefe entnehmen.

> *Des Reiches Förderungsmittel*
> *darf man nicht den Leuten zeigen.*

Es ist also unerläßlich, den jeweiligen gegenteiligen Pol zu erkennen und dann in die Überlegungen und das Handeln einzubeziehen. Wenn man somit etwas behalten will, soll man darin etwas von seinem Gegenteil zulassen. Im TAO TE KING wird das so zusammengefaßt (Kapitel 22):

> *Sei gebogen, und du wirst gerade bleiben.*
> *Sei leer, und du wirst voll bleiben.*
> *Sei abgenutzt, und du wirst neu bleiben.*

Letztendlich bedeutet diese Lebensregel, ein dynamisches Gleichgewicht aufrechtzuerhalten oder, wenn Sie so wollen, immer auf das *Ganze* zu achten. Dies bedeutet, daß die jeweilige Polarität, auch Gut und Böse beispielsweise, immer einzubeziehen ist. Aus dieser Erkenntnis folgen entscheidende Führungsgrundsätze und Verhaltensregeln für das Management und für Führungskräfte.

Es gibt nichts Beständiges im Universum. Alles ist Ebbe und Flut, jede Gestalt, die geboren wird, trägt in ihrem Schoß den Keim des Wandels.
OVID, METAMORPHOSEN

4.11 Zusammenfassung des vierten Kapitels

Die von mir zusammengestellten Lebensregeln des Taoismus finden sich in dieser komprimierten Form nicht in der Literatur. Ich bin dem praktischen Gebot und dem von mir vermuteten Lesebedürfnis meiner Zielgruppe gefolgt und habe versucht, aus vielen Schriften das nach heutiger Auffassung Wichtigste herauszufinden. Dabei werden Sie bemerkt haben, daß sich das *Grundprinzip des Taoismus,* nämlich der Dualismus von *Yin und Yang,* überall wiederfindet. Diese Erkenntnis erleichtert zugleich den Umgang mit dem für uns zugegebenermaßen fremden Taoismus. Wenn Sie verstanden haben, daß in jedem Pol auch der Ansatz des Gegenpols steckt, wenn Sie akzeptieren, daß Spannungszustände normal sind und sie nur durch einen gesunden Ausgleich beider Extreme immer wieder überwunden werden können, dann verstehen Sie auch die Lebensregeln. Vielleicht ist es dann nur noch ein kleiner Schritt für Sie, die eine oder andere Regel auch dann und wann zu beherzigen.

Als Verhaltenshinweise im täglichen Leben haben sich folgende Grundsätze herauskristallisiert:

- Der Stellenwert der *Intuition* und des *spontanen Handelns* muß stärker werden. Damit ist die Aktivierung der rechten Gehirnhälfte gemeint. Wir sollten auf keinen Fall das Rationale und Rechenhafte in unserem Leben überbewerten. Auch das logisch-analytische Denken und die Systematisierung dürfen nicht die Oberhand gewinnen. Wichtig ist der gesunde und permanente Ausgleich zwischen beiden Polen.

- Das Leben ist selbst *Rhythmus* und besteht aus rhythmischen Abfolgen. Das ureigenste Gesetz des TAO ist die Wiederkehr. Dies bedeutet also auch, daß im Sinne von Ganzheit der *Gewinn des einen zugleich der Verlust des anderen sein muß.* Der unbeschränkte Fortschrittsglaube und die Wachstumseuphorie gehen somit zu Lasten anderer Menschen auf dieser Welt oder zu Lasten der Natur. Es gilt deshalb sorgfältig mit Ressourcen und Reichtümern umzugehen, da nichts beliebig vermehrbar ist.

- Frühere Tugenden wie *Einfachheit, Bescheidenheit, Glaubwürdigkeit und Rechtschaffenheit* sind aus der Mode gekommen. Wahrscheinlich nur deshalb, weil das westliche Wirtschaftssystem in allen Aussagen und in seinem Verhalten die gegenteiligen Eigenschaften und Attribute höher schätzt. Auf die Dauer kann das zu einer Überschätzung der eigenen Fähigkeiten und Möglichkeiten führen, die gefährliche Folgen haben kann.

- Harmonisches und ausgeglichenes Leben bedeutet, auch solche Gegensätze und Pole zu akzeptieren, die für uns auf den ersten Blick unangenehm erscheinen mögen. Die gleichbleibend heile und ruhige Welt ist für den Menschen auf Dauer wohl nicht befriedigend. Deshalb lernt der in östlicher Weisheit geschulte Mensch schon sehr früh, daß auch *Leid, Schmerz und Störung,* ja sogar der Tod, zu seinem Leben gehören. Auch hier gilt es, die drohende Einseitigkeit zu vermeiden.

- Da Leben Rhythmus und Wandel ist und auf keinen Fall ein linearer Prozeß, wie viele von uns annehmen, ist die Denkhaltung des Entweder-Oder, also des Alles-oder-Nichts, sicher falsch. Richtig ist das *Verhaltensmuster des Sowohl-Als-auch,* das wir aber wieder mühsam lernen müssen.

- Sprunghaftigkeit, krankhafte Betriebsamkeit, Eile und als Steigerung die Hektik sind charakteristisch für den westlich geprägten Menschen. Dies führt zu laufendem Eingreifen in natürliche Abläufe, also zur permanenten Manipulation. Wenn wir im Gegensatz dazu lernen, *integrativ und ganzheitlich zu handeln,* und uns nicht immer selbst in den Mittelpunkt stellen, leben wir auch selbst gesünder und befreiter.

- Resignation und Pessimismus haben über viele Menschen bereits die Oberhand gewonnen. *Positive Grundeinstellung* und Freude an schönen Dingen sind seltener geworden. Dabei ist es nur die grundsätzlich positive Einstellung, die *zukunftsorientiert* ist und die auch wahrscheinlich dazu beiträgt, bestimmte Leiden oder Krankheiten zu vermeiden.

- Sowohl der Zwang zum Zeitvertreib bei angeblicher Langeweile und eine Vielzahl von Hobbys als auch der chronische Zeitmangel eines Menschen deuten auf ein *falsches Zeitverständnis* oder eine Überbetonung des eigenen Ich hin. Deshalb sollten wir dem qualitativen Zeitaspekt, der richtigen und günstigen Zeit nach dem Gefühl, mehr Raum geben. Dann gewinnen wir automatisch auch wieder mehr Zeit für uns selbst. Übrigens ist Ausruhen keine Zeitverschwendung, wie vielfach behauptet wird, sondern notwendig für die Regeneration körperlicher und geistiger Kräfte.

- Übermaß und Zügellosigkeit sind Eigenschaften, die vielfach noch als positiv und stark angesehen werden. Ihre Anerkennung beruht aber auf einer einseitigen Bewertung nur eines Pols. Wer immer beide Pole betrachtet, wird nach Ausgleich und einem gesunden Maß streben.

5. Kapitel:

Führungsgrundsätze im TAO-Management

Management by Intuition – Kreativität ausleben – Visionen verstärken das Immunsystem des Unternehmens – Duales Management – Der integrative Faktor: Geduld – Der tragende Faktor: Unternehmenskultur – Vorbild und persönliche Autorität – Den Energiefluß ebnen: Teamarbeit – Netzwerke und mehrdimensionale Abhängigkeiten – Den Wandel lieben – Integrative Personalführung: Die Trennung Berufs- und Privatleben überwinden – Führe dich selbst – Jeder hat gleichviel Zeit zur Verfügung – Ökologie im Unternehmen?

> Offenlegung und Klärung der eigenen Hoffnungen und Visionen sind Voraussetzungen jeder unternehmerischen Strategie.
> ALBERTI

5.1 Im Management intuitiv und kreativ sein, nicht nur rational und einseitig

Die neuere Gehirnforschung ist sich darüber einig, daß das menschliche Gehirn aus zwei grundsätzlich verschiedenen Gehirnhemisphären besteht, die unterschiedliche Funktionen haben und dennoch nicht einzeln für sich oder gar isoliert funktionieren.[1] Danach werden in der linken Gehirnhälfte das Rational-Logische, das Systematisch-Ordnende und das Methodisch-Kategorisierende verarbeitet, während die rechte Hemisphäre mehr mit Kreativität, Intuition, dem Musischen und Schöpferischen und der Fantasie in Zusammenhang gebracht wird.

Schematisch ergibt sich folgende grundsätzliche Einteilung[2]:

Linke Gehirnhälfte:	*Rechte Gehirnhälfte:*
Steuerung der rechten Körperhälfte	Steuerung der linken Körperhälfte
Verstand:	*Intuition:*
Analytisch	Ganzheitlich
Schritt für Schritt	Gleichzeitig
Systematisiert	Assoziiert
Kategorisiert	Umfassend
Rational	Irrational

Spricht, hört, denkt schreibt, rechnet, liest in Worten	Erkennt Gegenstände, Bilder, hört Musik, zeichnet, hört Naturgeräusche
Hört auf das gesprochene Wort	Achtet („hört“) auf die Körpersprache
Ist formal	Hat Einfühlungsvermögen
Zentrum von:	*Zentrum von:*
Methodischem Denken Mathematik Analyse Logik Theorie	Kreativität Bildhafter Fantasie Praktischem Erleben Erinnerung Emotionen
Ansprechbar für:	*Ansprechbar für:*
Beweise Fakten Begründungen Analysen	Analogien Bilder Erlebnisse Emotionen
Hat zum Inhalt:	*Hat zum Inhalt:*
Bekanntes Nachvollziehbares Kalkulierbares Sicherheit	Neues Improvisiertes Spontaneität Überschreiten von „Grenzen“
Zeitliche Orientierung	Räumliche Orientierung

Man kann heute mit einiger Sicherheit davon ausgehen, daß die Menschen jahrhunderte-, wenn nicht sogar jahrtausendelang einseitig ausgerichtet und erzogen wurden: Sie sind vorwiegend rational, intellektuell und logisch ausgerichtet. Die linke Gehirnhälfte hat eindeutig dominiert und herrscht immer noch vor. Die Natur des Menschen jedoch ist wohl dualistisch geprägt. Die Fähigkeiten beider Gehirnhälften sollten deshalb gleichwertig eingesetzt werden.

Der Mensch kann nämlich:

- intuitiv *und* intellektuell leben;
- logisch *und* ganzheitlich denken;
- rational *und* irrational handeln.

Aus dem Gesagten ziehe ich den Schluß, daß die Menschen, insbesondere aber Führungskräfte, besser lernen müssen, beide Gehirnhälften und deren Fähigkeiten gleichermaßen zu gebrauchen. Im Zusammenwirken beider Hemisphären kommen sie zu einem ganzheitlichen Verständnis der Dinge und vor allem ihrer selbst.

Das über Jahrtausende verschobene Gleichgewicht zwischen „Kopf und Bauch" muß somit wieder ins Lot gebracht werden. Heute ist dies möglich, da wir über die entsprechenden Erkenntnisse verfügen. Wir wissen, was biologisch, psychologisch, medizinisch oder physiologisch passiert, wenn die rationale Seite überbetont wird. In der Wirtschaft und im Management ist diese Erkenntnis erst in Ansätzen zu finden. Aber es muß doch jedem einleuchten, daß menschengerechtere und umweltfreundlichere Entscheidungen herauskommen, wenn im Unternehmen nicht nur gerechnet, nicht nur rational entschieden wird, sondern das Gefühl und die Intuition gleichgewichtig mitschwingen. Techniken und Hilfen zur praktischen Umsetzung des Irrationalen und zur „Einführung" der Intuition und Kreativität im Unternehmen will ich deshalb in diesem Kapitel geben.

Meine Konzeption geht davon aus, daß die Führungskraft von morgen zusätzliche Fähigkeiten braucht, um die aufgezeigten neuen und komplexeren Probleme lösen zu können. Diese Fähigkeiten sind in jedem Menschen grundlegend vorhanden, sie müssen jedoch wiederentdeckt oder besser entwickelt werden. Dabei spielt die Entwicklung der rechtshemisphärischen Fähigkeiten eine entscheidende Rolle.

Management by Intuition

Bezeichnend für einen „neuen Zeitgeist" im Management ist vielleicht, daß es schon vereinzelt Unternehmerseminare mit dem Thema Management by Intuition gibt. Besonders in den USA und der Schweiz ist diese Entwicklung sehr deutlich zu beobachten, während in der Bundesrepublik die eher konservativ ausgerichtete Unternehmerschaft nur zögernd an solche Themen herangeht.

In der Regel wird Management by Intuition aber nicht kraft besserer und trainierter Erkenntnis oder aufgrund einer überzeugten ganzheitlichen Einstellung durchgeführt, sondern weil der Leidensdruck in den Chefetagen bei bestimmten Entscheidungssituationen zu groß geworden ist. So wurden auf einem Management-Seminar, auf dem heiß über das Thema diskutiert wurde: „Wieviel Intuition braucht der Manager, und wieviel Intuition kann er sich leisten?" folgende Gründe für den verstärkten Einsatz von Intuition angeführt[3]:

- Grundsätzlich läßt sich bei der Vorbereitung von Entscheidungen nie alles rechnerisch erfassen;
- dies gilt um so mehr bei der Lösung weicher Probleme, wie z. B. in der Personalpolitik oder in den Bereichen der Mitbestimmung;
- der verschärfte Konkurrenzkampf fordert verkürzte Reaktionszeiten: „Da kann man nicht ewig Studien machen";
- besonders in Krisensituationen muß unter enormem Zeitdruck entschieden werden.

Aber, so wurde auch gesagt: „Intuitives Management ist nichts für Faule: Alle relevanten Informationen müssen vorher bewertet, die Hausaufgaben vorher gemacht sein."

In der wirtschaftswissenschaftlichen Literatur oder gar in praxisorientierten Management-Schriften finden sich kaum Hinweise darauf, wie Intuition zu erlernen ist, d. h. wie diese Urfähigkeit wieder erweckt und trainiert werden kann. Entsprechende Ansätze sind aber in der verhaltensorientierten Psychologie zu finden.[4]

Zuerst sind zwei Dinge festzuhalten:

① *Intuition ist eine Tatsache.*

② *Intuition kann trainiert werden.*

Intuition ist also kein angeborenes, unveränderliches Persönlichkeitsmerkmal, das nur bei bestimmten Menschen vorhanden und sichtbar ist. Intuition ist auch kein Zauberstab oder irgendein Trick. Was ich als Intuition bezeichne, ist plötzlich und gewiß, ohne daß wir eine Aussage machen könnten, wo dieses Wissen herkommt.

Intuition erstreckt sich vorwiegend auf den Bereich der zwischenmenschlichen und sozialen Beziehungen. Dies ist verständlich, da hier weniger gerechnet und kalkuliert oder beweisbar abgeleitet werden kann. Man verläßt sich eher auf sein Gefühl, wenn man von einem Menschen sagt: Mit dem kann ich zusammenarbeiten. Intuition bezieht sich aber auch auf andere Bereiche, wie z. B. Mathematik, Musik, Wetter oder die Entwicklung der Börsenkurse.

Intuition kann sein:

- *eine Erkenntnis über den richtigen Weg;*
- *eine Interpretation einer bisher verworrenen Situation;*
- *eine Ahnung, was passieren wird.*

Es gibt keine falsche Intuition. Es gibt nur Intuition oder Irrtum. Die Verhaltenspsychologie steht auf dem Standpunkt, daß Intuition ein menschliches Talent ist, das geschult und entwickelt werden kann, ähnlich wie die Denkfähigkeit oder musikalische Begabungen. *Intuition ist ein Weg, Einsicht in Realitäten zu nehmen.*

Es gibt noch andere Wege, Einsicht in Realitäten zu gewinnen. Besonders häufig wird im Management der *Weg der sinnlich-geistigen Wahrnehmung* praktiziert. *Beispiel:* Sie sehen und beobachten einen Mann, der einen Pinsel in der Hand hat. Er malt ein Bild. Daraus schließen Sie: „Dieser Mann ist Maler." Bei diesem Weg werden Vorkenntnisse und Wissen mit einer neuen Wahrnehmung kombiniert. Man könnte diese Meythode *speziell-induktiv* nennen. Nach diesem Verfahren wird im Management besonders häufig entschieden. Es ist auch der primitivste Einstieg in die Erkenntnis einer neuen Realität.

Die zweite Möglichkeit ist die *Deduktion* (lat. „Wegführung"). Ich nehme wieder das obige *Beispiel.* Sie beobachten durch das Schaufenster einer Kunsthandlung einen Mann, der dem Besitzer des Ladens ein Gemälde übergibt und dafür eine Quittung erhält. Der Mann hat Farbe an den Händen und der Hose. Er unterhält sich mit dem Ladenbesitzer und deutet auf Einzelheiten des Bildes. Sie stellen fest: „Dieser Mann ist Maler." Dieser Weg ist schon etwas schwieriger zu gehen. Sie bauen auf Vorkenntnissen und Sinneswahrnehmungen auf und ziehen Schritt für Schritt logische Schlußfolgerungen. Wenn Sie systematisch und logisch vorgehen, kommen Sie zu dem richtigen Ergebnis. Auch dieser Weg der Entscheidung findet sich im Management, allerdings weniger häufig als der Weg der einfachen Wahrnehmung.

Der dritte Weg zur Erkenntnis von Realitäten ist die Intuition. Sie sitzen in der Bahn und lesen Zeitung. Ein Mann sitzt Ihnen gegenüber. Plötzlich kommt es Ihnen in den Sinn: „Dieser Mann ist Maler." Hier sind Ihnen die Schritte bis zur Erkenntnis unbewußt (in der psychoanalytischen Fachsprache sagt man: vorbewußt). Sie sehen, bei der Intuition ist der Weg von der Frage bis zur Antwort ein Abkürzungsweg. *Orientierungspunkte* auf diesem Weg der Intuition, deren Sie sich nicht bewußt sind, können folgende sein:

- *Sinneswahrnehmungen*
- *Emotionen, einschließlich der Triebe*
- *Erinnerungen*
- *Schlußfolgerungen*

Die intuitive Erkenntnis „Dieser Mann ist Maler" könnte auf dem Weg der Sinne zustande gekommen sein (er riecht nach Farbe); oder durch emotionale Signale (ich habe ihm gegenüber das gleiche Gefühl wie gegenüber dem Maler A, den ich gut kenne); oder durch Erinnerungen (Kleider, Mimik, Gestik, Körpersprache insgesamt); oder auf deduktivem (allerdings dann unbewußtem) Weg.

Ruth COHN, die unter anderem durch die klare Darstellung der *themenzentrierten Interaktion* (vgl. Seite 202) bekannt geworden ist, definiert die Intuition folgendermaßen: „Eine einzigartige und komplizierte Fähigkeit zur spontanen Erkenntnis, die basiert auf:

① *Klarheit der Wahrnehmungen,*

② *ausreichender Speicherung entsprechender Fakten,*

③ *geschultem Denken,*

④ *unblockierten, wachen Gefühlen."*

Diese vier Grundelemente der Intuition gilt es zu schulen und zu trainieren. Die *Klarheit der Wahrnehmungen,* also die Fähigkeit,

Signale eines Menschen oder eines Vorgangs ungetrübt aufzunehmen, hängt wesentlich davon ab, ob die emotionalen Bedürfnisse mit der Realität kollidieren. Wenn die Gefühle die Realitätssituation zu stark überlagern, läßt uns die Intuition im Stich. Statt der Intuition verfallen wir Wunschträumen oder Angstvorstellungen. In diesen Fällen blockieren dann Apathie oder Über-Engagement die Intuition. Intuition setzt also voraus, Menschen zu kennen und sie so zu nehmen, wie sie sind. Erst dann nehmen wir sie auch mit ausreichender Klarheit wahr. Und erst dann kann die Intuition wirksam werden. Dies gilt im übrigen nach meiner Meinung auch für die Wahrnehmung von Dingen und Abläufen.

Die Klarheit Ihrer Wahrnehmungen schulen Sie beispielsweise durch eine Unterweisung in Körpersprache (Kinesik) oder durch ein Sprach- und Gesprächsführungsseminar (Rhetorik). Erst wenn Sie bestimmte, immer wiederkehrende Verhaltensmuster und Grundabläufe erkennen können (an sich selbst und an anderen), sind Sie in der Lage, die für eine Intuition nortwendigen klaren Signale aufzunehmen und zu werten.

Nur wenn Sie darüber hinaus eine *ausreichende Menge entsprechender Fakten gespeichert haben,* kann es zu einer Intuition kommen. Die klare Wahrnehmung muß unbewußt verglichen werden mit früheren Vorgängen, Eindrücken oder gar Engrammen*. Dies setzt ein gutes Gedächtnis und eine stets wache Aufmerksamkeit voraus. Beide Dinge lassen sich schulen. Führungskräfte verfügen in der Regel über ein ausreichendes Maß beider Fähigkeiten.

Geschultes Denken ist ebenfalls eine wichtige Voraussetzung für die Entwicklung der Intuitionsfähigkeit. Darunter verstehe ich nicht nur logisches Ableiten, sondern auch das sogenannte „Um-die-Ecke-Denken" oder das laterale Denken. Ich komme darauf innerhalb dieses Abschnitts ausführlich zurück.

Unblockierte wache Gefühle sind der vierte Baustein der Intuition. Dies bedeutet, daß Sie auf jeden Fall wieder lernen müssen, empathisch zu sein, was nichts anderes meint, als echt mit anderen Menschen zu fühlen. Empathie ist ein spontanes Gefühl für den anderen, ein Gefühl, das mich in die Gefühlswelt eines anderen versetzt, „als ob ich er wäre". Es ist eine ganz spezielle menschliche Fähigkeit: ich selbst zu bleiben und trotzdem die Gefühlsgrenze zum Mitmenschen zu überschreiten. Diese Fähigkeit soll angeblich soweit entwickelt werden können, daß es gelingt, die Aura* anderer Menschen zu erkennen und zu sehen.[5]

Alle vier Elemente der Intuition sind trainierbar. Ich bin sicher, daß es nicht mehr lange dauern wird, daß auch Seminare speziell zur Intuitionsentwicklung angeboten werden. Aber: Intuition gedeiht nur auf einem bestimmten offenen, ganzheitlich orientierten Boden. Niemand kann sie erzwingen. Die Atmosphäre ist wichtig: Intuition braucht Bewußtsein, positive Akzeptanz, Ruhe, Stille, Muße und die Liebe zu uns selbst und zu den anderen. Alle diese Bausteine sind Grundelemente des Taoismus. In seiner Lehre nimmt die Intuition einen ganz besonderen Stellenwert ein. Vielleicht haben Sie aber auch gesehen, welche Bedeutung die Intuition im Management haben könnte und wie wichtig es sein könnte, sie zu schulen.

Kreativität – eine Chance für die Zukunft Ihres Unternehmens

Kreativität ist eine *bewußte schöpferische Anstrengung*. Man definiert die Kreativität auch als das Vermögen oder die Fähigkeit, aus zwei oder mehreren im Geist schon bestehenden Konzepten neue Kombinationen zu formen.[6] Im Unterschied zur Intuition geht es also bei der Kreativität um einen *bewußten* Vorgang, der deshalb auch sehr gut zu trainieren und zu steuern ist.

Die *wirtschaftliche Kreativität* eines Menschen ist seine Fähigkeit,

- neue ökonomische, technische oder wissenschaftliche Abläufe und Verfahren zu entdecken,

- neue Produkte, Objekte und Subjekte zu finden und in einen Zusammenhang einzuordnen,
- die Möglichkeiten zur Anwendung und Vermarktung dieser Produkte und Dienstleistungen zu finden,
- die logistische Versorgung von Produkten und Systemen festzulegen,
- diese Erzeugnisse in praktischen Erfolg für die Menschen umzusetzen.

Auch die Kreativität kommt aus der rechten Gehirnhälfte. Ihre Ausbildung und Anwendung ist in der Regel unterentwickelt. Als Unternehmer oder Manager, der bereit ist, sein Unternehmen nach ganzheitlichen Grundsätzen zu führen, müssen Sie deshalb zwei Dinge lernen:

① *kreatives Verständnis,*

② *Techniken, um kreative Leistungen zu fördern.*

Kreatives Verständnis bedeutet, über den Tellerrand hinausdenken zu können und bei auftauchenden Problemen die richtigen Fragen zu stellen.[7] Beim kreativen Verständnis geht es nicht um die eine brillante Superidee, die gesucht werden soll. Sie müssen vielmehr in der Lage sein, verschiedene Standpunkte einzunehmen und auch laufend zu wechseln.

Um zu kreativem Verständnis zu kommen, sollten Sie so oft wie möglich folgende *Ansätze üben:*

① Versuchen Sie, Probleme zu finden, auf die Sie keine präzisen Antworten geben können. *Beispiel:* Wie können wir neue Bedürfnisse unserer Kunden entstehen lassen, und zwar solche, die nur wir befriedigen können?

② Versuchen Sie, mehr Informationen, die Sie schon haben, zusammenzufügen, als laufend weitere neue zu sammeln und diese irgendwo mehr oder weniger sinnlos abzulegen. Zerlegen Sie einmal Informationen in Einzelteile, und fügen Sie sie wieder neu zusammen. Dadurch kommen Sie vielleicht zu einer neuen Sicht des Problems.

③ Geben Sie in der Diskussion mit Ihren Mitarbeitern einmal einen Problemlösungsansatz auf, von dem Sie wissen, daß er auf keinen Fall zum Ziel führt. Warten Sie einfach, was passiert.

④ Disziplinieren Sie sich bei langwierigen und auf den ersten Blick kaum lösbaren Problemen, indem Sie sie über lange Zeit hinweg bearbeiten und immer wieder aus der Schublade holen.

⑤ Überprüfen Sie sich, ob Ihnen in der Regel die Quelle einer Information wichtiger ist als der Inhalt. Falls es so ist, sollten Sie dies schnell ändern.

⑥ Lehnen Sie auf keinen Fall von anderen Diskussionsteilnehmern vorgebrachte unkonventionelle Lösungen sofort ab. Es gibt nämlich viele sehr gute Ideen, die zu Anfang für Sie befremdlich wirken.

⑦ Versuchen Sie, Situationen und Möglichkeiten mit großer Fantasie zu beschreiben. Achten Sie dabei auf Ihre Wortwahl und Ihre Sprache. Variieren Sie nicht nur den sachlichen Ansatz, sondern auch die darstellende Form.

Es gibt verschiedene Tests und Möglichkeiten, um herauszufinden, wie kreativ Sie als Unternehmer oder Manager sind. Ich habe folgende Fragen ausgewählt, die Sie an dieser Stelle bitte beantworten sollten.[8] Kreuzen Sie bitte die jeweils zutreffende Antwort an, und addieren Sie Ihre Punkte.

	Ja	Nein	Manch-mal	Keine Meinung
1. Komplexe Situationen, die Ihr Denken stark beanspruchen, gehen Ihnen auf die Nerven.	2	5	3	2
2. Sie lehnen Problemlösungsmuster ("Schema F") ab, die jedes Problem mit der gleichen Methode angehen.	5	2	4	1
3. Offene Diskussionen und Widersprüche durch Ihre Mitarbeiter stören Sie.	2	4	3	2
4. Sie lesen sehr intensiv und genau, um Ihre Erfahrungen zu vergrößern.	3	5	2	1
5. Sie lesen sehr viel, um auch aus anderen Gebieten etwas zu erfahren.	5	2	3	1
6. Sie sind bei neuen Ideen eher skeptisch als begeistert.	2	5	4	2
7. Entscheidungen, die Sie treffen, erwarten Ihre Mitarbeiter schon so.	2	5	3	1
8. Sie betrachten Dinge aus unterschiedlichen Gesichtspunkten, ehe Sie eine Entscheidung treffen.	4	2	2	2
9. Sie stellen gerne alle möglichen Fragen, selbst wenn Sie dadurch Ihre Unwissenheit zeigen sollten.	5	2	3	1
10. Sie sind "rastlos" im Unternehmen und müssen in der Regel auch abends arbeiten.	2	5	2	1
Summen:				
Total:				

Auswertung:

Ein Ergebnis von 40 Punkten und mehr kennzeichnet Sie als Manager oder Unternehmer mit hohem kreativen Verständnis.

Wenn der Test bei Ihnen ein Ergebnis unter 30 Punkten ergeben hat, sollten Sie zuerst anhand der folgenden Filter und Hemmschwellen untersuchen, *wo Ihre Schwachstellen* sind. Ihr kreatives Verständnis könnte nämlich gehemmt oder unterentwickelt sein durch folgende Einstellungen und *Verhaltensmuster:*

Sie mögen im Grund keine Veränderung oder einen Wandel.

Dies ist natürlich, menschlich und verständlich. Als Manager sollte Ihr Sicherheitsdenken jedoch nicht so gefestigt sein, daß Sie grundsätzlich, bewußt oder unbewußt, Veränderungen auf allen Ebenen ablehnen.

Sie vertrauen auf Regeln, Grundsätze und Konventionen.

Diese Einstellung ist im Prinzip leistungsschädlich und damit auch kreativitätsbehindernd. Es gibt nicht wenige Unternehmen, die Unternehmensgrundsätze fixiert und als Leitlinien bekanntgegeben haben, bei denen sich jedoch zeigt, daß das strikte Befolgen solcher Grundsätze eher schädlich für das Unternehmen ist. Jede Satzung, jede Verfahrensweise und jede transparent gemachte Struktur birgt die Gefahr der Unflexibilität in sich.

Manchmal überfallen Sie Furcht und Zweifel.

Dies könnte darauf hindeuten, daß Sie über kein sehr großes Selbstwertgefühl verfügen. Ihr Selbstbewußtsein, das unter Umständen zu negativ konditioniert ist, wird dann zum Hemmschuh für progressive, dynamische Entwicklungen. Die Einstellung „Nur keinen Fehler machen!“ kann unter Umständen gefährlich sein.

Sie setzen zu stark auf Logik, Systematik und Präzision.

Dann sind Sie vielleicht ein Mensch, der den Methoden mehr Beachtung schenkt als den Ergebnissen. Dann haben Sie wohl auch Probleme, offene und freie Diskussionen zu führen, bei denen nicht immer alle Lösungsansätze sofort zusammenpassen.

Sie sind ein „Entweder-Oder-Typ“.

Als Schwarz-Weiß-Denker sind Sie es gewohnt, in Gegensätzen zu denken. Dadurch verringern Sie aber automatisch die Zahl der möglichen Lösungsansätze. Wenn Sie lernen können, in der Kategorie des „Sowohl-Als-auch“ zu denken, kommen die notwendigen Grautöne und Schattierungen in die Problemlösungen. Auch das TAO sagt, daß Einfachheit aus Komplexität entstehen kann, und vor allem auch, daß es nie eine einzige richtige Lösung gibt.

Sie sind nicht nur opportunistisch, sondern auch noch zu pragmatisch eingestellt.

Auch die Gefahr, möglicherweise den Job zu verlieren, wenn nicht alles so klappt, wie sich die Kapitaleigner oder der Aufsichtsrat dies vorstellen, kann zum Hemmschuh für kreative Lösungen werden. Mut und Kreativität sind untrennbar miteinander verbunden. Nichts gegen pragmatische Problemlösungen! Aber wenn Sie immer nur in erster Linie auf dieses Anwendungsziel schauen, werden viele kreative Lösungsansätze erst gar nicht hochkommen.

Folgende Übungen sollen Ihnen helfen, mögliche Kreativitätsblocker abzubauen. Denn nur wenn Sie kreatives Verständnis entwickeln, sind Sie in der Lage, Ihr Unternehmen und Ihre Mitarbeiter zukunftsorientiert zu führen. Ich zeige Ihnen einige *Übungen,* die Ihnen helfen, Ihre Scheuklappen abzulegen. *Lassen Sie sich geistige Flügel wachsen!*

ÜBUNG 1

In den Urwald

Diese Überschrift oder dieser Befehl klingt für die meisten von Ihnen wohl extrem oder nicht wünschenswert. Ich meine damit, daß Sie mindestens einmal täglich Ihre gewohnten Bahnen verlassen sollten. Also: *Produzieren Sie jeden Tag eine neue Idee,* die Sie dann auch aufschreiben und sammeln. Aber die Idee muß wirklich neu sein. Wenn Sie sich *so* disziplinieren, werden Sie lernen, außerhalb gewohnter Bahnen zu denken. Sie werden unbewußt aufgeschlossener für Neuerungen, Veränderungen oder den Wandel. Die neue Idee kann sich grundsätzlich auf alle Ihre Lebensbereiche beziehen, d. h. das Unternehmen, die Familie, Ihre Freizeitbeschäftigungen usw. Wenn Sie nach einiger Zeit des Ideenproduzierens und Sammelns sicherer geworden sind, sollten Sie die Einfälle mit Ihren Freunden und in der Familie diskutieren in Form einer Runde, in der gedanklich alles erlaubt ist. Wenn Sie dabei das richtige (kreative) Klima schaffen, werden Sie sich wundern, was Ihre Familie oder Ihre Mitarbeiter zu Ihren „verrückten" Ideen noch alles beitragen können.

ÜBUNG 2

Rostlöser und Fleckenreiniger verwenden

Damit meine ich: Sie müssen versuchen, *das Gewohnte zu verlassen.* Für Sie als Manager haben Richtlinien und Grundsätze eine starke

Bedeutung. Es gibt für Sie dauernd einzuhaltende Gesetze, Satzungen, Konventionen, Traditionen, Berichte, Bilanzen, Pflichtenhefte, Kleidungsvorschriften usw. Ich könnte die Liste Ihrer Zwänge fast beliebig fortsetzen. Sie müssen jetzt lernen, bewußt und ohne Schuldgefühle ausbrechen zu können. Also leisten Sie sich einmal einen Nachmittag Tennis oder Golf. Kommen Sie einmal im Pullover in den Betrieb. Seien Sie einmal unternehmungslustig und verwegen. Machen Sie in der Firma mal etwas, was Sie noch nie getan haben. Ihr Unternehmen bricht nicht zusammen, wenn Sie einmal an einem Nachmittag nicht so sind wie sonst oder überhaupt nicht erreichbar sind. Haben Sie Regelungen und Grundsätze erst einmal als Mittel und nicht als Beschränkungen begriffen, dann können Sie jede Woche etwas Ungewohntes tun. Nach einiger Zeit werden Sie Veränderungen Ihrer Sichtweise feststellen. Sie stehen manchen Dingen distanzierter gegenüber und können sie so besser beurteilen und entscheiden (das ist übrigens ein typisches taoistisches Paradox). Es könnte sein, daß Ihre Mitarbeiter dann sagen: „Der Chef ist in letzter Zeit doch flexibler geworden."

ÜBUNG 3

Geistig falsch fahren

Damit meine ich: *„Wildes" Denken üben.* „Wildes" Denken ist visuelles, bildhaftes Denken, das nicht mehr linear (= rein zielgerichtet) und somit auch nicht mehr steuerbar ist. Versuchen Sie, jeden für Sie auf den ersten Anhieb klaren Lösungsansatz zu ersetzen durch einen weniger logischen und mechanistischen. Eine Technik ist dabei die geographische und die zeitliche Umsetzung. Sie übertragen eine gefundene Problemlösung oder das, was seit Jahren einfach so gemacht wird, auf eine andere räumliche oder geographische Situation, die Sie sich vorstellen könnten. Untersuchen Sie auch frühere Erfolge, die Jahrzehnte zurückliegen könnten, und übertragen Sie diese geistig auf die heutige Situation. Immer, wenn Sie in formalen technokratischen Vorgehensweisen bei der Lösung eines Problems steckenbleiben, sollten Sie eine Pause für „wildes“ Denken einräumen. Ich hoffe, Sie verstehen, was ich meine: Es könnte eine Besprechung geben, in der Sie gedanklich ein rosa gepunktetes Krokodil auftreten lassen. Es könnte sein, daß Ihre Mitarbeiter dann eines Tages sagen: „Ich habe keine Angst, dem Chef irgend etwas zu sagen, denn ich weiß inzwischen, er wird es nicht von vornherein als abwegig bezeichnen.“

ÜBUNG 4

Theaterdonner, Windmaschine und Nebelwerfer einsetzen

Sie müssen üben, bewußt das Chaos und viele Turbulenzen in ganz einfache Probleme gedanklich einzubauen. Da unsere Wirtschaftswelt immer komplexer wird und viele unbeeinflußbare Turbulenzen auftreten, versuchen wir automatisch, Komplexität, wo immer es geht, zu verringern. Das kann gefährlich werden. Denn Manager, die Komplexität nicht erkennen oder verniedlichen und Zweideutigkeiten (Dualismen) nicht handhaben können, versuchen oft, Probleme zu vereinfachen. Sie entgehen diesem Teufelstrend, wenn Sie einen Monat lang jeden Tag mindestens ein Problem oder eine Lösung heraussuchen und sie komplex, zweideutig oder chaotisch gestalten. Dabei finden Sie vielleicht Möglichkeiten oder Merkmale, die bisher für Sie versteckt waren. Natürlich dürfen Sie das alles nur gedanklich tun. Es könnte dann sein, daß Ihre Mitarbeiter sagen: „Der Chef erkennt Standpunkte und Möglichkeiten, an die wir gar nicht gedacht haben.“

ÜBUNG 5

Erst ganz zum Schluß die Rechnung präsentieren

Ein häufiger Fehler ist, bei einer kreativen Diskussion oder Problemlösungsrunde, daß Sie zu früh Ihre Bewertung einbringen.

Wenn Sie zu rasch der Meinung sind, daß so keine praktisch verwertbaren Ergebnisse entstehen, würgen Sie die Diskussion unter Umständen zu früh ab. Überhastete Bewertungen können kreatives Verständnis zerstören. Versuchen Sie deshalb drei Monate lang mindestens einmal pro Woche, Ihr Urteil über eine neue Idee, über eine Strategie oder eine Lösung so lange wie möglich aufzuschieben und zurückzuhalten. Dabei dürfen Sie sich natürlich nicht einreden, daß Sie zaudern oder Probleme gar aussitzen. Als Begründung für Ihre Mitarbeiter können Sie angeben, daß Sie erst einen weiteren Bericht wollen oder ein Zwischenexperiment befürworten usw.

Ohne Techniken geht es nicht

Der Manager, der kreatives Verständnis hat, ist in der Lage, *Kreativitätstechniken* anzuwenden, mit deren Hilfe Mitarbeiter gefördert und betriebliche Lösungen schneller und einfacher erreicht werden können.

Wenn Sie aufgrund der vorangegangenen Übungen festgestellt haben, wie kreativ Sie als Unternehmer und Manager wirklich sind, oder wenn Sie sich die notwendige Kreativität durch Beseitigen verschiedener Kreativitätshemmer erarbeitet haben, sollten Sie darauf achten, daß Ihr erreichtes *Kreativitätsniveau erhalten bleibt. Dazu gibt es einige einfache Übungen und Methoden,* zum Beispiel:

- *Lesen Sie intensiv,* auch schwierige Texte. Lesen Sie auf keinen Fall immer nur quer. Alle Schnell-Lesetechniken sind zwar auf der einen Seite nützlich und sinnvoll, andererseits aber im Prinzip kreativitätshemmend, weil Feinheiten, Verschlüsselungen und hintersinnige Gedanken im Text in der Regel nicht aufgenommen werden. Durch intensives (= nachdenkendes und hinterfragendes) Lesen von Zeit zu Zeit können Sie auch Ihr Wissen befriedigen und weitere Erfahrungen sammeln.

- *Lösen Sie ab und zu Denksportaufgaben und komplizierte Rätsel.* Sie müssen Ihren Geist trainieren und eine möglichst hohe Problemsensibilität erreichen. Viele glauben, nur der Körper müsse ständig in Übung bleiben. Dies ist falsch. *Mentales Training* ist genauso wichtig. Dazu zählen auch schwierige Kreuzworträtsel mit „Um-die-Ecke“-gedachten Definitionen und „Logeleien“, wie sie von bestimmten Wochen- und Tageszeitungen in deren Magazinen regelmäßig angeboten werden. Sogar das Wirtschaftsmagazin CAPITAL bringt seit einiger Zeit regelmäßig je Ausgabe eine Seite mit Gedankenspielen und Denksportaufgaben. Eine andere Möglichkeit: Sie kaufen sich das Buch von Douglas R. HOFSTADTER, Metamagicum – Fragen nach der Essenz von Geist und Struktur (Stuttgart 1988) und lesen jede Woche mindestens 3 bis 4 Stunden darin. Sehr gut und abwechslungsreich ist auch das Buch von VAN DELFT/OKER, Denkspiele der Welt, München 1977. Es gibt kaum einen besseren Weg, den Geist auf eine so amüsante Weise zu schulen.

Drei Beispiele:

1. *Ein Streichholz-Zahlenrätsel:*

   Wie werden aus vier Hölzchen 1000?
   (Lösung auf Seite 337)

2. *Eine Denksportaufgabe:*

   Ein Mann hat sechs Töchter, und jede Tochter hat einen Bruder. Wie viele Kinder hat der Mann?
   (Lösung auf Seite 337)

3. *Noch etwas schwieriger zu lösen:*

   Mit nur vier Geraden sollen alle neun Punkte verbunden werden. Die Geraden müssen, ohne abzusetzen, gezogen werden.
   (Lösung auf Seite 337)

- Stellen Sie immer wieder *bohrende Fragen.* Es macht nichts, wenn Sie ab und zu in einer Diskussion mehr Fragen stellen, als Sie selbst oder andere beantworten können. Dadurch kann aber ein kreatives Klima entstehen, das für alle nützlich ist.

- Halten Sie *offene Diskussionen* ab, im Betrieb und in der Familie. Sie fördern Widersprüche, machen Fronten und Einstellungen deutlicher und ermöglichen einen fruchtbaren Boden für den Ideenaustausch.

- Sie brauchen keine Angst um Ihre Glaubwürdigkeit zu haben, wenn Sie in einer Diskussion oder Auseinandersetzung Ihre *Standpunkte schnell wechseln.* Neue Szenarien bei alten Problemen sind hilfreich.

- *Üben Sie gedankliche Flexibilität.* Darunter verstehe ich die Flüssigkeit und Schnelligkeit im Denken, vor allem die Fähigkeit, Dinge zu kombinieren. Gemeint ist letztlich, die Schnelligkeit, Tradition und Routine über den Haufen zu werfen. Auch das können Sie üben bzw. die eigene Flexibilität testen.

Beispiel:

Auf der nebenstehenden Zeichnung sind 35 Kreise eingezeichnet. Sie füllen in etwa drei Minuten möglichst viele Kreise sinnvoll aus. Sie müssen also Gegenstände skizzieren, in denen der Kreis als wesentliches Formelement enthalten ist, z. B. ein Rad, eine Sonne.

Sie werden feststellen, wie schnell Sie in der tatsächlich zur Verfügung stehenden Zeit Kreise ausfüllen können. Mit sehr guter bis

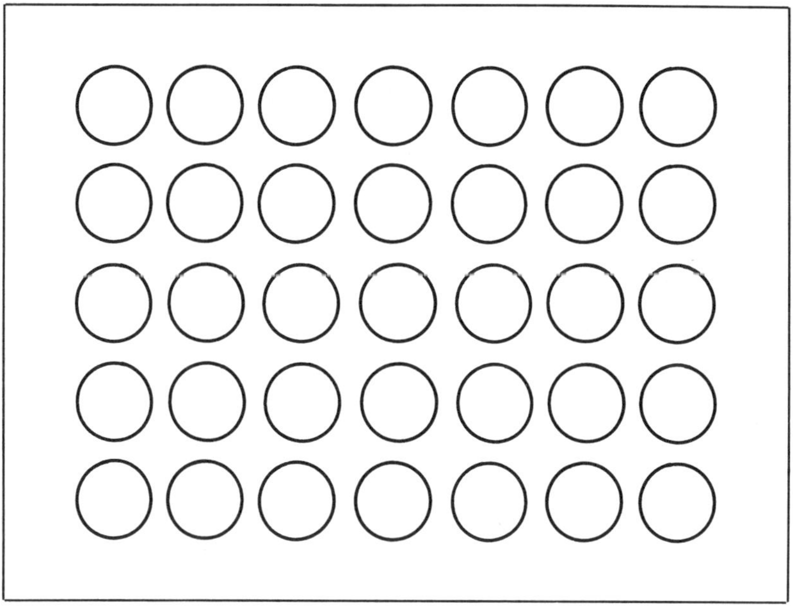

hervorragender Flexibilität sind Sie dann ausgestattet, wenn Sie in diesen drei Minuten etwa 20 Kreise ausgefüllt haben. Der Test zeigt übrigens auch recht gut, wie unlogisch und sprunghaft unser Denken in der Regel ist. Wir springen von einem Abbild auf das andere, ohne zum Beispiel ein Thema, etwa das Auto, systematisch abzuhandeln.

Abschließend zum Thema Kreativität gebe ich Ihnen noch einen *Überblick über die Kreativitätstechniken.* Es gibt analytisch-logische Methoden und intuitiv-unbewußte Methoden.

Die *analytischen* Methoden beruhen auf folgenden Charakteristika[9]:

Systematische Ausrichtung von Denkvorgängen

Systematische Gliederung von Arbeitsabläufen

Auflösen von Problemen in einzelne Bestandteile

Kombinieren von Lösungsvariablen

Systematische Untersuchung von Leistungs- und Wirkungsparametern

Zu diesen Methoden zählen:

Wertanalyse:

Mit dieser Methode werden Produkte und Abläufe so im Hinblick auf ihre Funktionen untersucht, daß ein höchstmöglicher Erlös erreicht wird. Im Betrieb läuft dies oft auf den Versuch der Kostenminimierung hinaus. Auch Rationalisierungen und Qualitätsverbesserungen können Ziel wertanalytischer Bemühungen sein. Wichtig ist die Beteiligung der Mitarbeiter, die über selbstgesteckte Ziele Verbesserungsideen erreichen sollen.[10]

Heuristik

Hierzu zählen Methoden und Schätzverfahren, die dann angewendet werden, wenn keine exakten Zahlen zur Verfügung stehen.[11]

Checklisten-Technik

In Form von Fragen werden Prozesse abgearbeitet auf Vollständigkeit und Richtigkeit. Prüflisten sind für die Kontrolle von Abläufen hervorragend geeignet.

Input-Output-Tabellen

Hier werden in Form einer Matrix bestimmte betriebswirtschaftliche Gegensatzpaare (z. B. Aufwendungen und Erträge) gegenübergestellt.

Morphologische Analysen

Morphologie bedeutet die Aufteilung (Zerlegung) komplizierter Vorgänge in Einzelelemente, um diese transparenter zu machen. Auf diesem Weg lassen sich komplexe Aufgabenstellungen analytisch auf ihre Teilprobleme zurückführen.

Beispiel:

Versuchen Sie, die unten abgebildete Figur in vier deckungsgleiche Teile zu zerlegen. Hinweis: Sie müssen sehr tief zerlegen und entfernen sich scheinbar von der Lösung. Das Karomuster dient Ihnen als Hilfe.

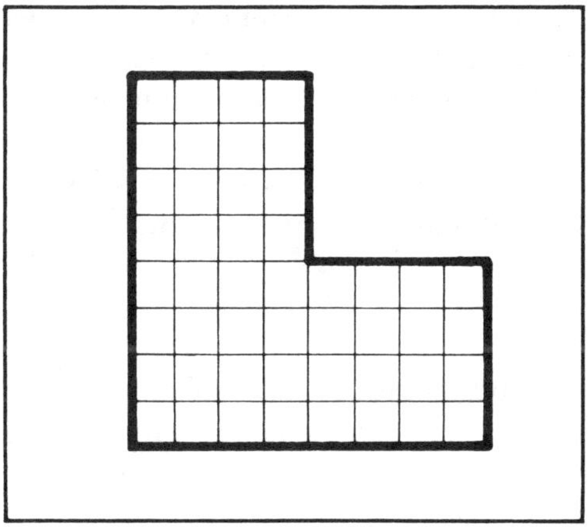

(Lösung auf Seite 338)

Die *intuitiv-unbewußten* Methoden zeigen folgende Eigenschaften:

Spontane Geistesreaktion
Artverfremdung eines Problems durch neue Betrachtungsweisen
Problemvergleiche mit Hilfe von Analogien oder Paradoxa
Abwechselnde Assoziationen mit vergleichbarem Material
Benutzung des Unterbewußtseins

Die wichtigsten Kreativitätstechniken auf der Basis des Intuitiv-Unbewußten sind:

Brainstorming

Der „Ideenwirbel" ist ein intuitives Assoziationsverfahren, mit dem eigene oder fremde Ideen laufend abgewandelt werden. Jede Idee, auch die ungewöhnliche und ausgefallene, ist bei dieser Gruppenarbeit willkommen. Nach der Phase der Ideenäußerung schließt sich die Phase der Kritik und Bewertung der Ideen an. Es gibt viele Variationen des Brainstorming, auch in Form des „Brainwriting", bei dem alle Teilnehmer unbeeinflußt von anderen ihre Ideen schriftlich äußern und anschließend ordnen, z. B. mit der Metaplantechnik. Das am weitesten entwickelte Verfahren eines schriftlich programmierten Brainwriting ist die Methode 635.[12]

Synektik

ist eine Diskussionsmethode zur Problemlösung, bei der man durch Verfremdung versucht, analoge Probleme für die Lösung nutzbar zu machen.[13]

Bionik

ist ein Kunstwort aus Biologie und Elektronik. Diese Disziplin bemüht sich, technische und wirtschaftliche Probleme nach dem Vorbild biologischer Arbeitsmuster zu lösen, z. B. Notlampen nach dem Glühwürmchenprinzip, lärmschwache Rotoren mit Sägezahnprinzip analog den Eulenflügeln.[14]

Delphi-Methode

Auf der Grundlage von Expertenbefragungen werden mit dieser Methode Informationen gewonnen. Zuerst werden auf einem formalisierten Fragebogen die Fachleute einzeln anonym befragt. Daraus wird eine statistische Gruppenantwort ermittelt und allen Befragten mitgeteilt, worauf die Befragung wiederholt wird.

Laterales Denken

Diese von DE BONO[15] entwickelte Denktechnik bedeutet das Überwechseln von einem Denkmuster zu einem anderen innerhalb eines Systems. Ausgegangen wird von der These, daß die Menschen keinen Mechanismus besitzen, der das Zurückgehen oder Überwechseln auf andere Denkmuster auslöst. Deshalb vollzieht sich der Fortschritt nur äußerst langsam. In seiner sehr lesenswerten „Denkschule“ gibt de Bono wichtige Hinweise, wie kreatives Denken durch Überwechseln auf andere Denkmuster geöffnet werden kann.

Szenario-Technik

Ein Szenario ist die Beschreibung einer möglichen zukünftigen Situation und das Aufzeigen des Entwicklungsverlaufs, der zu dieser zukünftigen Situation führt. Ein Szenario ist keine Vorhersage oder Prognose im herkömmlichen Sinn. Es richtet den Blick auf unterschiedliche mögliche Zukünfte, deren Ursprung in der Gegenwart liegt. Besonders bedeutend für die Unternehmen sind das Visionsszenario und das Megatrendszenario.[16]

Rahmenbedingungen und Grenzen der Kreativität

Die wichtigste Bedingung für die Entwicklung von Kreativität im Unternehmen ist ein fruchtbarer Boden. Dies bedeutet, daß die Beteiligten, insbesondere aber die Führungskräfte, eine positive Grundeinstellung haben müssen und solche Dinge wie Kreativitätsübungen und -techniken als gut akzeptieren. Schöpferisches Denken erfordert in jedem Fall eine positive Einstellung. „Die Chefs müssen eine kreative Atmosphäre schaffen, in der ihre Mitarbeiter aufblühen können."[17] Es muß Streß-Freiheit herrschen und der Zwang oder die Dressur zur Rationalität zeitweise überwunden werden.

Der Durchschnittsmensch traut sich nicht ohne weiteres zu, neue Ideen entwickeln zu können. Es sind aber alle Menschen in der Lage, kreativ zu sein. Grundsätzlich gilt der Satz:

Jeder Mensch ist kreativ.

Diese schöpferische Fähigkeit muß aber fast immer erst entwickelt oder die hemmenden Faktoren müssen beseitigt werden. Hinweise und Übungen dazu habe ich Ihnen gegeben.

Den entscheidenden positiven und konzentrativen Boden für Kreativität kann sich jeder selbst schaffen durch intensive *Meditation.* Ich weiß, daß mein Hinweis auf diese Möglichkeit viele Unternehmer und Manager erst einmal verschreckt. Entsprechende Übung wird aber jeden überzeugen. Meditation schafft Ruhe, Ausgeglichenheit und die Einstellung des „Es-geschehen-Lassens", die besonders für Kreativität wichtig ist. Ich komme in Kapitel 6 „Die innere Gesundheit und Ganzheitshygiene des Managers" ausführlich darauf zurück und gebe Ihnen entsprechende Anleitungen.

Wählen Sie für die kreative Arbeit im Unternehmen die *richtige Tageszeit*. Es ist wichtig, daß Sie bestimmte „Hoch-Zeiten" beachten. Jeder Mensch hat zwei Hochphasen am Tag, in denen geistige Tätigkeiten am besten ausgeführt werden können. Diese physische und psychische Leistungsbereitschaft verteilt sich über 24 Stunden etwa wie folgt, wobei ein anderer Tagesrhythmus auftreten kann, wenn ein späterer Arbeitsbeginn vorliegt:

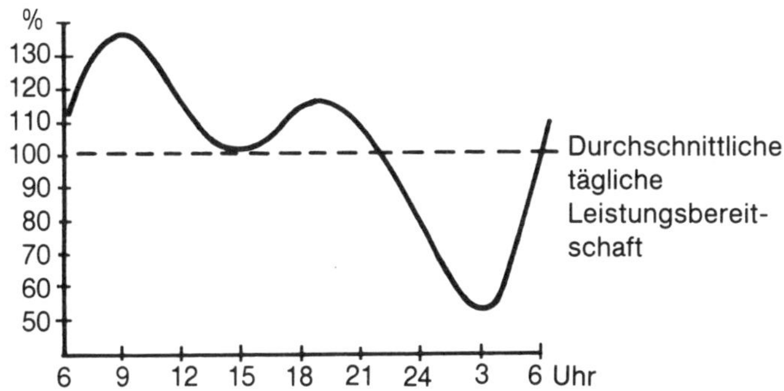

Die *größte Gefahr in der Kreativität* liegt für mich darin, daß sie *überbetont* wird. Genauso wie die Vernachlässigung des kreativen Potentials im Menschen ein schwerer Fehler ist, kann es für das Unternehmen schädlich werden, wenn nur noch oder überwiegend „gesponnen" wird. Auch das TAO fordert den gesunden Ausgleich zwischen den logisch-analytischen und den kreativ-musischen Fähigkeiten des Menschen. Wenn auch im Unternehmen beide Potentialbereiche gleichgewichtig zu Wort kommen, der natürliche Ablauf der Dinge also nicht behindert wird, kann das Optimum entstehen.

Es gibt übrigens auch *zu spontane und kreative Führungskräfte,* die zu einer Plage für das Unternehmen werden können. Es sind dies die Hektiker, denen angeblich immer etwas Neues einfällt und die nicht in der Lage sind, einen Gedanken zu Ende zu denken oder ein Problem richtig zu lösen. Sie können eine Menge ungünstiger Eigenschaften für das Unternehmen haben: Mittelpunktstreben, Wichtigtuerei, Überheblichkeit, Rechthaberei. Dazu kommt oft die Unfähigkeit, selbst Kritik entgegenzunehmen, das ausgeprägte Bedürfnis, auch ohne eine ausreichende Fachkompetenz überall kreativ mitreden zu wollen. Vielleicht fällt Ihnen jetzt gerade jemand aus Ihrem Unternehmen ein. Diese Menschen sind natürlich nicht kreativ, sondern sehr einseitig gepolt mit wahrscheinlich unterentwickeltem Selbstbewußtsein. Der wirklich ganzheitlich eingestellte Mitarbeiter versucht, gezielte und bewußte Kreativität zu üben.

In diesem Abschnitt über die Kreativität haben Sie also jetzt gelesen und gelernt, daß der kreative Erfolg im Unternehmen von *drei Bestimmungsgrößen* abhängig ist. Zum einen ist es das Individuum, das kreativ denken lernen muß, also der Unternehmer und Manager und die Mitarbeiter. Der zweite entscheidende Faktor ist das soziale Klima des Betriebs und des Umfeldes, in dem dieses Denken verrichtet wird. Die dritte Bestimmungsgröße ist die Methodik oder die Problembehandlung, von mir als Kreativitätstechniken angesprochen. Diese Bestimmungsgrößen sind die Ansatzpunkte zur operationalen Kreativitätsförderung.[17a]

> Eine gute Vision zeichnet sich dadurch aus, daß sie eine klare und ethisch fundierte Zwecksetzung des Unternehmens definiert.
> C. PÜMPIN

5.2 Visionen haben und die Zukunft mit Optimismus angehen

Die Vision – nur für Gurus und Spinner?

Die neuen Probleme der Unternehmensführung (vergleichen Sie noch einmal Kapitel 2.1) erfordern neue Denk- und Handlungsweisen. Dazu gehört auch ganz wesentlich, daß Unternehmer und Manager in der Lage sind, Visionen zu erzeugen und zu leben. „Nur eine Vision, gepaart mit strategischer Stoßkraft, kann den notwendigen Quantensprung in der Unternehmensführung bewirken“[18] oder wie es GERKEN ausdrückt: „Krisen-Zeiten benötigen kein Krisen-Management, sondern das Management multipler und damit auch idealistischer Visionen.“[19]

Eine Vision (lat. Erscheinung) ist durchaus ein betriebliches Ziel. Die Vision ist aber im Gegensatz zu quantitativen Zielen, die immer weniger motivieren, eine *ganz konkrete,* „visionäre“ (bildhafte) *Vorstellung,* die, entsprechend begreifbar und populär gemacht, Engagement und Motivation erzeugen kann. Sie kann die Basis für Kreativität, Innovation, einen betrieblichen Aufschwung oder einen Aufbruch aus verkrusteten Strukturen bedeuten.

Eine der wohl größten Visionen war der Flug zum Mond. Hermann OBERTH las als Zwölfjähriger den Roman von Jules VERNE „Von der Erde zum Mond“ und kam nicht mehr davon los. Als Dreißigjähriger wollte er beweisen, daß es machbar sei, und schrieb das Buch „Die Rakete zu den Planetenräumen“, das Wernher von BRAUN las, und vierzig Jahre später betrat Neil ARMSTRONG den Mond, die Utopie von Jules VERNE und die Vision von OBERTH und BRAUN.[20] Im Unternehmensbereich ist die Umgestaltung der skandinavischen Fluglinie SAS aufgrund einer Vision ein exzellentes Beispiel für die Wirkkraft von Visionen eines Managements.[21]

Auch Steven JOBS, Mitbegründer von APPLE Computers, führte sein Unternehmen aufgrund einer Vision zur Größe. Mitte der 70er Jahre, als fast ausschließlich Groß-EDV-Systeme auf dem Markt waren, hatte er erkannt, daß Computer und ihre Technik für jedermann, also auch für EDV-Laien, zugänglich sein sollten. Seither hat der Personal Computer, besonders aber die Bedienerfreundlichkeit mit entsprechend gestalteter Benutzeroberfläche, einen Siegeszug ohnegleichen angetreten.

Die Vision ist keine Vorwegnahme der Zukunft. Eine Vision haben ist auch kein logisch-analytischer Vorgang, sondern ein Gefühl. Visionsfähigkeit kommt aus der rechten Gehirnhälfte, dem vernachlässigten Teil unseres Gehirns. Sie muß also trainiert werden. Eine Vision erzeugt Leidenschaft und eine Wirklichkeit, die erst durch das Gehen und Machen entsteht. Man muß ganz deutlich sehen, daß die Vision die einzig stabile Basis und kraftgebende Verbindung ist zwischen der Unternehmenskultur und der Strategie. Nur wenn eine klare Vision besteht, lassen sich strategische Geschäftsfelder und betriebliche Aktionsräume entwickeln. Bildhaft stellen sich die Verbindungen so dar:

Strategische Geschäftsfelder

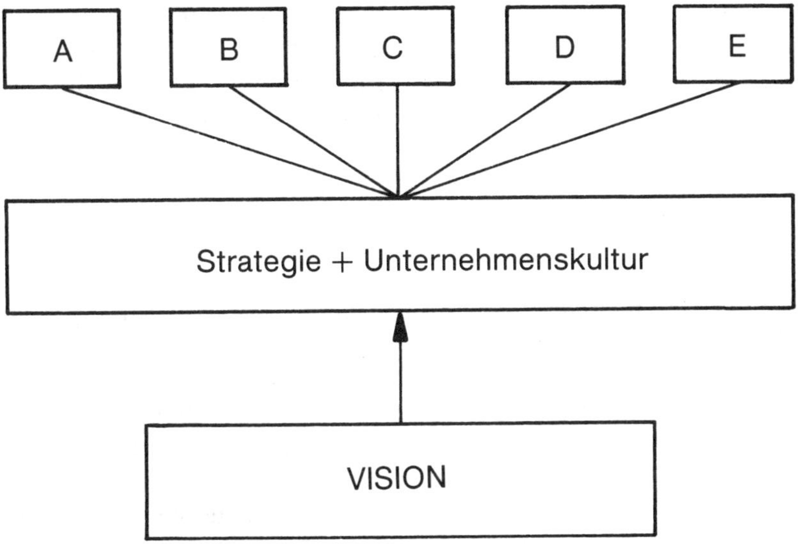

Nur die Vision gibt der Strategie die erforderliche Kraft zur tatsächlichen Verwirklichung. Aus starken, festen Visionen entstehen richtige Ziele. Nur die Vision schafft die bindende Motivation der Mitarbeiter.

Die Visionsfähigkeit von Unternehmen

Es gibt verschiedene Unternehmenstypen, die allerdings in der Praxis selten in Reinkultur zu finden sind. Für die Darstellung der Visionsfähigkeit von Unternehmen ist es jedoch notwendig, diese Typen einmal klar herauszuarbeiten.[22] Denn nicht jedes Unternehmen hat den gleichen günstigen Nährboden für Visionen. In der zu diesem Thema bis jetzt mehr als spärlichen Literatur wird fast immer von dem Manager oder Unternehmer ausgegangen, der entsprechende Visionen haben und entwickeln müsse. Fast nie wird der Zustand oder die Geisteshaltung des Unternehmens selbst mit in die Diskussion eingebracht, die sich am besten darin zeigt, wie das Unternehmen am Markt operiert. Bei einer solchen Untersuchung wird man feststellen, daß nicht nur die Führungsebene für den Faktor Vision wichtig ist, sondern auch die Grundhaltung des Unternehmens. Beides beeinflußt sich allerdings wieder gegenseitig.

Folgende Unternehmens-Mentalitäten lassen sich unterscheiden:

- *Das Pionier-Unternehmen*

Dieses Unternehmen operiert mit einer offensiven Grundhaltung. Es ist stark innovationsorientiert und sehr kreativ. Es werden fast alle sich bietenden Marktchancen konsequent ausgenutzt. Dies hat oft zur Folge, daß die Homogenität des Unternehmens leidet. Vielleicht ist das aber im Zeitalter der Informationen und des weltweiten Operationsradius nicht so wichtig. *Beispiel:* der US-Konzern TEXAS INSTRUMENTS, dessen Produktpalette schon vor zwanzig Jahren von Bohrausrüstungen bis zu Armbanduhren reichte.

- *Das Spezialisten-Unternehmen*

Auch dieses Unternehmen hat einen offenen Geist. Es konzentriert seine Kräfte jedoch eher. Grundsätzliche Diversifikationen werden sehr vorsichtig angegangen. Es gilt sogar das Prinzip, daß eine Ausweitung der Geschäftstätigkeit nur dann in Frage kommt, wenn im angestammten Geschäftsgebiet sämtliche Möglichkeiten erschöpft sind. *Beispiel:* MC DONALD'S. Meistens erzielt das Spezialisten-Unternehmen eine höhere Rendite als das Pionier-Unternehmen. Letzteres geht eher Risiken ein, die natürlich auch leicht zu Fehlschlägen führen können.

- *Das Administrations-Unternehmen*

Sicherheit spielt hier die ausschlaggebende Rolle. Diese versucht man durch sorgfältige Reglementierung des Geschäftsgangs zu erreichen. Dies führt zwangsläufig zu einer defensiven Grundhaltung. Man beschäftigt sich lieber mit der inneren Absicherung als mit Marktgegebenheiten und neuen Chancen. Die Optimierung und Sicherstellung des Erreichten durch ein wirkungsvolles Finanz- und Kostenmanagement durch formalisierende Maßnahmen im organisatorischen Bereich ist wichtiger als die Absatzorientierung. *Beispiele:* die US-Automobilkonzerne vor zehn bis zwanzig Jahren. Die Ertragslage kann in solchen Situationen über Jahre hinweg durchaus sehr befriedigend sein. Probleme tauchen erst dann auf, wenn turbulente und undurchsichtige Zeiten kommen. Dann fehlt unter Umständen die erforderliche Anpassungsdynamik.

- *Das Protektions-Unternehmen*

Die defensive, introvertierte Grundhaltung und Mentalität ist das entscheidende Charakteristikum dieses Unternehmenstyps. Durch protektionistische Maßnahmen versucht sich dieses Unternehmen abzuschirmen. *Beispiele* für solche Maßnahmen sind oft Kartelle oder Import- und Exportbeschränkungen. Solche Unternehmen finden sich in der Montanindustrie, aber auch in landwirtschaftlichen Branchen. Solange die Abwehrlinien halten, kann auch im Protektions-Unternehmen die Ertragslage sehr erfreulich sein. Früher oder später wird jedoch ein Einbruch kommen, da wirtschaftliche Anpassungsprozesse kaum möglich sind.

Jetzt ist es sicher an der Zeit, daß Sie sich folgende Frage stellen:

> *Wo ordne ich das Unternehmen ein, für das ich verantwortlich bin?*

Diese Frage sollten Sie gewissenhaft beantworten. Es ist wichtig, denn je nach der Antwort müssen Sie Weichen stellen und Position beziehen.

In den verschiedenen Unternehmenstypen ist der *Grad der Visionsfähigkeit* unterschiedlich. Auch diese Standortbestimmung ist für Ihre künftige Handlungsweise wichtig. *Sehen Sie selbst:*

VISIONS-FÄHIGKEIT	
stark	Pionier-Unternehmen
mittel	Spezialisten-Unternehmen
schwach	Administrations-Unternehmen
kaum möglich	Protektions-Unternehmen

Wie Sie üben, visionär zu denken und die Zukunft zu gestalten

Zuerst sollten Sie für sich persönlich feststellen, ob Sie ein Manager oder Unternehmer sind, der mit Visionen arbeitet bzw. Visionen gestalten kann oder nicht. Es gibt ein paar ganz einfache Kriterien und Merkmale.[23]

Der Manager oder Unternehmer ohne Vision

- löst die täglichen Probleme und trifft Entscheidungen;
- begegnet seinen Mitarbeitern in der Regel recht formal;
- ist reserviert, kühl und kritisch, denn er ist eher der Sache zugetan als den Menschen und den Ideen;
- beachtet Schwächen und Fehler und kritisiert gerne;
- spricht über die gerade laufenden Unternehmensaktivitäten.

Der visionäre Manager oder Unternehmer

- spricht über seine persönliche Einstellung, seine Philosophie, seine Ethik und Religion;
- handelt viel nach dem Grundsatz „Management by walking around“ und kontaktiert Mitarbeiter aller Ebenen;
- ist ausdrucksstark, aufnehmend und interessiert, denn Menschen und ihre Ideen faszinieren ihn;
- beachtet Stärken und versucht, diese zu verstärken, und lobt und motiviert gerne;
- äußert sich über zukünftige Ziele und diskutiert mit seinen Mitarbeitern darüber, wie das Unternehmen in zehn Jahren aussieht und welche Marktstellung es dann wohl hat.

Ehe ich Ihnen Hinweise gebe, wie Sie ein visionärer Unternehmer oder Topmanager werden können, scheint es mir wichtig, daß Sie sich selbst einschätzen und überprüfen, wie Sie Ihre visionären Fähigkeiten sehen. Die folgenden Fragen und Aussagen sollen Ihnen dabei helfen. Kreuzen Sie in jeder Zeile die Antwort oder Aussage an, die Sie und Ihre Fähigkeit zur Gestaltung von Visionen am besten beschreibt.

Auswertung:

Ein Ergebnis von 40 Punkten und mehr zeigt Sie als tatsächlich visionären Topmanager oder Unternehmer. Ergebnisse unter 30 Punkten weisen auf die Notwendigkeit zur Verbesserung der visionären Fähigkeiten hin.[24]

	Ja	Nein	Manchmal	Keine Meinung
1. Bei entscheidenden Denkprozessen legen Sie Wert auf sofort praktisch umsetzbare Ergebnisse.	2	5	3	1
2. Ihre Vision übertragen Sie in eine einfache Philosophie, die auch für die Mitarbeiter verständlich ist.	5	1	4	2
3. Es ist Ihnen nicht besonders wichtig, daß jeder Mitarbeiter Ihre Vision versteht.	2	4	2	1
4. Sie pflegen viel Kontakte zu Mitarbeitern aller Ebenen.	5	2	3	1
5. Sie fühlen sich als Boß: Die Mitarbeiter müssen selbst sehen, wie sie klarkommen; sie sind ja erwachsen.	2	5	2	1
6. Ihre Vision ist für Sie sehr wichtig, und Sie können diese Überzeugung auch anderen vermitteln.	5	2	3	1
7. Sie verstärken die Stärken Ihrer Mitarbeiter, auch gegen deren vordergründigen Willen.	4	2	4	1
8. Im Zentrum der Aktion sind Sie, was immer auch passiert.	3	3	2	2
9. Sie träumen bewußt und denken auch darüber nach.	5	1	3	1
10. Visionen können Sie umsetzen in praktische Anweisungen für die Mitarbeiter.	4	2	3	2
Summen:				
Total:				

Nach diesem Test wissen Sie, wie Sie ihre visionären Fähigkeiten ungefähr einzuschätzen haben. Ich gehe davon aus, daß auch bei Ihnen noch einiges zu verbessern ist, deshalb zeige ich Ihnen folgende mögliche *Entwicklungsschritte* für eine Vision. Vier entscheidende Abschnitte sind es:

Schritt 1:

Sie müssen abschalten können und die *Kunst der Innenschau* beherrschen. Neben Ihre rationale Denkweise und die Anwendung logisch-analytischer Fertigkeiten muß der *meditative Prozeß* treten. Sie müssen also in irgendeiner Form Meditation üben. Dies ist für die Ausbildung der visionären Fähigkeit genauso wichtig wie für kreatives Denken. Sie hatten im vorigen Kapitel gelernt, daß Kreativität ohne die Fähigkeit zu meditieren nur oberflächlich möglich ist. Ich verweise Sie hier nochmals auf Kapitel 6.5, in dem ich für Sie die wichtigsten Grundsätze darstelle.

Schritt 2:

Vergewissern Sie sich im zweiten Schritt, daß Sie genaueste Kenntnisse Ihres Betriebes haben, seine Organisation beherrschen und das gesamte Umfeld detailliert kennen. Es geht mir hierbei darum, daß Ihre Kenntnisse so objektiv wie möglich sein sollten. Im Laufe Ihrer Tätigkeit sind Sie möglicherweise etwas einseitig geworden und haben unbewußt gelernt, bestimmte Fehler oder Mängel zu übersehen. Sie können jedoch keine Vision entwickeln und realisieren, ohne die Organisation und die mit ihr verbundenen Faktoren so objektiv wie möglich überprüft zu haben. Dieser Vorgang wird vielfach „Organisations-Introspektion“[25] genannt. Auch um das erfolgreich durchführen zu können, müssen Sie die Kunst der Meditation einigermaßen beherrschen und jeden Faktor, der die Zukunft beeinflussen mag, objektiv abwägen können.

Schritt 3:

Ein weiterer Entwicklungsschritt ist es, die *Offenheit gegenüber unkonventionellen Betrachtungsweisen* zu erreichen. Wenn Sie Ihre Gedanken immer nur mit Gleichgesinnten austauschen, dürfte dies kaum zu einer richtigen Problemwahrnehmung führen. Sie müssen lernen, kontroverse und auf den ersten Blick vielleicht sogar abwegige Betrachtungen in die eigenen Überlegungen einzubeziehen. Dies haben Sie jedoch schon geübt, wenn Sie sich das Kapitel über die Kreativität zu Herzen genommen haben. Sie sehen es jetzt: Die Beherrschung von Kreativitätstechniken bzw. das Abbauen von Kreativitätshemmern ist auch für die Entwicklung und Gestaltung von Visionen entscheidend.

Schritt 4:

Nach diesen Schritten, d. h. nach der „meditativen" Betrachtung Ihres Unternehmens und des Umfeldes, können Sie den nächsten Schritt tun und gedanklich die Zukunft vorwegnehmen. Aus der Introspektion wird jetzt die *Projektion*. Hilfsmittel dazu ist die *Entwicklung von Szenarien*. Ein Szenario ist aber keine Planung. Es ist vielmehr ein kreativer (!) *Denkprozeß in verschiedenen Stufen*. Diese sehen folgendermaßen aus:

① *Definition einer Vision*. Sie beschreiben die Vision gründlich und einfach, einschließlich Ihrer Philosophie, der strategischen Richtung und der kulturellen Werte.

② *Bestimmung von Chancen und Gefahren*. Sie analysieren sehr sorgfältig die günstigsten und ungünstigsten Aussichten der Vision. Zuvor bestimmen Sie mengenmäßig alle möglichen positiven und negativen Ergebnisse.

③ *Sie listen die entscheidenden Faktoren für den Erfolg* auf. Dazu sind alle Faktoren, die mit der Ausführung der Vision eintreten, zu bewerten. Besonders betonen Sie die Schlüsselfaktoren, die letztendlich über den Erfolg oder Mißerfolg entscheiden.

④ *Legen Sie die Reihenfolge der wichtigsten Ereignisse fest.* Sie müssen also einen Zeitplan für die Realisierung Ihrer Vision erstellen.

Ich möchte es noch einmal betonen: Wenn Sie ernsthaft daran denken, eine Vision zu entwickeln und diese auch in Ihrem Unternehmen gestalten wollen, dann müssen Sie ein solches Szenario zu Hilfe nehmen. Diese Arbeit kann auch in einem *Kreativteam* geschehen (vergleichen Sie dazu Kapitel 5.5). Durch die Entwicklung eines Szenarios werden die Erfolgsaussichten einer Vision erheblich verbessert. Vergessen Sie deshalb auf keinen Fall, auch alle möglichen Gefahren und Risiken einzuarbeiten. Um die Qualität Ihres Szenarios beurteilen zu können und Ihnen mehr Sicherheit zu geben, besteht die Möglichkeit, das *fertige Szenario mit einem Effizienz-Test* zu überprüfen.[26] Wenn Sie alle folgenden Fragen mit Ja beantworten können, ist Ihr Szenario wahrscheinlich gut.

- Verstehen auch solche Menschen die Definition Ihrer Vision, die nichts mit dem Unternehmen oder der Branche zu tun haben?

- Sind Sie sicher, alle Chancen und besonders die Gefahren erkannt zu haben?

- Haben Sie in dieser Potentialanalyse auch alle Chancen und Risiken bewertet?

- Haben Sie auch weniger offensichtliche Faktoren, wie z. B. psychologische, ökologische und politische, bedacht?

- Sind Sie sicher, daß Sie die gegenseitige Abhängigkeit besonders der entscheidenden Erfolgsfaktoren einkalkuliert haben?

- Sehen Sie tatsächlich die Wirkungen, die ein wichtiges Ereignis auf alle anderen Faktoren haben kann?
- Ist das Szenario in einer ruhigen, kreativen und „meditativen" Umgebung zustande gekommen?
- Bietet Ihr Szenario Raum für Veränderungen, die sich auch überraschend schnell ergeben können?

Hat das Szenario den Qualitätstest bestanden, könnten Sie auf dem besten Wege sein, durch die dann gestaltete Vision Ihrem Unternehmen neuen Auftrieb und Schwung zu geben. Aber denken Sie auch daran: Die geistige Entwicklung von Szenarien muß bei Ihnen zur Gewohnheit werden wie beispielsweise die tägliche Besinnung (Meditation) auch. Es muß für Sie alltäglich werden, in Szenarien zu denken. Dann sind Sie tatsächlich ein kreativer, intuitiver und visionär begabter Unternehmer oder Manager. GERKEN geht so weit und gibt der Rolle der Vision bei der künftigen Unternehmensführung eine entscheidende Bedeutung.[27] Für ihn ist das kreative und visionäre Management *mentales Management.* „Der ‚visionary factor' ist von besonderer Bedeutung für den neuen Manager und seine Streßregulation. Er muß in der Lage sein, durch das Durchspielen positiver und negativer Szenarien das zukünftige Handlungsmoment im eigenen Kopf zu visualisieren, damit er nicht in die Phase des heißen Stresses kommt. Der Umgang mit Visionen wird ein Schlüsselelement sein für den erfolgreichen Manager der Turbulenz."[28]

Visionen verstärken das Immunsystem des Unternehmens

Die kreative Entwicklung und Gestaltung von Visionen im Unternehmen verstärkt das Immunsystem des Unternehmens. Es wird krisensicherer, turbulenzfester und menschenfreundlicher. Als Zusammenfassung des Abschnitts über Visionen im Unternehmen liste ich Ihnen noch einmal *alle Vorteile* auf, die bei richtiger Entwicklung und Gestaltung von Visionen entstehen können:

- Eine klare und richtig gestaltete Vision vermittelt allen Mitarbeitern das Gefühl, daß das Unternehmen eine wertvolle Aufgabe erfüllt.
- Die Vision läßt die Zukunft deutlicher und damit fast immer positiver hervortreten.
- Damit hat die Vision auch stark *motivierende* Wirkung.
- Das schafft die Grundlage für den Aufbau einer klaren *Unternehmenskultur.*
- Daraus läßt sich die *Corporate Identity* entwickeln, d. h. das einheitliche Erscheinungsbild und der Ausdruck der Seele des Unternehmens.
- Durch die Formulierung und Gestaltung der Vision entsteht auch eine *ethisch* fundierte Zweck- und Zielsetzung des Unternehmens. Daraus läßt sich, sofern gewünscht, auch ein *Leitbild* formulieren.
- Die Vision kann den gemeinsamen Unternehmensstil schaffen, das sogenannte *„Wirgefühl".*
- Die Vision macht das Unternehmen *widerstandsfähiger* gegen Turbulenzen und zunehmende Komplexität.
- Aus der Vision entstehen *strategische* Stoßrichtungen und bevorzugte Aktivitäten.
- Daraus lassen sich stragetische *Geschäftsfelder* entwickeln bzw. solche *Potentiale* angeben, die verstärkt bearbeitet werden müssen.

- Die *Informationspolitik* des Unternehmens richtet sich an der Vision aus; Zweifel und Unsicherheiten können leichter ausgeräumt werden.

- Die Vision hat gewissermaßen einen *Lasereffekt* oder eine *Hohlspiegelwirkung*, die zu Werteverschiebungen und nachhaltigen Verhaltensänderungen der Mitarbeiter führen kann.

Sie sehen es selbst: Die Vorteile einer entwickelten, gestalteten und gelebten Vision für das Unternehmen sind eindeutig. Nur so entstehen übrigens auch Pionier-Unternehmen oder Spezialisten-Unternehmen.

Der Weg zur persönlichen Visionsfähigkeit, die ein Teil des mentalen Managements ausmacht, ist jedoch nicht einfach. Er führt über Kreativität und Intuition. Notwendig sind Meditation und Objektivität. Dies sind aber alles Dinge, die an Ihnen liegen, weil sie lernbar und trainierbar sind. Zusammen mit den weiteren aus der Philosophie des TAO abgeleiteten Führungsgrundsätzen, die ich Ihnen in den nächsten Kapiteln noch darstelle, sind Sie in der Lage, sich und Ihr Unternehmen auf eine neue Bahn zu führen:

Die Vision muß im Unternehmen genauso wichtig werden wie die Revision.

Few Leaders realize how much
how little will do.
HEIDER

5.3 Duales Management als Erfolgsfaktor: Auf Störungen sensibel reagieren, denn auch hier ist der Weg das Ziel

Die Führungspraxis und die Betriebswirtschaftslehre nehmen langsam zur Kenntnis, daß es neben der rational-analytischen, an klaren rechenbaren Zielsetzungen ausgerichteten Unternehmensführung noch eine weitere Ebene gibt, die vielfach als geistige Basis oder sogar als mentales Management beschrieben wird.[29] Es finden sich auch Umschreibungen wie weiches und sanftes Management, die meines Erachtens jedoch nicht ganz treffend sind.[30] Der Begriff des „integrativen Führungsstils" beschreibt den Sinngehalt der endlich erkannten weiteren geistigen Ebene recht gut.[31]

Ich nenne diese ganzheitliche Sichtweise des Managements *„dual"*, um damit deutlich auszudrücken, daß bei der Führung von Unternehmen zwei Ebenen gleichberechtigt nebeneinander stehen müssen.

Es ist dies zum einen die bisher in der Betriebswirtschaftslehre und der Führungspraxis fast ausschließlich betonte Verfahrens- und Handlungsweise des Rational-Logischen, die streng auf rechenbare Ziele und klare Zahlen ausgerichtet ist.

Diese Ebene ist möglicherweise in den letzten Jahrzehnten überbetont worden. Mindestens jedoch ist von den meisten Unternehmern und Managern kaum oder nicht zur Kenntnis genommen worden, daß es noch eine weitere Ebene gibt, die sich mehr dem Menschen im Unternehmen zuwendet und die Fähigkeiten der rechten Gehirnhälfte stärker betont. Es ist nicht einzusehen, warum diese Fähigkeiten nicht stärker entwickelt und eingesetzt werden sollten, um somit den künftigen Unternehmenserfolg besser abzusichern.

Der immer schon angestrebte Unternehmenserfolg wurde bisher fast ausschließlich zugeschrieben und zurückgeführt auf

wirtschaftliche Faktoren.

Sie wurden untersucht, verbessert und verfeinert, und so entstand das heute bekannte Instrumentarium des Managers und Unternehmers. Es müßte jedoch einleuchten, daß auch

geistige, psychische und soziale Faktoren

mindestens gleichwertig zum Unternehmenserfolg beitragen können. *Sie ebenfalls zu entwickeln und je nach Situation einzusetzen bedeutet ganzheitliches, also duales Management.*

Es geht also um eine *geistig orientierte Führung im Unternehmen.* Diese kann nur vom Management ausgehen. Die ersten Schritte hat das Management zu gehen. Die Weichen sind von diesen Menschen zu stellen. Eine Delegation dieser Aufgabe, und vor allem der Verantwortung, ist nicht möglich.

Grundvoraussetzung und Eckpfeiler der geistigen Management-Ebene

Die geistige, psychisch und sozial ausgerichtete Management-Ebene kann vom Manager oder Unternehmer nur entwickelt werden, wenn bestimmte Grundvoraussetzungen im Unternehmen und bei den leitenden Personen vorhanden sind. Dazu zählen besonders Kreativität, Intuition und Vision. Alle drei Fähigkeiten sind überwiegend der rechten Gehirnhälfte zuzuordnen. Sie sind entwickelbar und trainierbar. Hinweise auf den jeweiligen Entwicklungsstand und die Möglichkeiten, diese Fähigkeiten zu erweitern, habe ich in den Kapiteln 5.1 und 5.2 gegeben. Ein relativ hoher Entwicklungsstand dieser Grundvoraussetzungen des mentalen Managements ist notwendig, damit die beiden tragenden Eckpfeiler oder Säulen der dualen Management-Ebene errichtet werden können. Diese *Eckpfeiler* sind:

① *die richtige Einstellung und Konditionierung des Managers oder Unternehmers.* Gefordert sind besonders die Fähigkeiten Geduld, langfristiges Denken und Sensibilität.

② *die Unternehmenskultur selbst.* Darunter verstehe ich die Gesamtheit der Normen, Denkhaltungen und Wertvorstellungen, die das Verhalten der Mitarbeiter aller Stufen und somit das Erscheinungsbild eines Unternehmens prägen.[32]

Auf diese tragenden Säulen komme ich jetzt im einzelnen zu sprechen und zeige Ihnen, was Sie tun können, um sie aufzustocken und zu entwickeln. Zuvor ist jedoch wieder eine Bestandsaufnahme im einzelnen angebracht.

Der integrative Faktor: Geduld und der natürliche Ablauf der Dinge

Vielleicht erinnern Sie sich an dieser Stelle, was Sie in Kapitel 3.1 (Was ist der TAO?) über Wu Wei, die aktionslose Aktion, gelesen haben. Nichts ist für den Anhänger des TAO schlimmer, wie wenn aus „niedrigen“ Beweggründen (persönlicher Ehrgeiz, Profilierungssucht, Machtstreben usw.) in natürliche Abläufe unnötigerweise eingegriffen wird. Dann verschieben sich Gleichgewichte, Systeme und Abläufe geraten in Unordnung, und das angestrebte Ziel wird oftmals nicht oder wesentlich umständlicher erreicht.

Ich lasse noch einmal die chinesischen Philosophen sprechen. NAN-TZU sagte im 2. Jahrhundert vor Christus:

Wer mit dem Lauf des TAO übereinstimmt
und den natürlichen Vorgängen des Himmels
und der Erde folgt, findet es leicht, die Welt zu lenken.

HEIDER drückt das im Original so aus[33]: „Too much force will backfire. Constant interventions and instigations will not make a good group. They will spoil a group.“

Nur Geduld und Ruhe können auf Dauer zu Spitzenleistungen im Management führen.[34] In der heutigen Unternehmensführung legt man in der Regel großen Wert auf schnelle Umsätze, schnelle Amortisation von Investitionen und auf eine schnelle Karriere. Richtiger und für das persönliche Wohlergehen auch wichtiger ist es, sich langfristiger zu orientieren. Dies bedeutet aber nicht, die kurzfristigen Ziele aufzugeben, sondern vielmehr, sie an langfristigen Vorgaben zu orientieren. *Daraus wird dann Strategie.* Auch Visionen können nur verwirklicht werden, wenn die Unternehmensführung Geduld aufbringt. Wer ungeduldig an die Verwirklichung einer unternehmerischen Vision herangeht, hat auch nicht das notwendige Vertrauen in sich selbst und in die Sache.

Geduld im Sinne einer unternehmerischen Führungsfähigkeit ist einfach die laufende Verpflichtung, alle Managementaufgaben langfristig unter Beachtung der Zukunft anzugehen. Geduld integriert alle anderen Fähigkeiten und sorgt dafür, daß möglichst wenig in natürliche Abläufe, von denen es auch in einem Unternehmen sehr viele gibt, eingegriffen wird.

Ausgeglichene Manager und Unternehmer kennen den Wert eines guten Timings. Dinge zur rechten Zeit tun, ein Gespür dafür zu bekommen, wann und wie eingegriffen werden muß, sind entscheidende Führungsfähigkeiten. Kreativität, Intuition und Vision müssen zur richtigen Zeit entwickelt und gestaltet werden. Sie müssen langfristig angelegt und durchgehalten werden. Deshalb ist Geduld und die Fähigkeit zu „aktionsloser Aktion“ wichtig. Es gibt drei *entscheidende Hindernisse auf dem Weg zu unternehmerischen Spitzenleistungen:*

- kurzzeitige Orientierung,
- oberflächliches, routiniertes Denken,
- Erwartungen an zu leichte und schnelle Ergebnisse.

Alle drei Hindernisse sind geprägt von Ungeduld. Deshalb müssen Sie ein geduldiger Manager werden. Dazu noch ein nur scheinbares Paradox, wie es der Taoist liebt:

> *Die Geduld sorgt mehr als alles andere dafür, daß etwas passiert.*

Ohne Geduld und ohne die sensible Einstellung der inneren Ruhe können sich die wichtigen geistigen Managementfähigkeiten wie Kreativität, Intuition und Vision überhaupt nicht entfalten.

Wie werden Sie ein geduldiger Manager oder Unternehmer im Sinne der hier beschriebenen Fähigkeit? Da auch Geduld erlernbar und trainierbar ist, biete ich Ihnen folgende logischen *Schritte* an:

1. Erkennen Sie Ihre Geduld. Wie schätzen Sie sich ein?
2. Verbessern Sie Ihre Geduld. Was ist machbar?
3. Langfristig denken und leben! Das ist das Ziel.

1. Schritt:

In einem ersten Schritt sollen Sie erkennen, wieviel Geduld Sie wirklich haben. Geduld ist, wie Sie jetzt wissen, ein integrativer Faktor. Geduld ist der Zeitgeber, der Ihnen sagt, wann eine Entscheidung gefällt werden muß, und der dafür sorgt, daß alle Ergebnisse in logischer Reihenfolge ablaufen können. Das schnellere Arbeitstempo in den Unternehmen und die wachsende Komplexität von Vorgängen und Abläufen hat leider, so unwahrscheinlich es auch klingen mag, viele Unternehmer und Manager dazu gebracht, daß sie immer schneller entscheiden. Diese Menschen gehen bei einem solchen Verhalten wohl davon aus, daß schnellere Entscheidungen die Angelegenheiten auch rascher vom Tisch bringen. Das kann richtig sein. Aber ob diese ad-hoc-Entscheidungen immer die besten sind? Überdenken Sie einmal die folgenden *Regeln,* die Ihnen helfen könnten, *gute Entscheidungen zu treffen,* und überprüfen Sie dabei immer den Zeitfaktor, also die Geduld.

- Sie sollten Entscheidungen treffen, die *jetzt* und in diesem Moment *zweckdienlich* sind. Dies bedeutet aber auch, daß Sie eine Entscheidung aufschieben sollten, zu der Sie jemand drängt, während Sie das Gefühl haben, daß die Angelegenheit noch Zeit hat. Werden Sie mißtrauisch, wenn Sie jemand zwingen will, jetzt mit einem Ja oder Nein zu entscheiden! Im Zweifelsfall nicht entscheiden oder mit „nein".

- Treffen Sie Entscheidungen *niemals zu früh!* Sie sollten nicht übereilt handeln. Das heißt natürlich nicht, daß Sie als geduldiger Manager nicht auch schnell entscheiden können und müssen in bestimmten Situationen.

- Ihre Entscheidungen müssen *ausführbar* sein. Wenn Sie Entscheidungen treffen, die nicht ausführbar sind, sind Sie nicht nur ungeduldig, sondern Sie verstehen die Situation wohl auch nicht. Wenn Sie geduldig sind, verfolgen Sie die Strategie, die aus der Vision entwickelt wurde, und wissen genau, in welchen strategischen Geschäftsfeldern zu welchem Zeitpunkt entschieden werden muß.

- Treffen Sie nur Entscheidungen, die *Sie* auch treffen sollen. Ungeduldige Manager oder Unternehmer können, besonders in

Krisenzeiten oder bei Turbulenzen, oft nicht widerstehen und treffen Entscheidungen, die eigentlich andere treffen sollten. Dies ist schädlich für die Motivation der Mitarbeiter, die sich mit Recht übergangen fühlen und das nächste Mal wohl warten werden, ob Sie nicht wieder die Entscheidungsgewalt an sich reißen.

Ehe Sie die Aussagen und Fragen bewerten, die zeigen sollen, wie geduldig Sie in unternehmerischen Dingen sind, will ich Sie noch mit dem *Prototyp des ungeduldigen Managers* oder Unternehmers bekanntmachen. *Der ungeduldige Manager*

- unterstützt Machtstreben von Mitarbeitern, weil er glaubt, daß Mitarbeiter dann mit mehr Eifer und Einsatz ihre Aufgaben angehen und sie schneller erledigen,
- übt kaum Kontrollen aus, weil sie das Arbeitstempo verringern können,
- verstärkt Rivalitäten, weil er glaubt, daß Konkurrenz unter den Mitarbeitern die Arbeitsleistung erhöht,
- sieht unvermeidliche Ereignisse und Abläufe, die zwangsläufig sind, nicht voraus,
- übt Druck besonders auf solche Mitarbeiter aus, die in niederen Positionen arbeiten und über weniger intellektuelle Fähigkeiten verfügen,
- setzt Mitarbeiter in falschen Positionen ein, weil er sich nicht die Mühe gemacht hat, ihre Fähigkeiten zu studieren,
- delegiert die falschen Aufgaben, weil er sich über deren Tragweite und Bedeutung nicht im klaren war.

In anderem Zusammenhang (vergleichen Sie S. 40) habe ich schon einmal auf das Tao Te Puh von Hoff[35] hingewiesen. Er überträgt den Klassiker „Winnie the Pooh" auf den Taoismus. Im Vergleich zu seinen Freunden ist Puh, der Bär, nicht erschöpft, bleibt realistisch und ruhig und vor allem geduldig. Die Eule hält sich ständig für unfehlbar, prahlt mit ihrer Weisheit, löst aber nie Probleme oder schaut danach, daß etwas in Ordnung geht. Das Kaninchen ist ein ungestümer, ungeduldiger Aktivist, immer kalkulierend und schlau, aber fern von jeder Realität. Der Esel grämt sich und beschwert sich immer über alles, unternimmt aber nichts dagegen. Der Bär Puh hingegen erzwingt nichts, weil er weiß, daß alle Dinge in Ordnung kommen, wenn er entspannt und sensibel bleibt, das im Auge behält, was wichtig ist, und alles tut, was in einer Situation notwendig ist. Hoff schließt sein Buch: „In jedem von uns steckt eine Eule, ein Kaninchen und ein Puh. Nur haben wir allzu lange den Weg von Eule und Kaninchen eingeschlagen. Und jetzt beklagen wir uns wie der Esel über die Folgen. Aber das bringt nichts. Wenn wir gescheit sind, nehmen wir den Puh-Weg." Vielleicht schockiert es Sie, wenn ich Ihnen als Manager oder Unternehmer dieses Buch zur Lektüre empfehle. Eine bessere Kategorisierung von Managertypen gibt es aber kaum und vor allem kaum eine schönere Beschreibung des TAO.

Die folgenden Fragen und Aussagen zeigen Ihnen, *wie geduldig Sie als Manager oder Unternehmer sind.*[36]

Auswertung:

Ein Ergebnis unter 20 Punkten zeigt, daß Sie geduldig und selbstsicher, also in Ruhe und mit der notwendigen Entspannung an unternehmerische Entscheidungen herangehen. Wenn Ihr Ergebnis über 30 Punkten liegt, werden Sie mehr für die Entwicklung ihrer Fähigkeit „Geduld" tun müssen.

	Ja	Nein	Manch-mal	Keine Meinung
1. Sind Sie in Zeiten von Wandel und Veränderungen ungeduldig?	5	2	3	4
2. Überprüfen Sie sich und Ihre Vorstellung von der Zukunft im Verlauf eines erkennbaren Wandels?	1	5	3	2
3. Vertrauen Sie Ihrer Vision?	1	4	3	4
4. Treffen Sie auch Entscheidungen über Fragen, die jetzt nicht wichtig sind?	5	2	2	4
5. Treffen Sie Ihre Entscheidungen so früh wie möglich?	4	2	3	5
6. Treffen Sie nur solche Entscheidungen, die auch ausführbar sind?	1	5	3	4
7. Treffen Sie auch Entscheidungen, die in die Kompetenz anderer fallen?	4	2	4	3
8. Sind Sie sich bewußt, wenn Sie aggressiv sind?	1	5	3	4
9. Leben Sie gerne geistig in der Zukunft?	2	4	3	4
10. Sind Sie ruhig und entspannt, wenn Ihre Vision einmal gestaltet wurde?	5	3	4	4
Summen:				
Total:				

2. Schritt:

Wenn Sie erkannt haben, wie geduldig oder ungeduldig Sie sind, können Sie daran gehen, Ihre Geduld zu verbessern. Durch das oben Gesagte und den „Test" sind Sie für dieses Problem auch sensibler geworden. Die Geduld zu verbessern ist allerdings ein schwieriges Unterfangen. Reaktionen, die auf Ungeduld oder Geduld beruhen, sind in der Regel rein emotional. Es gibt deshalb auch, zumindest bis heute, keine Techniken, mit deren Hilfe man lernen könnte, geduldiger zu werden. Ich kann Ihnen im folgenden einige Ansätze schildern, die aber fast alle in die Richtung einer *persönlichen Verhaltensänderung* gehen, also sehr viel zu tun haben mit psychologischen Ansätzen und Wirkungsweisen.

Folgende Überlegungen und methodische Ansätze können hilfreich sein:

- *Üben Sie Gelassenheit gegenüber den Dingen.* Dies ist einer der wichtigsten Grundsätze des Taoismus. Wenn Sie wollen, können Sie noch einmal nachlesen, was zu dem Thema „Alle Gegensätze annehmen führt zur Harmonie" (Kapitel 4.4, Seite 81 dieses Buches) gesagt wurde. Geduld kann nur aus Gelassenheit entstehen. Gelassenheit heißt Warten-Können auf den rechten Augenblick des Handelns. In der aristotelischen Ethik ist diese Art von Gelassenheit Teil der Tapferkeit (!). Bei den Stoikern ist die Gelassenheit zum Gleichmut der Weisen in allen Wechselfällen des Lebens zu rechnen, der zur inneren Größe führt. Im Taoismus ist es Wu Wei, das „Nichts tun", die sogenannte aktionslose Aktion, die alles geschehen läßt.

- *Beobachten Sie sich, und führen Sie Buch über Ihre „ungeduldigen Momente".* Überprüfen Sie jeweils abends die Eintragungen und Hinweise auf Ihre Ungeduld, und versuchen Sie, sich nachsinnend zu erinnern, warum Sie ungeduldig geworden sind. Vielleicht entdecken Sie bald ein gewisses Wiederholungsschema hinter Ihren „Ungeduldsanfällen". Dann werden Sie bald in der Lage sein, solche Situationen schon beim Auftreten in den Griff zu bekommen.

- *Lernen Sie, insgesamt ein ruhigerer Mensch zu werden.* Entspannung und Meditation ist angesagt. Es gibt viele Wege und Techniken der Meditation, über die ich Sie in Kapitel 6 ausführlich informiere. Meditieren Sie mehrfach über Ihre Ungeduld. Auch so kann es möglich sein, an die Quellen und Ursachen der Ungeduld heranzukommen.

- Viele Menschen erreichen Entspannung und damit auch Geduld, indem Sie *Musik* hören. Die heutige Technik gibt Ihnen vielfältige Möglichkeiten dieses Genusses, auch auf Reisen beispielsweise. Entspannung und ruhigere Einstellung stellt sich bei vielen Menschen auch durch *Sport* ein. Jogging, Schwimmen und Tennisspielen, aber auch Golf haben sich als hervorragende Ungeduldslöser herausgestellt. Entscheidend ist, daß Sie sich entspannen können. Dies fällt den meisten Menschen leichter, wenn sie sich ablenken. Der wohl bessere, aber zugleich auch schwierigere Weg ist die Versenkung in Form der Meditation.

- Halten Sie sich in bestimmten Gesprächen, Konferenzen und Beurteilungen *bewußt zurück.* Eine gute Übung ist es, einfach mehr als bisher *zuzuhören.*[37] Sie brauchen nicht immer gleich „aus der Hüfte zu schießen". Wenn Sie länger zuhören, als Sie es sonst tun, werden Sie nicht nur mehr erfahren und das Problem besser lösen, sondern zugleich auch ihre Ungeduld bekämpft haben.

3. Schritt:

Der dritte Schritt, um Geduld in Ihrem Leben zu entwickeln und zu integrieren, ist das *Denken und Handeln in langfristigen Dimensionen.* Dies fällt den meisten Menschen sehr schwer. Sehr viele leben nur „von der Hand in den Mund", und wenige Menschen machen einen Lebensplan oder denken in beruflichen Karrierestufen oder verschiedenen Altersabschnitten. Als Manager oder Unternehmer sind Sie es wohl eher gewohnt, langfristig zu denken. Im Unternehmen gibt es ein paar einfache Regeln, die Langfristigkeit betonen:

- Bedenken Sie den Grundsatz, daß Gewinne auf der einen Seite auch Verluste auf einer anderen Seite sind. Wenn die Gefahr besteht, daß Sie eines Tages die Rechnung präsentiert bekommen, müssen Sie an *langfristige Ausgleichspläne* denken.

- *Binden Sie gute Mitarbeiter langfristig* an das Unternehmen. Nach einiger Zeit beginnen gute Mitarbeiter nämlich die Vision und Botschaft des Unternehmens zu ihrer eigenen zu machen.

- *Vision und Kultur* des Unternehmens müssen langfristig *weiterentwickelt* werden unter Berücksichtigung eines Zeitraumes von mindestens zehn Jahren. Sie dürfen auf keinen Fall warten, bis die Vision von der Zukunft eingeholt wurde.

- Auch langfristige Erfolge müssen *gemessen und bewertet* werden. Meistens ist man gewöhnt, in einjährigen Bilanzepochen zu denken. Aber auch nach fünf oder zehn Jahren lassen sich Entwicklungen messen und darstellen.

- Sie müssen immer wieder über Ihre *langfristigen Pläne und die Vision sprechen.* Im betrieblichen Ablauf ergeben sich viele Gelegenheiten, in leicht verständlicher Form vor Mitarbeitern, Lieferanten, Kunden und Gesellschaftern auf solche Philosophien hinzuweisen.

Der aufspürende Faktor: Sensibilität und Umfeld-Monitoring bei den Mitarbeitern

Die geistig orientierte Führung im Unternehmen ruht auf der richtigen Einstellung und Konditionierung des Managers oder Unternehmers. Hierbei sind besonders die Fähigkeiten Geduld und Sensibilität gefordert. Hinweise zum Umgang mit der Geduld habe ich Ihnen auf den letzten Seiten gegeben.

Sensibilität bedeutet Feinfühligkeit, Einfühlsamkeit oder Empfindsamkeit, insbesondere gegenüber den Mitmenschen. Der Manager muß in der Lage sein, mit hoher Sensibilität sein Umfeld intensiv und feinfühlig zu beobachten. Er hat gewissermaßen die bestmöglichen Antennen auszufahren, um Stimmungen, Strömungen und Entwicklungen wahrzunehmen, die für Außenstehende nicht ohne weiteres ersichtlich sind. Zum mentalen Management gehört unabdingbar ein hohes Maß an Sensibilität.

Es passiert jeden Tag tausendfach in Unternehmen, daß Regeln, Grundsätze, Sachzwänge und kurzfristige Gewinnerwartungen über die Bedürfnisse von Mitarbeitern gestellt werden. Daß das von Fall zu Fall sein muß, ist selbstverständlich. Es darf jedoch nicht zur grundsätzlichen Mißachtung der Mitarbeiter insgesamt oder auch nur zur Nichtbeachtung führen. Als Manager oder Unternehmer müssen Sie erkennen, daß nicht die Organisation, sondern die Menschen langfristig die Gewinne erwirtschaften. Wenn Sie die Bedürfnisse Ihrer Mitarbeiter zu wenig beachten, arbeiten diese in der Regel unterhalb ihrer Kapazitätsgrenzen und ihrer Möglichkeiten. Das kann für das Unternehmen schädlich sein.

Echte Sensibilität gegenüber den Mitarbeitern bedeutet, sich nicht nur mit Sympathiebezeugung ihre Probleme, Sorgen und Nöte anzuhören, sondern es bedeutet auch, sich nach den Bedürfnissen und Erwartungen zu richten, die man dort vorfindet. Sensible Manager nehmen Probleme ihrer Mitarbeiter nicht nur ernst, sie handeln auch danach. Wenn in Ihrem Unternehmen Personalfluktuation und sinkende Produktivität auftreten, sind dies meistens sichere Zeichen für fehlende Sensibilität im Management.

Wie werden Sie ein sensibler Manager? Sensibilität ist nur beschränkt erlernbar und trainierbar. Wer sensibler gegenüber seinen

Mitmenschen werden will, muß, ähnlich wie bei der Entwicklung von mehr Geduld, an seinem persönlichen Verhalten einiges ändern. Folgende Schritte zur Ausgestaltung Ihrer Sensibilität sind möglich und denkbar:

1. Erkennen Ihrer Sensibilität. Wie schätzen Sie sich ein?

2. Verbessern Ihrer Sensibilität auf verschiedenen Ebenen.

3. Andere immer so behandeln, wie Sie selbst behandelt werden möchten.

1. Schritt:

Zuerst versuche ich, den *Prototyp eines unsensiblen Managers* darzustellen.[38] Ich fasse Sensibilität hier nur in Zusammenhang mit den Mitarbeitern auf, nicht gegenüber anderen Personen oder gar Sachen und Ereignissen. *Der wenig sensible Manager oder Unternehmer*

- glaubt, Erwartungen und Bedürfnisse der Mitarbeiter zu kennen, ohne mit ihnen gesprochen zu haben,
- behandelt alle Mitarbeiter gleich, ohne auf persönliche Unterschiede zu achten,
- schätzt Mitarbeiter als Werkzeuge und Produktionseinheiten ein und bewertet sie auch so,
- stereotypisiert Mitarbeiter aufgrund vergangener Erfahrungen, ohne zu bemerken, ob Veränderungen vor sich gegangen sind,
- nimmt an, daß die Mitarbeiter in bestimmten Situationen genauso reagieren, wie man selbst reagiert hätte.

Nach den vorangegangenen Hinweisen sollten Sie in der Lage sein, Ihre *eigene Sensibilität zu überprüfen*. Machen Sie deshalb bitte den folgenden kleinen *Test*. Kreuzen Sie bitte immer die Antworten an, die Sie am besten charakterisieren.

	Ja	Nein	Manchmal	Keine Meinung
1. Sind für Sie die Mitarbeiter ein eben notwendiger Teil des Unternehmens?	2	5	3	1
2. Persönliche Sorgen und Probleme der Mitarbeiter sind für Sie immer wichtig?	4	2	2	1
3. Glauben Sie, die Erwartungen Ihrer Mitarbeiter schon zu kennen, ohne mit ihnen gesprochen zu haben?	1	5	3	2
4. Führen Sie systematisch sogenannte Mitarbeitergespräche?	5	2	4	2
5. Vermeiden Sie es, persönliche Beziehungen zu Ihren Mitarbeitern aufzubauen?	2	4	3	1
6. Hat jeder Mitarbeiter bei Ihnen ein bestimmtes Ansehen?	2	5	3	2
7. Spüren Sie das "Betriebsklima" in Ihrem Unternehmen?	5	2	2	1
8. Möchten Sie, daß Ihre Mitarbeiter in bestimmten Situationen genauso handeln wie Sie selbst?	2	5	3	2
9. Der Unterschied zwischen Empfindsamkeit und Empfindlichkeit ist Ihnen auch im Unternehmen wichtig?	5	2	3	1
10. Befassen Sie sich lieber mit einzelnen, kurzfristigen Bedürfnissen der Mitarbeiter (z. B. eine kleine Gehaltserhöhung) statt mit umfassenden, längerfristigen Bedürfnissen (z. B. Karriereentwicklung)?	2	4	3	1
Summen:				
Total:				

Auswertung:

Als sensibler Manager oder Unternehmer erreichen Sie 40 und mehr Punkte. Bei einem Ergebnis unter 30 Punkten müssen Sie Ihre Einstellung ernsthaft überprüfen und Ihr Verhalten gegenüber Mitarbeitern in einigen Punkten ändern.

2. Schritt:

Im zweiten Erfolgsschritt geht es darum, Ihre Sensibilität zu verbessern. Vielleicht hat der Test gezeigt, daß Sie noch nicht hundertprozentig auf mentales Management vorbereitet oder sich einfach der Bedeutung der Sensibilität im Unternehmen noch nicht bewußt sind.

Wenn Sie sensibler gegenüber den Mitarbeitern werden wollen, müssen Sie sich über die *Bedeutung von Bedürfnissen und Erwartungen* anderer Menschen im klaren werden. Sie müssen die emotionalen Abläufe bei anderen Menschen annähernd verstehen lernen. Sie müssen in die Beantwortung der Frage einsteigen: Was motiviert meine Mitarbeiter? Nur wenn Sie dieses Instrumentarium ungefähr beherrschen, können Sie den Mitarbeitern auf der richtigen Sensibilitätsebene begegnen.

Die bekanntesten und am meisten angewandten Theorien auf diesem Gebiet sind die *Bedürfnishierarchie* von MASLOW und die *Motivationstheorie* von HERZBERG.[39] MASLOW unterscheidet fünf Bedürfnisebenen, die in Pyramidenform angeordnet werden können:

Die Hierarchie der Bedürfnisse

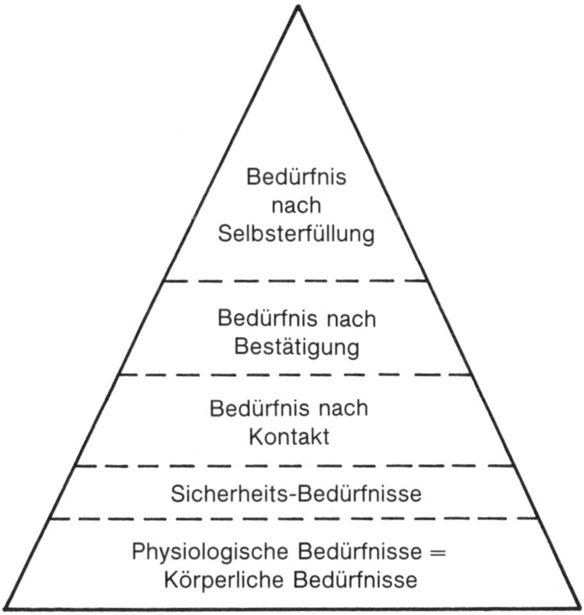

Die Bedürfnisse werden von einer Ebene zur anderen befriedigt. Das heißt, wenn ein Bedürfnis befriedigt ist, strebt der Mensch die Befriedigung des nächsthöheren Bedürfnisses an. Wenn die physiologischen Bedürfnisse, z. B. nach Essen, Trinken, Schlafen, Kleidung, erfüllt sind, werden die Bedürfnisse der nächsten Ebene aktuell, also z. B. nach Geborgenheit und Sicherheit. Wenn diese Bedürfnisse erfüllt sind, z. B. bei guter beruflicher Stellung, werden die sozialen Bedürfnisse wichtig. Dies sind Bedürfnisse nach Kontakt und Zugehörigkeit zu einer Gruppe von Personen mit gemeinsamen Überzeugungen und Wertschätzungen. Sobald diese Bedürfnisse wiederum erfüllt sind, treten Bedürfnisse nach Wertschätzung und Realisierung des äußeren Ich-Status auf. Auf der höchsten Ebene entstehen Bedürfnisse nach Selbstverwirklichung, Realisierung des inneren Ichs und Persönlichkeitsentwicklung.

Die Motivationslehre von HERZBERG unterscheidet zwei Bedürfnisgruppen, die *Motivatoren und die Hygienefaktoren.* Motivatoren sind zum Beispiel interessante und herausfordernde Arbeitsinhalte, persönliche Leistung, Möglichkeit, weitere Verantwortung zu übernehmen. Hygienefaktoren sind zum Beispiel Arbeitsbedingungen, Unternehmensgrundsätze, Kontrollen, Entlohnung. Wenn solche Bereiche befriedigend gelöst sind, führt dies jedoch nicht zu höherer Motivation. Hygienefaktoren können das Ausmaß des unbefriedigenden Zustandes verändern, das Ausmaß der Motivation jedoch nicht.

Die unternehmerische Sensibilität in bezug auf die Mitarbeiter muß die Bedürfnishierarchie und die Möglichkeiten der Befriedigung auf den einzelnen Ebenen einkalkulieren. Entsprechend der Bedürfnis-Pyramide von MASLOW lassen sich folgende *Sensibilitätsebenen* mit den entsprechenden Schlußfolgerungen darstellen:

- *Sensibilität gegenüber den Bedürfnissen nach Sicherheit und Geborgenheit.* Dies bedeutet, empfindsam zu sein gegenüber dem körperlichen Wohlbefinden der Mitarbeiter, den Arbeitsbedingungen und dem Umfeld, gegenüber der Entlohnung und der Kontrolle und Überwachung.

- *Sensibilität gegenüber sozialen Erwartungen und Bedürfnissen.* Denken Sie an folgende Bereiche: Gemeinschaftsgefühl, Gruppendynamik, Teilnahme an Entscheidungen, Wir-Gefühl im Unternehmen, Einbindung in die Unternehmenskultur.

- *Sensibilität gegenüber den Bedürfnissen nach Wertschätzung.* Wichtig sind hier Anerkennungen, mündliche und schriftliche Belobigungen, Prämien, Auszeichnungen, Ehrungen. Dabei ist zu beachten, daß die Wertschätzungsbedürfnisse bei den einzelnen Menschen recht unterschiedlich befriedigt werden.

- *Sensibilität gegenüber den Bedürfnissen und Erwartungen nach Selbstverwirklichung.* Versenken Sie sich in die Herzen und die

Träume Ihrer Mitarbeiter. Sprechen Sie auch mit ihnen darüber, und versuchen Sie, die jeweilige persönliche Vision zu erraten.

3. Schritt:

Der dritte Schritt zur Verstärkung der Sensibilität ist die tägliche praktische Übung im Unternehmen. Beherzigen Sie immer folgenden Grundsatz: *„Behandle andere so, wie du behandelt werden möchtest."*

In einer betrieblichen Organisation und Hierarchie ist das jedoch nicht ohne weiteres möglich, da es Über- und Unterordnungen gibt, die einfach bestimmte Konsequenzen haben. Sie müssen deshalb versuchen, sich auch in die anderen Personen tatsächlich hineinzuversetzen. Dann sollten Sie die anderen so behandeln, wie Sie selbst behandelt werden möchten, allerdings unter der Voraussetzung, daß Sie selbst genau die Erwartungen und Bedürfnisse hätten wie der jeweilige Mitarbeiter, um den es geht. Sie müssen sich also in seine Lage und seine Situation versetzen, vor allem aber herausfinden, auf welcher Ebene der Bedürfnisbefriedigung gerade gehandelt werden soll.

Sensibilität gegenüber den Mitarbeitern ist also ein hervorragendes Motivationsinstrument. Beherrschen Sie das Instrumentarium, können Sie effektiv und dauerhaft motivieren. Machen Sie nie den Fehler, Sensibilität und Strategie zu verwechseln. Dies geschieht leider sehr häufig in den Unternehmen. Ein überwiegend strategisch denkender Manager bietet nur Pläne an, die für Mitarbeiter oft kalt und gefühllos wirken. Beides ist im Unternehmen von heute gefragt. Das duale Management legt auf Sensibilität genausoviel Wert wie auf Strategie. „Das kulturbezogene Management muß sich verbinden mit dem Technologie-Management."[40]

Der tragende Faktor: Unternehmenskultur

Jedes Unternehmen hat eine ganz spezifische Kultur. Dies ist den meisten Managern und Unternehmern nicht bewußt. Es gibt aber kein Unternehmen ohne eine Kultur. Auch in der Betriebswirtschaftslehre und der Führungspraxis hat sich noch nicht allgemein durchgesetzt, daß die Unternehmenskultur zusammen mit der Vision die Grundlage für die unternehmerische Strategie ist. Ich verstehe unter Unternehmenskultur alle Regeln, Wertvorstellungen und Denkhaltungen, die das Verhalten der Mitarbeiter aller Stufen und somit das Erscheinungsbild eines Unternehmens prägen. Aus dieser Begriffbeschreibung wird ersichtlich, daß Unternehmenskultur gestaltbar ist. Dies ist eine wesentliche Managementaufgabe. Vor der Gestaltung liegt die Diagnose und als weiterer Schritt die Beurteilung der vorhandenen Kultur.

1. Schritt:

Vor der Diagnose müssen Sie *mögliche Ausdrucksformen der Unternehmenskultur* erkennen und verstehen. Die herrschende Kultur im Unternehmen zeigt sich in vielen Symptomen, die der besseren Übersicht wegen strukturiert werden sollten. *Typische Symptome der Unternehmenskultur sind beispielsweise*[A1]:

- Art und Weise, wie in einem Unternehmen kommuniziert wird
- Wer wird aufgrund welcher Leistungen befördert?
- Wie spricht man von Kunden?
- Aufmachung und Gestaltung von Dokumenten
- Sitzungsverhalten der Mitglieder der Geschäftsführung
- Gestaltung von Gebäuden und Arbeitsräumen
- Büroausstattungen
- Freundlichkeit der Telefonistin

- Bereitschaft, Überstunden zu leisten
- Auskunftsbereitschaft des Pförtners usw.

Ziel des ersten Schrittes, also der *Diagnose,* ist es, die bestehende Unternehmenskultur zu untersuchen und zu beschreiben. Dabei sind eigene Mitarbeiter zur Untersuchung weniger geeignet. Auch das Management, das seine „eigene“ Kultur untersucht, ist schwer vorstellbar. Hier bieten sich externe Berater und Fachleute an. Bedeutsam ist ferner, daß die Unternehmenskultur kaum meßbar ist, also wenig quantitative Elemente enthält. Es kommt auf Qualitäten an, die mit hoher Wahrnehmungsfähigkeit, aber auch mit Intuition erfaßt werden müssen.

Beurteilungskriterien der Unternehmenskultur sind[42]:

- *Prägungen.* Wer prägt überwiegend das Unternehmen? Das können sein einzelne Personen (z. B. bei einem Managementwechsel), das unternehmerische Aktivitätsfeld (z. B. Branchen, Märkte, Technologien), rechtliche, wirtschaftliche und soziale Bedingungen und Abhängigkeiten (z. B. von einer Muttergesellschaft, von einer Gründerfamilie, von einzelnen Kapitalgebern oder Lieferanten), das Entwicklungsstadium des Unternehmens (zu den einzelnen Typen vergleichen Sie bitte S. 140), das lokale Umfeld (z. B. Sitten in der betreffenden Region) und Erfolge (auch sie prägen ein Unternehmen sehr stark; übrigens auch Mißerfolge).

- *Grundorientierung.* Hier geht es um die wichtigsten betriebswirtschaftlichen erfolgsbestimmenden Faktoren. Zum Beispiel: Kundenorientierung, Mitarbeiterorientierung, Erfolgs- und Leistungsorientierung, Innovationsorientierung, Kostenorientierung, Technologieorientierung.[43]

- *Konsistenz.* Hier muß die Frage nach der Homogenität der ermittelten Meinungen, Normen und des Wertgefüges beantwortet werden. Zu denken ist auch an mögliche Subkulturen.

- *Übereinstimmung mit dem Management-Instrumentarium.* Hierzu zählen die Unternehmensstrategie, die einzelnen Geschäftsstrategien, die Organisation und das Führungssystem.

- *Flexibilität.* Änderungsfördernde Kräfte und Möglichkeiten im Unternehmen sind genauso sichtbar zu machen wie hemmende Einflüsse.

Diese Kriterien sind also alle wichtig für die Unternehmenskultur. Sie prägen unterschiedlich stark diese Kultur. Mit Hilfe verschiedener Diagnoseinstrumente kann nun festgestellt werden, welche Kriterien in einem bestimmten Unternehmen ganz besonders tragend und bedeutsam sind. Als *brauchbare Diagnoseinstrumente* haben sich in der Praxis herausgestellt:

- *Dokumentenanalyse.* Hier wird geprüft, was im Unternehmen auf der Strategie- und Geschäftsführungsebene an schriftlichen Unterlagen und Dokumenten vorhanden ist, zum Beispiel:

  - Firmengeschichte
  - Zielsetzungen, formulierte Unternehmenspolitik
  - Geschäftsberichte, Protokolle der Geschäftsführungssitzungen
  - Organigramme, Stellenbeschreibungen
  - schriftliche Führungsrichtlinien
  - Einführungsschrift für neue Mitarbeiter
  - Aus- und Weiterbildungsprogramme
  - Personalkennzahlen
  - Jahrespläne und Budgets
  - Berichte des Berichtswesens
  - Hauszeitungen
  - Werbematerial
  - PR-Material
  - Personalsuchinserate
  - Beispiele von Reden usw.

- *Firmenrundgang*. Hierbei ist auf bestimmte Äußerlichkeiten zu achten, die dem Unternehmen ein bestimmtes Gepräge geben, zum Beispiel:

  - Gebäude
  - Empfang
  - Aushangbretter
  - Mitarbeiterverhalten
  - Atmosphäre, Stimmung
  - Automatisierungsgrad usw.

- *Fragebogen*. Bei Unternehmen mit bis zu 300 Mitarbeitern kann eine Vollerhebung durchgeführt werden, sonst sind Stichproben sinnvoll. Der Fragebogen, der in der Regel nur mit Hilfe eines externen Beraters erstellt werden kann, enthält Fragen zum Beispiel aus folgenden Bereichen:

  - Grundorientierung
  - Zusammenarbeit in der Organisation
  - Karrieremechanismen
  - Kommunikationsverhalten
  - Merkmale des typischen Mitarbeiters
  - Betriebliche Hauptstärken und -schwächen
  - Kenntnis unternehmerischer Visionen
  - persönliches Arbeitsfeld usw.

- *Sitzungsbeobachtung*. Insbesondere Sitzungen der Geschäftsführung sind hier von Interesse. Beobachtet werden Inhalt, Interaktion (Wer führt das Wort? Wer schweigt? Wer benutzt häufiger Killerphrasen?) und Rituale und symbolische Handlungen, wie zum Beispiel:

  - Sitzordnung
  - Sitzungsablauf
  - Mimik, Gestik

- Atmosphäre
- Konfliktverhalten
- Kritikverhalten
- Teamarbeit usw.

- *Einzelgespräche.* Solche Interviews mit ausgewählten Mitarbeitern verschiedener Stufen runden das Bild ab und können gezielt dort eingesetzt werden, wo noch Ermittlungsunsicherheiten bestehen.

Sämtliche Ergebnisse der oft sehr umfangreichen Diagnose sind zusammenzuführen und darzustellen. Hier bieten sich grafische Gestaltungen sehr gut an. *Die folgende Abbildung zeigt zum Beispiel die Visualisierung der Prägungen eines Unternehmens.* Überlegen Sie einmal ein paar Minuten, wie das Bild in Ihrem Unternehmen aussehen könnte und welche Schwerpunkte bei den Prägungen Sie auf Anhieb feststellen können.

Grafische Darstellung von Prägungen in einem Unternehmen
(gewichtet)

Die Ergebnisse der Frage: *Wie beurteilen Sie die Zusammenarbeit in den einzelnen hierarchischen Stufen des Unternehmens?* könnten nach der Kumulierung und Bewertung etwa so dargestellt werden:

	sehr gut/ gut	**befriedigend**	**unbefriedigend/ schlecht**
Innerhalb der Geschäftsführung	30 %	25 %	45 %
Zwischen Vorgesetzten	51 %	28 %	21 %
Zwischen Vorgesetzten und Mitarbeitern	70 %	19 %	11 %

Was lesen Sie daraus? Wenn die Umfrage und Erhebung sauber und abgesichert war, wird die Zusammenarbeit in der Geschäftsführung als unbefriedigend, zwischen den Vorgesetzten als befriedigend bis gut und zwischen den Vorgesetzten und Mitarbeitern in diesem Fall sogar als gut bezeichnet werden. Wie sieht es wohl in Ihrem Unternehmen aus?

Als Beispiel für die *grafische Darstellung von Grundorientierungen* in einem Unternehmen zeige ich Ihnen vier ausgewählte Branchen.[44] Wie könnte es bei Ihnen aussehen?

Typische Unternehmensprofile ausgewählter Branchen

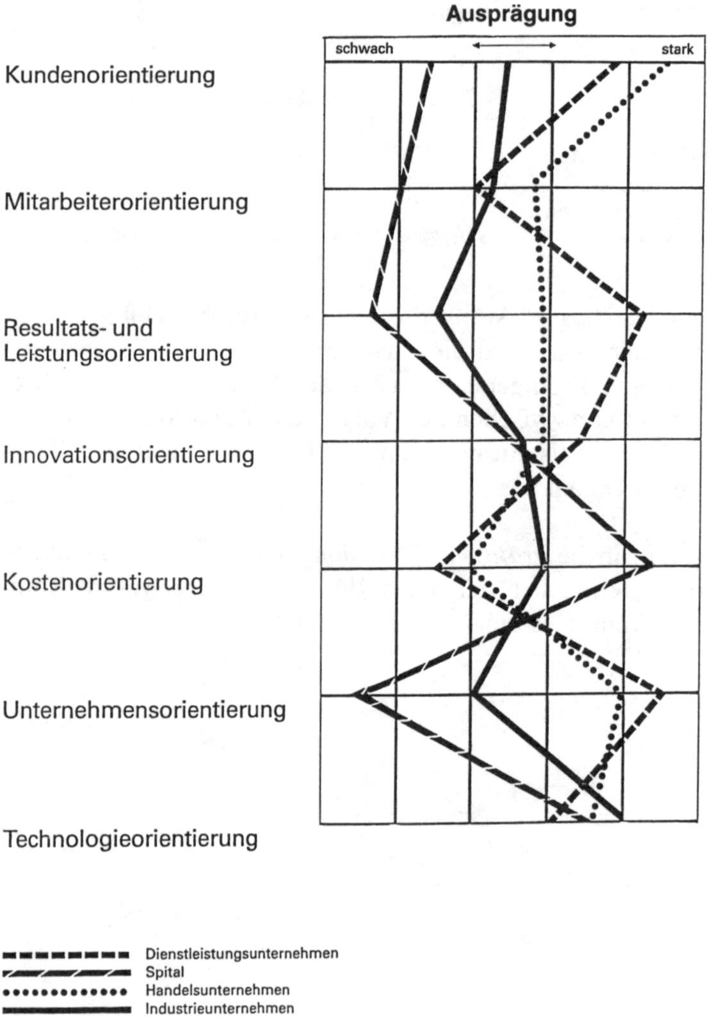

2. Schritt:

Nach der Diagnose und ihrer Darstellung muß in einem zweiten Schritt versucht werden, die vorgefundene Unternehmenskultur zu beurteilen und zu bewerten. Diese Beurteilung kann nur anhand bestimmter Vergleichsgrößen stattfinden. Man könnte zum Beispiel das Maß der Übereinstimmung der vorgefundenen Unternehmenskultur mit der strategisch gewünschten vergleichen. Es wird also festgestellt, wie die Grundorientierungen (vergleiche S. 171) tatsächlich ausgeprägt sind. Dem wird die Sollausprägung, abgeleitet aus der strategischen Ausrichtung des Unternehmens, gegenübergestellt. Graphisch könnte sich folgendes Bild ergeben:

Vergleich: Istprofil zu Sollprofil in einem Unternehmen

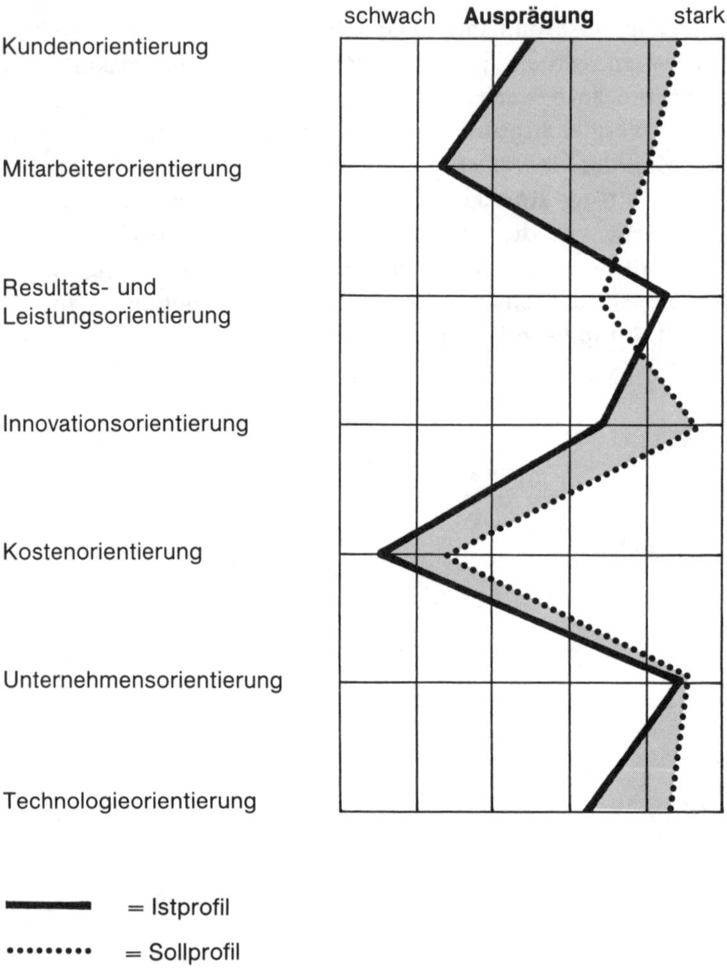

Das Ergebnis der *Gegenüberstellung der Ist- und Soll-Grundorientierung* kann man dann folgendermaßen interpretieren:

- Wenn die beiden Profile *übereinstimmen,* ist die Stoßkraft und der Wirkungsgrad des Unternehmens groß. Die geplante Strategie kann in diesem Fall wahrscheinlich effektiv umgesetzt werden. Weder Unternehmenskultur noch Strategie müssen angepaßt werden.

- Sind bei einzelnen Grundorientierungen begrenzte *Abweichungen* zwischen den beiden Profilen festzustellen, muß die Unternehmenskultur gezielt angepaßt werden.

- Weicht das Bild bei einzelnen Grundorientierungen *stark* ab, muß die Unternehmenskultur ebenfalls gezielt angepaßt werden oder sogar die Strategie des Unternehmens korrigiert werden.

- Wenn die Profile in *vielen* Grundorientierungen *stark* voneinander abweichen, kann nur die Strategie des Unternehmens kurz- und mittelfristig geändert werden. Die Wandlung der Unternehmenskultur wäre in diesem Fall zu groß, zu einschneidend und zu zeitraubend. Die Führungsgremien haben bei der Festlegung der Strategie die Unternehmenskultur wohl völlig falsch eingeschätzt oder bewertet.

Grundsätzlich muß aber auch gesagt werden, daß es keine ideale Unternehmenskultur gibt, die für jedes Unternehmen anzustreben wäre. Die Kultur muß immer im Verhältnis zur Strategie gesehen werden. Ein Administrations-Unternehmen (vergleiche S. 140) fährt in der Regel eine introvertierte Strategie, die eine völlig andere Unternehmenskultur bedingt als zum Beispiel ein Pionier-Unternehmen, das ebenfalls eine ganz spezifische Unternehmenskultur hat. Es gibt also nur die relativ ideale Kultur im Verhältnis zur Strategie und dem Zielbündel des Unternehmens.

3. Schritt:

Bei der Überprüfung der Unternehmenskultur kann sich ergeben, daß sie in bestimmter Beziehung verändert oder gestaltet werden sollte. Die Notwendigkeit des Wandels in der Unternehmenskultur beruht auf den Ergebnissen des zweiten Schrittes. Es gibt jedoch kein allgemein gültiges Rezept oder Konzept zur Gestaltung der Unternehmenskultur.

Ansatzpunkte der Gestaltung ergeben sich aus den Abweichungen der Profile der Ist-Kultur mit der strategiekonformen Kultur. Wenn Sie festgestellt haben, wo die größten Abweichungen sind, müssen Sie selbst die notwendigen Maßnahmen überlegen und einleiten. Methodisch lassen sich folgende Gestaltungsmöglichkeiten unterscheiden:

- *Sofortmaßnahmen.* Hier setzt die Geschäftsführung erste Zeichen. Dies kann schon zu einem leichten Stimmungswandel im Unternehmen führen.

- *Information der Mitarbeiter.* Durch diesen Prozeß der Bewußtmachung soll bei den Mitarbeitern Bereitschaft zu aktivem Tun gefördert werden.

- *Symbolische Handlungen* und symbolisches Führungsverhalten der Geschäftsführung insgesamt.

- Bildung und Einsatz von *Arbeitsteams.* Hier werden Vorschläge zur Durchsetzung der Gestaltungsschwerpunkte erarbeitet. Bei dieser schwierigen Arbeit empfiehlt es sich, geschulte Moderatoren einzusetzen.

Ich fasse für Sie noch einmal das Wichtige zum tragenden Faktor der Unternehmenskultur zusammen. Als Manager oder Unternehmer müssen Sie sich der Kultur im eigenen Unternehmen bewußt werden. Sie müssen auch wissen, daß die Unternehmenskultur gestaltet und geformt werden kann. *Sie müssen die Kultur in Ihrem Unternehmen dann besonders dringlich gestalten, wenn*

- die Ausprägung der Unternehmenskultur den strategischen Erfordernissen nicht genügt (wie Sie das feststellen und was dann zu tun ist, habe ich Ihnen gezeigt),
- die Werte des Unternehmens durch ein stark verändertes Umfeld überholt sind,
- sich das Unternehmen an der Schwelle zu einer neuen Größenordnung befindet,
- ein Führungs- oder Generationswechsel an der Spitze des Unternehmens bevorsteht,
- Übernahme oder Fusion von Unternehmen zu erwarten sind.

Enlightend leadership is service,
not selfishness.
HEIDER

5.4 Führen durch Vorbild und kraft Autorität

Das TAO sagt in bezug auf politische Machtausübung, jeder Herrscher sei verpflichtet so zu regieren, „als brate er einen kleinen Fisch". Das heißt: Regieren mit leichter Hand und nicht zu lange. Was für die politische Machtausübung gilt, hat zweifellos auch für den Bereich der Unternehmensführung wesentliche Bedeutung. COOPER meint dazu[45]: „Diese Haltung des Nichteingreifens ist in keiner Weise mit Anarchie zu vergleichen, da sie auf den Vorzügen des weisen Herrschens beruht. Mit der Zunahme sozialer Konventionen, der Moral und der Einmischung des Staates fällt sie in sich zusammen. Sie ist nicht etwa eine Freikarte für Zügellosigkeit, sondern die Gewähr für ein natürliches, ungekünsteltes Leben. Es gibt eine Geschichte von einem alten Mann, der Kamelhöker hieß und ein hervorragender Gärtner war. Die Leute wollten das Geheimnis seines Erfolges wissen, aber er leugnete, irgendeine besondere Methode zu haben außer der Pflege der natürlichen Anlagen: „Wenn du Bäume pflanzt, gib acht, daß du die Wurzel gerade setzt, die Erde um sie herum glättest, guten Humus verwendest und ihn gut andrückst. Dann berühre die Pflanze nicht mehr, denke nicht mehr an sie, geh nicht hin, um sie anzuschauen, sondern laß sie allein, laß sie für sich selbst sorgen, und die Natur wird das übrige tun. Ich vermeide nur, Bäume mit Gewalt zum Wachsen zu bringen."

Dieser letzte Satz ist zugleich die Kernaussage dieses Kapitels. Ein starkes Unternehmen mit einer starken Unternehmenskultur kann nur durch Führungspersönlichkeiten entstehen. Die Prägungen und hervorragenden Eigenschaften dieses „vorbildlichen Chefs" sind besonders:

- *Hohe Kooperationsbereitschaft und Kooperationsfähigkeit.* Dies bedeutet Beteiligung der Mitarbeiter am Entscheidungsprozeß; Berücksichtigung der Interessen und Bedürfnisse der Mitarbeiter; Leistung und Orientierung zum Mitarbeiter hin sind gleichwertige Komponenten.

- *„Coach-Befähigung“.* Dies bedeutet, sein Wissen, seine Fähigkeiten und seine Begabungen zum Wohle anderer einzusetzen. Die Mitarbeiter als Mannschaft betrachten, die zusammen mit ihrem Spielführer ein Team bildet.

- *Vorbild in jeder Hinsicht sein.* Ein Grundsatz des TAO ist es, daß der Weise nicht durch das Mitteilen von Wissen lehrt, sondern durch das Beispiel.

- *Charisma und Ausstrahlung* sind verstärkt gefragt. Dies ist wichtig, um die Anerkennung der Mitarbeiter als Persönlichkeit zu erlangen. Anspruchsvollere Mitarbeiter lassen sich nicht von jedermann führen.

- *Öffentlichkeitsbewußtsein.* Unternehmenspolitische Maßnahmen müssen in einer kritischen Umwelt und Öffentlichkeit immer mehr interpretiert werden.

- *Soziale Fähigkeiten* und persönliche Vorzüge werden wichtiger. Weniger gefragt sind Ausbildung, Titel, familiäre Herkunft oder ähnliche Statusmerkmale.

- *Liebe zum Wandel und zur Vision.* Die Veränderungen, die zunehmende Komplexität und laufend auftretende neue Turbulenzen sind verstärkte Herausforderungen.

- *Duales Management* wird nicht nur verstanden, sondern auch täglich praktiziert. Im ganzheitlichen Denken kooperieren schöpferische Kraft des Managers mit dem Wissen und den gelernten Fähigkeiten.

Der Chef als Coach

Das Bild des vorbildlichen Managertyps ist für Personalexperten recht deutlich erkennbar.[46] Der in Zukunft gefragte Managertyp ist der *Moderator von Talenten,* der Coach, der seine Mannschaft menschlich begeistert und zum Erfolg führt. Dabei ist er immer noch ein exzellenter Fachmann, der aber über den Rahmen seiner Disziplin hinausdenkt. Der neue Managertyp wird aufgrund der neuen Probleme in der Wirtschaft immer notwendiger. Folgende Probleme, die ich zur Erinnerung noch einmal kurz aufliste, müssen fast zwangsläufig zum ganzheitlich denkenden Unternehmer oder Manager führen:

- *Turbulenz und Komplexität* in der Welt nehmen zu;
- die *Informationslawine* wächst weiter;
- der *autoritäre Führungsstil* funktioniert oft schon *nicht* mehr;
- die *Unternehmenssteuerung* allein aufgrund von *Zahlen* reicht nicht mehr aus;
- die *Wissensexplosion* führt zum *Expertentum* mit der Gefahr der Abhängigkeit;
- manche *Ressourcen* werden *knapp,* und die Natur wehrt sich immer stärker;
- die für die Mitarbeiter wichtigen *Werte* verändern sich zur Zeit rasch.

Die folgenden Fragen geben Ihnen die Möglichkeit zu prüfen, wie hoch Sie die in Zukunft wichtiger werdenden Managerfähigkeiten für sich selbst einschätzen können. Prüfen Sie Ihre Fähigkeiten zur Führung durch Vorbild und persönliche Autorität.

	Ja	Nein	Manchmal	Keine Meinung
1. Reden Sie immer gerne mit Ihren Mitarbeitern?	1	5	3	3
2. Verstehen Sie auch immer bei Projekten und Aufgaben zu motivieren?	1	4	2	4
3. Bilden Sie Teams und Projektgruppen zur Lösung komplizierter Aufgaben?	2	4	2	3
4. Ist Ihnen Mobilität bei Mitarbeitern wichtig?	1	3	2	4
5. "Inszenieren" Sie gerne eine Betriebsveranstaltung?	2	5	2	4
6. Sind Ihnen in erster Linie originelle Lösungen wichtig?	2	4	2	4
7. Kümmern Sie sich auch um familiäre Belange von Mitarbeitern?	1	5	2	5
8. Treten Sie gerne vor Mitarbeitern auf?	2	4	3	4
9. Sind Sie immer freundlich und psychisch ausgeglichen?	1	5	3	4
10. Versuchen Sie selbst kreativ zu sein und immer neue Lösungen vorzuschlagen?	2	4	2	3

Summen:

Total: ☐

Auswertung:

Ein Ergebnis unter 20 Punkten deutet darauf hin, daß Sie dem Faktor „Mensch“ im Unternehmen einen hohen Stellenwert beimessen. Sie haben die Bedeutung der Unternehmensführung kraft persönlicher Autorität und Vorbild erkannt. Ergebnisse über 30 Punkte sollten Sie dazu anhalten, die folgenden Negativ- und Positiv-Profile besonders aufmerksam durchzuarbeiten.

Nach weitgehender Übereinstimmung von Personalchefs und Personalberatern ergibt sich beim Manager oder Unternehmer von morgen folgendes *Negativ-Profil,* das heißt, folgende Fähigkeiten und Eigenschaften werden *immer weniger gefragt sein*[47]:

- Pünktlichkeit;
- Ordentlichkeit;
- gute Examensnoten und Titel;
- familiäre Herkunft;
- Geradlinigkeit des bisherigen Werdegangs;
- Härte gegen sich und andere;
- Großzügigkeit;
- gewähltes Studienfach.

Damit keine Mißverständnisse entstehen: Natürlich dürfen diese Eigenschaften oder Dimensionen nicht gänzlich fehlen. Diese Eigenschaften und Talente werden nur immer weniger wichtig bei der Führung von Unternehmen. Der Wandel ist hier schon recht stark ersichtlich, insbesondere bei den Schulungsschwerpunkten des Managementnachwuchses.

Aus einer Umfrage unter Personalexperten ergibt sich folgendes *Positiv-Profil* für den künftigen Manager oder Unternehmer. *Der Manager von morgen wird:*

- mehr als heute die *Unternehmenskultur* pflegen müssen;
- mehr Wert auf *Spaß bei der Arbeit* bei sich und anderen legen;
- vermehrt eine *Frau* sein;
- viele Fähigkeiten eines *Moderators* haben müssen;
- mehr *Charisma* und Ausstrahlung haben müssen;
- bei seinen *Mitarbeitern beliebter* sein müssen;
- unter Umständen nur für eine *begrenzte Lebensspanne* Manager sein;
- seinen Mitarbeitern mehr als heute persönlich und *privat* zur Seite stehen;
- bei seiner *Karriere* auch auf die *Zustimmung* seiner Mitarbeiter angewiesen sein;
- *Statussymbolen* weniger Bedeutung zumessen.

Ich weiß, daß sich vieles davon für manchen von Ihnen provozierend oder erschreckend anhört. Vielleicht werden Sie auch sagen: Jetzt ist es Jahrzehnte so gegangen; warum soll es auf einmal anders sein? Die Veränderung im Anforderungsprofil an den Manager von morgen kommt jedoch schleichend. Sie werden es erst merken, wenn das Unternehmen nicht mehr so floriert wie früher. Dann kann einer der wichtigsten Gründe sein, daß die Unternehmenskultur und die Motivation der Mitarbeiter nicht mehr stimmen. Dann sind im Management Fehler gemacht worden; man hat die Entwicklung des Faktors „Human-Kapital" verschlafen, denn der Mensch steht künftig mehr im Mittelpunkt des Unternehmens als früher.

Lebenslang: Lernen und dienen

Damit der Unternehmer oder Manager der Aufgabe, im Unternehmen durch Vorbild und durch Autorität kraft Person zu führen, nachkommen kann, muß er zeitlebens dazulernen und sich immer weiter fortbilden. Gerade bei Führungskräften geht es nicht mehr ohne lebenslanges Lernen. Kein Manager ist jemals fertig in seiner Aus- und Fortbildung, da sich nicht nur das Fachwissen immer schneller umsetzt, sondern auch das wirtschaftliche, gesellschaftliche und politische Umfeld sich rascher wandelt. Besondere Ausbildung und besonderer Augenmerk ist auf folgende *Schwerpunkte* zu legen:

- laufendes Training *sozialer* Fähigkeiten;
- Schulung in *Rhetorik, Verhandlungstechnik, qualifizierte Korrespondenz* usw.;
- mehr *Allgemeinbildung;* die Bedeutung des Fachwissens nimmt ab;
- mehr *Rollenspiele,* mehr Psychodrama;
- *Moderationstechniken* mit neuesten technischen Hilfsmitteln;
- *Selbsterkenntnis* in allen Lebenslagen;
- mehr *Sport,* Fitneß, Entspannungstechniken;
- *Meditation* und innere Versenkung;
- *Kreativitätstechniken,* Szenarioübungen.

Der neue mitarbeiterorientierte und konsensbetonte Führungsstil fordert vom Manager oder Unternehmer neben lebenslangem Lernen aber auch die Erkenntnis, daß *Führen gleich Dienen* ist. Führen ist nicht Befehlen. Nur wenn der Manager oder Unternehmer sich ganz als Mensch einbringt, also mit „Haut und Haaren" oder, anders ausgedrückt, mit Körper, Seele und Geist, wird das Unternehmen auf Dauer erfolgreich sein. Ohne einen Wandel aus innerer

Einsicht (Transformation), ohne die Bereitschaft, bescheiden und glaubwürdig und den Menschen und der Sache zu dienen, gibt es kein echtes Führen.

Hans L. MERKLE formulierte[48], „daß Dienen und Führen keine Gegensätze sind, daß vielmehr die Führungseignung aus der Bereitschaft zum Dienen hervorgeht – daß Führen eine besondere Kategorie des Dienens ist". Dies folgt allein schon daraus, daß der echte Führer den Menschen in den Mittelpunkt stellt, also die „Humanisierung der Arbeitswelt" weiter vorantreibt. Dies geht nur mit der Bereitschaft zu dienen. Dienst am Unternehmen und am Menschen ist tatsächlich ein Grundwert der Führung. Und Dienen setzt Bescheidenheit und Bescheidung voraus, eine von den Taoisten hoch gepriesene Eigenschaft (vgl. Seite 77). In diesem Sinne lehrt auch das TAO TE KING (Kapitel 67):

Ich habe drei Schätze, die ich hüte und bewahre.
Der erste ist Mitgefühl; der zweite Mäßigkeit;
der dritte, anderem nicht voraus sein wollen.
Von Mitgefühl kommt Mut;
von Mäßigkeit kommt Großzügigkeit;
von Demut kommt Führerschaft.
Heutzutage meiden die Menschen Mitgefühl,
versuchen jedoch, mutig zu sein.
Sie verzichten aus Mäßigkeit,
versuchen jedoch, immer der Erste zu sein.
Das ist sicherer Tod.
Mitgefühl bringt Sieg im Kämpfen und Stärke im Verteidigen.
Es ist das, womit der Himmel bewahrt und bewacht.

Zum Dienen gehört unabdingbar, auch *Vorbild* zu sein. Was die Mitarbeiter sehen, hören oder auf eine andere Weise mitbekommen, färbt ab. Es färbt auf das Verhalten der Mitarbeiter ab und prägt schließlich die ganze Kultur und den Geist des Unternehmens. Die meisten Manager sind sich der Wichtigkeit ihrer Vorbildfunktionen nicht bewußt. Vorbild sein bedeutet nicht, daß die Führungsspitze in allen Dingen beispielsweise gleichbehandelt werden müßte mit allen anderen Mitarbeitern. Wenn der Unternehmer oder Manager sachlich begründete Privilegien in Anspruch nimmt, wird kein Mitarbeiter dagegen aufbegehren. Eher schon dann, wenn die Führungsspitze sich mit Statussymbolen oder Sonderrechten umgibt, die von der Funktion, der Organisation oder den Arbeitsabläufen nicht gerechtfertigt sind. Hier ist die Vorbildfunktion wichtig. Wird ihre Bedeutung verkannt, steigt das Anspruchsniveau der Mitarbeiter, die Motivation sinkt bis zu dem Punkt, an dem versucht wird, nur noch eigene Vorteile aus dem Arbeitsverhältnis herauszuholen. Denken Sie deshalb immer an folgenden Satz:

Dasjenige, welches unten ist, ist gleich demjenigen, welches oben ist; und dasjenige, welches oben ist, ist gleich demjenigen, welches unten ist, um zu vollbringen die Wunderwerke eines einzigen Dinges.

Diese Aussage ist nicht nur der Schlüssel zur hermetischen Philosophie* und wird kurzerhand immer als das Analogiegesetz bezeichnet (wie oben, so unten), sondern gilt allgemein. Auch in den Naturwissenschaften beginnt diese Erkenntnis sich breitzumachen. Sie ist aber auch eine grundsätzliche Lebensregel. In der Führungspraxis ist die Bedeutung dieser Aussage unbestritten.
Der vorbildliche Manager, der kraft Autorität der Person führt, verfügt besonders über folgende spezielle Tugenden:

- Glaubwürdigkeit;
- Demut;
- Rechtschaffenheit;
- Bescheidenheit.

Alle diese Tugenden sind in der westlichen Kultur heute etwas aus der Mode gekommen. Im Taoismus galten sie als die wichtigsten menschlichen Eigenschaften (vergleichen Sie noch einmal Kapitel 4.3).

Gerade die Glaubwürdigkeit ist für die Vorbildfunktion der Führungsspitze von entscheidender Bedeutung. Nur wenn die künftigen Manager „selbst durch ihr Vorbild glaubwürdig erscheinen und persönliche Integrität ausstrahlen, wird es ihnen gelingen, ein Klima des Vertrauens und des fairen Wettbewerbs zu schaffen, das Innovationen ermöglicht“[49].

> Es kann keine Urheberschaft für Ideen geben, sondern nur ein Vorzeigen, und dabei ist es unwesentlich, ob von einem oder mehreren Köpfen.
> DHAMMAPADA

5.5 Teamarbeit fördern und Projekteinheiten bilden

Hervorragende Ergebnisse und sehr gute Problemlösungen sind nur durch die Arbeit im Team oder in Projektgruppen zu erreichen. Teamarbeit trägt dem Bedürfnis der Mitarbeiter nach Partnerschaft und Kollegialität Rechnung. In der Hierarchie der Bedürfnisse kommt diese Ebene gleich nach den physiologischen und Sicherheitsbedürfnissen. Der effektive Manager oder Unternehmer weiß, welche Ergebnisse eine gut moderierte Gruppe erzielen kann. Wer versucht, ganzheitlich zu denken und zu handeln, wird sich des Instrumentes der Gruppenarbeit immer mehr bedienen. Wichtig ist aber, daß die Zusammensetzung der Gruppe stimmt, daß die Koordination professionell durchgeführt wird und daß der Geist des Unternehmens die Form der Gruppenarbeit nicht nur zuläßt, sondern darin eine wertvolle Unterstützung zur Erzielung des wirtschaftlichen Erfolges sieht. Mit anderen Worten: Teamarbeit muß vom Management gewollt sein, initiiert und unterstützt werden.

Den Weisen des Taoismus waren insbesondere die Menschen ein Greuel, die selbstgefällig sich gerne reden hörten und andere durch ihre Reden zu manipulieren versuchten. Solche Menschen also, von denen wir mit heutigen Worten sagen würden, daß sie nicht teamfähig und kooperativ seien. TSCHUANG TSE drückt das so aus:

> *Ein Hund gilt nicht als gut, weil er gut bellt, und ein Mann gilt nicht als weise, weil er gewandt redet.*

Teamarbeit müssen Sie jedoch als Manager oder Unternehmer auch selbst erst einmal lernen. Hier gibt es eine Menge *Spielregeln* zu beachten, wenn erfolgreich gearbeitet werden soll. Für Sie treten dabei besondere Schwierigkeiten auf, da Sie in der Regel aufgrund Ihrer Position eher zur Einzelarbeit und zu Einzelentscheidungen neigen. Es wäre jedoch ein gravierender Fehler, auf die vielfältigen zusätzlichen positiven Effekte der Teamarbeit zu verzichten. Ich zeige Ihnen deshalb zuerst, was ein Team ist und welche Vorteile diese Art der Organisation Ihnen bietet. Es gibt auch Team-Hindernisse, die Sie zu umgehen lernen müssen, wenn die optimale Teamorganisation erreicht werden soll. Vielleicht müssen Sie auch Ihre eigene Teamfähigkeit verbessern. Dies können Sie dann aufgrund eines *Selbsteinschätzungstests* feststellen.

Geistenergie muß fließen und zu Synergie werden

Nicht jede Gruppe von Mitarbeitern oder jede Arbeitsgruppe ist ein Team. In der betrieblichen Praxis werden vielfach organisatorische Arbeitseinheiten mit Teamarbeit gleichgesetzt. Ein Team ist aber eine besonders geartete Arbeitsgruppe, die für eine bestimmte Zeit zur Lösung einer Aufgabe gebildet wird und neben der hierarchischen Organisation steht.[50] Ich kennzeichne das Team durch *folgende Faktoren:*

- Es ist eine *Gruppe von Fachleuten,* die je nach Aufgabe und Zielsetzung des Teams aus den verschiedensten Fachrichtungen kommen können. Die *Idealzahl* beträgt fünf bis sieben Personen.

- Die Mitglieder des Teams bearbeiten *gemeinsam* und *gleichberechtigt* eine in der Regel komplexe und schwierige Aufgabe.

- Die Mitgliedschaft in einem Team ist *zeitlich begrenzt.* Das Team kann in regelmäßigen Abständen oder dauernd tagen.

- Das Team ist *organisatorisch nicht fest in die bestehende Hierarchie eingebaut,* erscheint also auch nicht im Organisationsplan.

- Das Team ist auch *räumlich* aus der Organisation *ausgegliedert,* d. h., es verfügt möglichst über einen eigenen Arbeitsraum.

- Die Teammitglieder verhalten sich untereinander *demokratisch und kollegial.*

- *Die professionelle Moderation* des Teams sollte die Regel sein.

- Teamarbeit muß vom *Management gewollt und getragen* sein und im Sinne der vorhandenen Unternehmenskultur akzeptiert werden.

Die Arbeit in und mit Teams oder Projektgruppen hat viele Vorteile. In jüngster Zeit gehen immer mehr Unternehmen dazu über, gerade bei schwierigen und komplexen Aufgabenstellungen Teams einzusetzen. Früher wurden solche Probleme zur Bearbeitung oder Lösung an *Ausschüsse* überwiesen. In der Politik und der Verwaltung ist das heute noch üblich. Wenn solche Ausschüsse aber wieder nur ein Spiegelbild der Hierarchie, der Organisation oder der Machtverteilung im kleinen sind, können sie natürlich im Sinne einer guten Problemlösung nicht funktionieren. Daher kommt auch, daß eine Aufgabe einem Ausschuß übertragen wurde. Wenn Ausschüsse nach den oben genannten Regeln arbeiten würden, wären es Teams, die zur Lösung von Problemen mehr beitragen als Organisationseinheiten. Überlegen Sie sich einmal folgende *Vorteile von Teams:*

- *Motivation*
  Durch die Beteiligung von Mitarbeitern aus den verschiedensten Ebenen und mit den verschiedensten Funktionen wird ein hoher Grad der Identifikation der Mitarbeiter mit der Aufgabe und den Unternehmenszielen erreicht. Diese Identifikation ent-

spricht damit gleichzeitig dem Wunsch und dem Bedürfnis der Mitarbeiter nach Sozialkontakten und Selbstverwirklichung.

- *Harmonisierung*
  Das Team entwickelt in der Regel einheitliche Zielauffassungen und hat ein einheitliches Problemverständnis. Man zieht an einem Strick trotz unterschiedlicher Funktionen und abgegrenzter Betriebsbereiche. Das Denken in Abteilungen und Bereichsinteressen mit oft daraus resultierenden Fehlentscheidungen wird verringert.

- *Förderung der schöpferisch-musischen Fähigkeiten*
  Die Kreativität im Team ist höher als die Individual-Kreativität. Grund dafür ist, daß Anknüpfungen an Ideen und Einfälle anderer Teammitglieder möglich sind. Es entsteht der bekannte Synergieeffekt. Gleichzeitig werden viele Erfahrungen eingebracht (Stab, Linie, Marketing, Produktion, Administration). Auch die unterschiedlichen Mentalitäten der Teammitglieder fördern in der Regel das Team.

- *Flexibilität*
  Teams können sehr schnell gebildet werden. Sie lassen sich auch schneller wieder auflösen als starre betriebliche Organisationseinheiten. Damit ist das Unternehmen in der Lage, sich raschen Marktentwicklungen und Umfeldveränderungen anzupassen. Bestimmte Aufgaben, die einen einzelnen überfordern würden, werden erst durch das Team lösbar.

Sicher kennen Sie Konferenzen, Besprechungen oder „Meetings“, nach deren Ende der eine oder andere Mitarbeiter meinte:

„Manche zerreden alles, weil sie sich wichtig machen wollen, und halten den Fortgang auf.“

„Ich habe das Gefühl, daß ich es besser allein gemacht hätte.“

„Meine Ideen werden selten akzeptiert."

„Offen kann man ja nichts sagen, ohne seine Position zu riskieren."

Wenn solche Sätze nach einer betrieblichen Besprechung fallen und Sie als Manager oder Unternehmer dazu noch das Glück hatten, das auch zu hören, dann können Sie sicher sein, daß es *keine* Teambesprechung war. Es war eine Sitzung oder Konferenz, bei der einige oder alle Voraussetzungen falsch waren und die nicht moderiert wurde. Es gibt eine Menge *Hindernisse für effektive Teamarbeit,* die ich Ihnen einmal aufliste. Vielleicht erschrecken Sie, denn vieles findet sich in den meisten Betrieben, nur wird selten darüber gesprochen[51]:

- Mangelndes Vertrauen zum anderen
- Ungeübtheit in Gruppenarbeit
- Starkes Bedürfnis nach Selbstdarstellung einzelner
- Fixierung auf die meßbare Einzelleistung
- Konkurrenzverhalten
- Unterschwellige Konflikte
- Machtkämpfe
- Mangel an kooperativer Einstellung
- Mangelnde Bereitschaft zu informieren
- Gesprächsrituale
- Höflichkeitstabus
- Autoritätsdenken

Vielleicht erinnern Sie sich, was Sie über das Thema Unternehmenskultur gelesen haben. Die Kultur bzw. das Arbeits- und Betriebsklima sind um so schlechter, je mehr die obengenannten Hindernisse für Teamarbeit auftreten. Daraus folgt, daß gute Teamarbeit nur möglich ist bei grundsätzlich guter Unternehmenskultur und kooperativem Führungsstil. Index für ein gutes „Teamklima" ist zum Beispiel, ob und wie die Mitarbeiter trotz unterschiedlicher Ansichten und Aufgaben zu einem gemeinsamen, einheitlichen Ergebnis kommen. Die meisten Ergebnisse in durchschnittlichen Unternehmen, insbesondere in solchen mit Administrations- und Protektionscharakter, sind *statusorientiert* oder organisationsabhängig. Leider sind die wenigsten Ergebnisse *sachorientierte* Problemlösungen. Man schätzt das Verhältnis von statusorientierten zu fach- und sachbezogenen (übergreifenden) Lösungen auf etwa 80% zu 20%.[52] Dies ist erschreckend, und es wäre selbst dann alarmierend, wenn das Verhältnis 50 zu 50 sein sollte. Hier ist eindeutig das Management gefordert. Nur die Führungsspitze kann Impulse geben und Änderungen anstoßen. Dabei erhebt sich aber die Frage, ob Sie als Manager oder Unternehmer selbst „teamfähig" sind. Schätzen Sie deshalb Ihre Fähigkeiten und Neigungen, im Team zu arbeiten, bitte selbst mit Hilfe der folgenden Fragen ein.

	Ja	Nein	Manch-mal	Keine Meinung
1. Sie reden lieber selbst und empfinden es als störend, wenn andere viel reden.	2	5	3	1
2. Wichtige Entscheidungen sollten immer von mehreren getragen werden.	5	2	3	1
3. Sprechen Sie gerne mit anderen über Probleme jeder Art?	4	2	2	2
4. Vermeiden Sie es, in der Familie, z. B. beim Abendessen, über den Betrieb zu reden?	2	5	3	1
5. Macht es Ihnen etwas aus, wenn Sie überstimmt werden?	2	4	3	2
6. Ist für Sie die heute übliche Trennung "Beruf/Privat" überflüssig oder sinnlos?	5	2	2	1
7. Fühlen Sie sich wohl in einer Gruppe von Menschen?	4	2	3	2
8. Sie vermeiden Konfrontationen und Auseinandersetzungen.	2	5	4	2
9. Sie sind ein aufmerksamer Zuhörer.	5	2	3	1
10. Sie können sich in die Situation anderer Menschen einfühlen und verstehen sie.	4	1	2	2
Summen:				
Total:				

Auswertung:

Bei einem Ergebnis über 40 Punkten sind Sie genügend sensibilisiert und haben Wert und Funktionsweise der Teamarbeit erkannt. Bei dieser menschlichen Grundeinstellung müßte Ihnen die Arbeit im Team leicht fallen. Ergebnisse, die unter 30 Punkten liegen, deuten darauf hin, daß Sie die Vorteile der Teamarbeit für die Mitarbeiter und den unternehmerischen Erfolg wohl noch nicht genügend schätzen.

Moderation und Koordination als verbindende Klammer

Verhaltens- und Sozialpsychologie bieten heute eine Menge Hilfen bei der Zusammenstellung, der Organisation, dem Ablauf und der Leitung von Teams. Achten Sie vor allem darauf, daß nicht mehr als sieben bis acht Mitglieder dem Team angehören. Die Mitglieder sollten aus den verschiedensten Fachbereichen kommen. Der Anteil der nicht gemeinsamen Erfahrungen und der nicht gemeinsamen Ausbildung sollte im Team hoch sein, da dann die Gewähr gegeben ist, daß viele unterschiedliche Impulse einfließen. Dann tritt der *Synergieeffekt** auf:

$$2+2=5$$

Diese Erscheinung ist dadurch gekennzeichnet, daß die Wirksamkeit mehrerer miteinander verbundener Faktoren größer ist, als eine einfache Addition erwarten lassen würde. So ist der Sinn der obigen mathematischen Ungleichung zu verstehen. Ist es ein echtes Team, bei dem alle Voraussetzungen stimmen, dann gilt folgender Satz:

Ganzheiten haben Eigenschaften, die ihre Teile nicht haben.

Es wird oft die Frage gestellt, ob es sinnvoll ist, wenn *Manager oder der Unternehmer selbst* in solchen Teams mitarbeiten. Dies läßt sich nur von der Zielsetzung und der Aufgabe des Teams her beantworten. Sollen dort Entscheidungen gefällt werden, die sinnvollerweise in die Kompetenz der Geschäftsführung fallen, so sollte die Führungsspitze auch in dem Team vertreten sein. Für Sie als Manager treten dann aber weitere Probleme auf. Da Sie es gewohnt sind, schnell zu entscheiden oder einfach nur Ihrer Stimme das notwendige Gewicht zu geben, könnten Sie das Teamklima empfindlich stören. Sie müssen lernen, sich im Team genauso kollegial und demokratisch zu verhalten wie die anderen Teammitglieder auch. Auf keinen Fall dürfen Sie bestimmte Redewendungen gebrauchen, die Sie wahrscheinlich ab und zu verwenden, ohne sich deren Bedeutung und Auswirkung bewußt zu sein. Ich meine die sogenannten

Killerphrasen.

Hand aufs Herz: Formulieren Sie von Zeit zu Zeit Sätze wie die folgenden?

„So haben wir das früher doch nie gemacht . . .“

„Geht nicht . . .“

„Keine Zeit . . .“

„Dazu fehlen uns die Arbeitskräfte . . .“

„Die Finanzlage erlaubt uns nicht . . .“

„Dazu haben wir keine Räumlichkeiten . . .“

„Alles graue Theorie . . .“

„Dazu sind wir jetzt noch nicht in der Lage . . .“

„Da wäre doch schon früher jemand darauf gekommen, wenn sich etwas damit anfangen ließe . . .“

Also Vorsicht bei der Verwendung solcher abwürgenden Feststellungen in der Teamarbeit. Ein guter Moderator wird jedoch darauf achten, daß solche Sätze nicht fallen. *Ein effektiv arbeitendes Team muß auf jeden Fall moderiert werden.* Die Moderation ist eine Methode zur Erleichterung der Arbeit in Gruppen überhaupt, besonders aber eine Methode zur Lösung von Problemen. Die *Moderation* hilft dabei, folgende Faktoren und Abläufe zu verdeutlichen:

- *Visualisierung*
  Alle vorhandenen oder entwickelten Ideen, Meinungen, Stellungnahmen und Erfahrungen usw. werden sichtbar gemacht (z. B. mit farbigen Kärtchen an einer Pinnwand).

- *Transparenz und Struktur*
  Probleme werden verdeutlicht, also transparent gemacht, und durch die Gruppe selbst strukturiert, d. h. nach bestimmten Kriterien geordnet.

- *Prioritäten*
  Die einzelnen Teile und Phasen des Problemlösungsprozesses werden in ihrem Ablauf und ihrer Reihenfolge bestimmt.

- *Hierarchie*
  Hierarchiebremsen können durch Verdeutlichung abgebaut werden, z. B. wenn sie sehr anschaulich gemacht werden und darüber gesprochen wird.

- *Konflikte*
  Sachliche und persönliche Konflikte werden ebenfalls deutlich und können mit Hilfe bestimmter weiterer Techniken gelöst werden.

Ich bin heute der Meinung, daß jeder Unternehmer und Manager nicht nur um den Wert der Moderation in Gruppen und Teams wissen sollte, sondern auch selbst die Grundzüge der Moderation kennen muß. Mindestens muß die unternehmerische Sicht aber so weit gehen, daß einige Mitarbeiter des Unternehmens in Moderationstechnik ausgebildet werden. Damit Sie sich noch besser mit diesen Gedanken vertraut machen können und vor allem auch feststellen, daß Moderation ein ganzheitlicher Führungsansatz ist, stelle ich die *wichtigsten Aufgaben und Regeln des Moderators* noch dar.[53]

- *Der Moderator bestimmt Methode und Didaktik,* während die Gruppe den Inhalt bestimmt. Der Moderator hat also kein inhaltliches Anliegen oder Interesse. Dadurch kann er sich voll darauf konzentrieren, dem Lösungspotential der Gruppe zum Durchbruch zu verhelfen. Methodische Diskussionen darf der Moderator allerdings nicht zulassen.

- *Der Moderator sorgt für den Ausgleich zwischen dem Individuum, der Gruppe und dem Thema.* So darf zum Beispiel kein Teilnehmer von der Gruppe dominiert werden und umgekehrt. Der Moderator muß immer wieder auf das Thema lenken. Sehr oft besteht die Gefahr des Gruppennarzißmus, und die Problemlösung kommt zu kurz.

- *Der Moderator muß für den Ausgleich zwischen Denken, Fühlen und Handeln* bei den Gruppenmitgliedern und auch bei sich *sorgen.* Oftmals steht das ausgesprochene Wort nicht im Einklang mit den Gefühlen. Dies ist oft auch nicht bewußt. Solche Dissonanzen führen dann zu zeitraubenden Auseinandersetzungen, die viel Gruppenenergie verbrauchen. Der Moderator macht diese Dissonanzen deutlich durch geschicktes Fragen, Ansprechen und Vorleben.

- *Der Moderator macht auch latente sachliche und persönliche Spannungen deutlich.* Solche Spannungen führen oft dazu, daß um die Sache herumgeredet wird. So kommt es selten zu einer guten Problemlösung.

Mit der themenzentrierten Interaktion zu ganzheitlichen Lösungen

Ich halte das System der themenzentrierten Interaktion[53] für die beste Methode, wie in einer Gruppe mit dem Thema (dem Problem) und den Gruppenmitgliedern umgegangen werden kann. Die themenzentrierte Interaktion (TZI) ist ein gruppentherapeutisches System. Es ist der Verhaltenspsychologie zuzuordnen. Dort ist es unter dem Stichwort Erlebnistherapie bekannt. Es gibt wenig Ansätze in der Betriebswirtschaftslehre oder in der Führungspraxis, Methoden und Verfahren anderer Disziplinen, und gar der Psychologie, zu transferieren und anzuwenden. Die TZI und ihre Grundsätze ziehen jedoch langsam ins Management ein.[54]

Nicht zu verwechseln ist die TZI mit der sogenannten *Transaktionsanalyse (TA)*. Es handelt sich hierbei um eine psychologisch ebenfalls erprobte Methode zur Verbesserung der menschlichen Beziehungen untereinander. Hier steht nicht das Problem und seine Lösung im Mittelpunkt, sondern gegenseitiges menschliches Verhalten. Sicher ist die Transaktionsanalyse auch ein Hilfsmittel und ein Weg, wie Menschen im Betrieb leichter und „menschengerechter" miteinander umgehen können. Es würde jedoch den Rahmen dieses Buches sprengen, tiefer darauf einzugehen.[55] Ich beschränke mich hier auf die Darstellung der Funktionsweise der TZI, weil dieses System vorzüglich für Teamarbeit und Abläufe in Projektgruppen geeignet ist.

Bei der TZI geht es darum, die dynamische Balance zwischen den drei Beziehungspunkten des „Es" (Thema), des „Ich" und des „Wir" (Gruppe) aufrechtzuerhalten. Grafisch könnte das so aussehen:

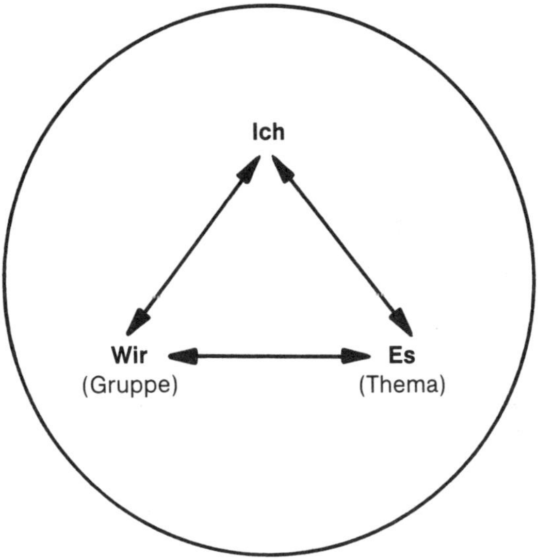

Es ist vor allem das dynamische Gleichgewicht, das die TZI von anderen Kommunikationsmethoden unterscheidet. Das akademische Lernen bezieht sich fast nur auf das „Es“, das psychologische auf das „Ich“, die Gruppentherapie auf das „Ich-Wir“. Die thematisch interaktionelle Gruppe versucht, die Dreiheit von Ich-Wir-Es in dynamischer Balance zu halten.[56]

In der Praxis gibt die TZI den Gruppenteilnehmern technische Regeln, die zugleich die Lösung des jeweiligen Problems fördern und die zwischenmenschliche Verbundenheit stärken. *Die Hauptregeln sind folgende:*

1. Versuche, in der Sitzung das zu geben und zu empfangen, was du selbst geben oder empfangen möchtest. Dies ist die wichtigste Hauptregel, aus der alle anderen im Prinzip abgeleitet sind.

2. Sein dein eigener „Chairman“* und bestimme, wann du reden oder schweigen willst und was du sagst.

3. Es darf nie mehr als einer auf einmal reden. Wenn mehrere Personen auf einmal sprechen wollen, muß eine Lösung für diese Situation gefunden werden.

4. Unterbrich das Gespräch, wenn du nicht wirklich teilnehmen kannst, z. B. wenn du gelangweilt, ärgerlich oder aus irgendeinem anderen Grund unkonzentriert bist.

5. Sprich nicht per „man“ oder „wir“, sondern per „ich“, da keiner für einen anderen sprechen kann.

6. Es ist in der Regel immer besser, eine persönliche Aussage zu machen, als eine Frage an andere zu stellen.

7. Beobachte Signale aus deiner Körpersphäre, und beachte Signale dieser Art bei den anderen Teilnehmern der Gruppe.

Der *Moderator* oder Gruppenleiter *hat die Aufgabe,* während der ganzen Sitzung die *dynamische Balance von Ich–Wir–Es* anzustreben. Dies ist schwierig. Lehrer tendieren im allgemeinen dazu, das Thema zu bevorzugen, psychologisch ausgebildete Personen dagegen stellen den Menschen in den Mittelpunkt, der Unternehmer oder Manager bevorzugt oft sich selbst, weil er das so gewöhnt ist. Die besondere Kunst des Moderators bei der TZI ist es, die gleichwertige Betonung aller drei Eckpunkte zu erreichen.

Lassen Sie sich einmal die zwei *Postulate* der TZI durch den Kopf gehen:

① *Sei dein eigener Chairman.*
② *Störungen haben Vorrang.*

Immer sein eigener Chairman zu sein bedeutet also, die Möglichkeiten und Grenzen des Menschen zu begreifen und zu verfolgen. Niemand ist allmächtig. Keiner kann der Chairman eines anderen sein.

Störungen müssen sofort angesprochen und bearbeitet werden. Sie fragen nämlich nicht nach Erlaubnis. Sie sind einfach da, z. B. in Form von Angst, Schmerz, Zerstreutheit. Nur wenn solche Störungen im Team sofort bearbeitet werden, kann das Team effektiv für und an einer Sache arbeiten. Die Bearbeitung solcher Störungen setzt allerdings voraus, daß der Moderator oder Gruppenleiter auch psychologisch gut geschult ist und solche Störungen erkennt.

Warum und wann ist Teamarbeit und die Arbeit in übergreifenden Projektgruppen ganzheitlich? Teamarbeit betont besonders die Fähigkeit des Musisch-Schöpferischen, also der rechten Gehirnhälfte. Teamarbeit kann den einzelnen Mitarbeiter stark motivieren, da viele seiner Fähigkeiten besonders gefordert sind. Teamarbeit betrachtet das Individuum, die anderen und die Sache als zusammengehörig. Teamarbeit hilft die Trennung Beruf – Privat zu überwinden, da in Teams auch persönliche Gefühle und Eigenschaften angesprochen werden. Teamarbeit *führt von der Fachorientierung zur Aufgabenorientierung.*[57] Darauf hat besonders Frederic VESTER hingewiesen. Weg von der Eigenbrötelei im Unternehmen, weg vom Abteilungsdenken und hin zum Team und zur Aufgabenorientierung! Dies ist nicht nur im Unternehmen der zukunftsweisende Weg zur Lösung vieler anstehenden großen Zukunftsprobleme, sondern kann auch das Arbeitsmodell für interdisziplinäre Netzwerke zwischen Wirtschaft, Wissenschaft und Technik sein. VESTER fordert zu Recht, daß wir in unseren Planungen von einem geschlossenen System zu einem offenen System und von einer Kurzsichtigkeit in den Unternehmen zu einer umweltorientierten Erkenntnis kommen müssen, um zu überleben. *Wie oben, so unten:* Auch im Unternehmen wollen die Menschen überleben, als Menschen behandelt werden und die Probleme menschengerecht lösen: deshalb also Teamarbeit unter den oben genannten Voraussetzungen und Bedingungen. Die folgende Abbildung zeigt den zukunftsweisenden Weg von der Fachorientierung zur Aufgabenorientierung durch Teamarbeit. Dies gilt im Unternehmen und zwischen den Disziplinen.

Fach- orientierung + Eigenbrötelei = Zementierung von Problemen	→	Aufgaben- orientierung + Teamarbeit = Lösung von Problemen

Gesegnet seien schwache Bande,
die doch binden.
R. K. MUELLER

5.6 Vernetzt denken, kybernetisch handeln, und mehrdimensionale Abhängigkeiten beachten

Ganzheitlich führen bedeutet nicht nur, den musisch-schöpferischen Fähigkeiten im Management mehr Gewicht zu geben, sondern auch zu akzeptieren, daß es neben der Organisation und notwendigen Hierarchie im Betrieb auch eine informelle und formelle Organisation gibt, die sich aus Netzwerken und sozialen Verknüpfungen und Kontakten zusammensetzt. Das Denken in Netzwerken fällt dem Unternehmer oder Manager klassischer Prägung naturgemäß schwer. Auch allein zu akzeptieren, daß es in jedem Unternehmen viele Netzwerke gibt, ist oft nicht einfach. Ich will Sie jedoch noch weiter führen: Der bewußte Einsatz und die gezielte Steuerung von Netzwerken im Betrieb ist eine Managementaufgabe der Zukunft, und darum geht es im folgenden.[58]

Die Netzwerk-Organisation als produktiver Faktor

Ich verstehe unter einem betrieblichen Netzwerk soziale Verknüpfungen und Kontakte, die außerhalb oder neben der betrieblichen Organisation und Hierarchie gepflegt werden, um bestimmte Bedürfnisse der Mitarbeiter, ihrer Partner und Freunde zu befriedigen. Um es gleich festzuhalten, ich bin der Meinung, daß Netzwerke sich ohne weiteres mit Organisation und betrieblicher Hierarchie vertragen. Die Netzwerke sind vielmehr als Subkulturen und Ergänzungsorganisationen zu verstehen, die die betriebliche Ordnung in der Regel stützen und erhalten.

Netzwerke in der Gestalt von informellen oder formellen Beziehungen, die für eine gewisse Dauer gepflegt werden, hat es schon immer gegeben. Auch in jedem Unternehmen sind sie zu finden, allerdings nicht immer leicht zu entdecken. Ganz besonders das Management hat oft Schwierigkeiten, die bestehenden Netzwerke aufzuspüren, da solche Kontakte von den Mitarbeitern häufig verdeckt gehalten werden, mindestens aber in Anwesenheit von Führungskräften selten davon gesprochen oder gar dementsprechend gehandelt wird. Es gibt aber auch Unternehmen, in denen das Management den Faktor betriebliche Netzwerke ganz bewußt einsetzt, z. B. vom Manager oder Unternehmer inszenierte Partys, Feste oder Weihnachtsfeiern, bei denen die Mitarbeiter dann aber auch in der Regel unter sich sind. Ich habe die Erfahrung gemacht, daß selbst in straff geführten Unternehmen, auch wenn sie als Protektionsunternehmen im Markt stehen, Netzwerke stillschweigend toleriert werden. Wird bewußt in einem Unternehmen gegen Netzwerke gekämpft, also z. B. keine abendliche Kegelrunde der Forschungsabteilung geduldet, kommt es bald zu Schwierigkeiten in der Kommunikation und damit im betrieblichen Ablauf.

Wenn das Management die potentielle Produktivität von Netzwerken überhaupt nicht begreift, wird es früher oder später an Loyalität und Respekt für das Management fehlen. Dann dauert es nicht mehr lange, bis Kreativität und Innovationsfähigkeit versiegen und Beamtenmentalität einkehrt. Die Unternehmenskultur beginnt sich zu verändern, denn Netzwerke, die Möglichkeit des Knüpfens solcher Organisationen oder der Grad der Behinderung derartiger Kontakte, sind Teil der Unternehmenskultur. Aus der Sicht des Managements haben *Netzwerke im Unternehmen folgende Vorteile:*

- *Verbesserung der Kommunikation;*
- *Erleichterte Informationsmöglichkeiten;*
- *Ventilfunktion:* Wut, Ärger und Frustrationen können unter „Gleichgesinnten“ besser abgebaut werden;
- *Motivationsförderung:* Durch bestimmtes Wissen um bestimmte Dinge (im Netzwerk-„Club“) fühlt man sich unter Umständen aufgewertet;

- *Bedürfnisbefriedigung:* Die Zugehörigkeit zu einer Gruppe und der soziale Kontakt sind wichtige Triebfedern (MASLOW).

Man darf jedoch nicht verkennen, daß Netzwerke auch einen *Machtfaktor* bilden können, der den betrieblichen Ablauf beeinflussen kann. Eines der (meistens unbewußten) Hauptmotive für die Gründung oder Erweiterung von Netzwerken ist tatsächlich Macht und Machtstreben. Gemeinsame Interessen, Weltanschauungen und Aktivitäten bilden eine Macht. Es ist deshalb wichtig, daß das Management versteht, warum es Netzwerke gibt und wie sie funktionieren. Noch wichtiger ist es, dieses menschliche Streben nach der Bildung von Netzwerken bewußt einzusetzen. Dies setzt wiederum voraus, daß Sie als Manager oder Unternehmer selbst vernetzt denken und handeln können. Was das ist und wie das geht, versuche ich Ihnen jetzt zu zeigen.

Ganzheitlich denken und lernen statt angelerntes Wissen zu konservieren

Ganzheitliches Denken und Lernen ist in erster Linie „vernetztes“ Denken und Lernen. Darunter verstehe ich Prozeß- und Aufgabendenken. Wir haben hauptsächlich gelernt, in Systemen und Strukturen zu denken und zu lernen. Dies bedeutet, daß Linearität, strenge Zielgerichtetheit, „Über-Leichen-Gehen, um schnell am Ziel zu sein“, der Weg ohne Rücksicht auf Verluste, unser Denken (viel zu stark) dominieren. Dabei bleiben andere Menschen, Werte, Nebenziele und Emotionen oft auf der Strecke.

Ich glaube, daß aufgrund der Verschiebung der gesellschaftlichen Werte, der Internationalität der Märkte und der rasch zunehmenden Komplexität der Probleme nur „vernetztes“ Denken weiterhelfen kann. Nur derjenige Manager oder Unternehmer wird den kommenden Anforderungen gewachsen sein, der gelernt hat, über die Grenzen seines Fachs hinaus, über Ländergrenzen hinweg und abseits von Konventionen und Traditionen zu denken. Ich weiß, daß es schwer ist, „vernetztes" Denken zu verstehen. Deshalb liste ich Ihnen die wichtigsten Inhalte und Eigenschaften im folgenden auf. *Vernetztes Denken ist:*

- *interdisziplinär.* Dies setzt beim Manager ausreichendes Struktur- und Übersichtswissen voraus, Computereinsatz sowie starke Teamfähigkeit;
- *nicht linear.* Dies bedeutet ein Bewußtsein für die „Konsequenzen zweiter Ordnung technisch-wissenschaftlichen Handelns" (C. F. v. Weizsäcker) zu haben, die zunächst als Nebeneffekte dem Denkenden und Planenden entgehen;
- orientiert sich an *differenzierten Bewertungsmaßstäben;*
- *prozeßorientiert.* Damit ist gemeint, daß weniger in Systemen und Strukturen gedacht wird, sondern in Aufgaben und Abläufen;
- *setzt Qualität vor Quantität;*
- stellt den *Menschen in den Mittelpunkt,* nicht das organisatorisch Machbare;
- *arrangiert sich mit der Umwelt.* Vgl. z. B. die Empfehlungen zur Technikbewertung des Vereins Deutscher Ingenieure (VDI);
- bezieht die Fähigkeiten der *rechten Gehirnhälfte* stärker ein, z. B. Kreativität, Intuition, und ist insofern ganzheitlich;
- ist *beweglich und flexibel.* Getroffene Entscheidungen müssen je nach Lage leicht revidierbar sein.

Sie erkennen jetzt sicher, was unter vernetztem Denken zu verstehen ist. Auch das Lernen wird künftig mehr und mehr in diese Richtung gehen. Wissen hat mehr Gegenwartscharakter und leidet sehr oft unter der Systemorientierung. Es ist noch voll von kartesianischer Einstellung durchsetzt, die Teile und Teilgebiete als Untersuchungsgegenstand bevorzugt. Dabei geht verloren, daß ein Ganzes mehr ist als die Addition der Teile und auch eine andere

Auswirkung hat. Unter der neuen vernetzten Betrachtung werden auch Arbeiten und Lernen in eine neue Beziehung zueinander kommen.[59] „Arbeiten und Lernen werden nicht lokal und geistig getrennt, sondern zu einer Einheit verbunden (Lernstatt). Lehre und Beruf, Schule und Arbeitsplatz, Kurse und Anwendungsfeld, Problemlösen und Lernen rücken einander näher ... Ein Teil der Arbeitszeit ist dem Lernen gewidmet. Die Rolle des Wissensproduzenten, Wissensverarbeiters und Wissensanwenders ist in derselben Person verbunden."

Die Notwendigkeit des vernetzten Denkens und Handelns läßt sich auch aus der veränderten Einstellung zum Unternehmen ableiten. Im kartesianischen Weltbild sind Geist und Materie grundsätzlich verschiedene, unabhängige Stoffe und Erscheinungen. Im ganzheitlichen (organismischen) Denken gelten Körper und Geist als Einheit.

Auch in einem sozialwirtschaftlichen System, wie in einem Unternehmen, sind die Ertragsrechnung und die Bilanz sowie der Unternehmensgeist und die Kultur zwei Seiten eines einzigen Wesens. Die Kultur und das Image können sich durch materielle Veränderungen wandeln. Materielle Ergebnisse beeinflussen ihrerseits den Geist und die Kultur des Unternehmens. Beide Seiten können aber nicht voneinander getrennt werden; sie beeinflussen sich immer gegenseitig. Deshalb behaupte ich, ist vernetztes Denken und Handeln notwendig, wenn in sich schnell verändernder Umwelt keine Managementfehler gemacht werden sollen.

Bildhaft läßt sich das Gesagte so darstellen:

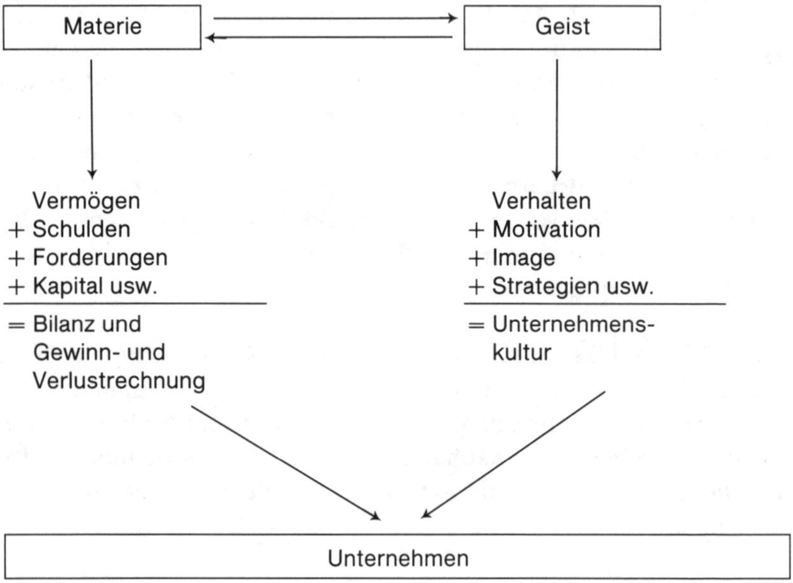

Besonders wichtig ist die geistige Fähigkeit, beim Denken zwischen den Ebenen Materie und Geist hin- und herzuspringen. Gleichzeitig ist es notwendig, gedanklich vertikal in der Unternehmensorganisation denken zu können. Wer das beherrscht, der kann vernetzt und „mehrdimensional“ denken und dann auch handeln. Da das Unternehmen nicht isoliert dasteht, müssen in den Denkprozeß die gesamte Umwelt und ihre Bedingungen und Abläufe einbezogen werden. Vernetzte Denkvorgänge lassen sich übrigens am besten aufbauen und darstellen in der Form von Szenarien (vergleiche S. 147).

Es gibt nichts Gutes,
es sei denn, man tut es.
KÄSTNER

5.7 Sozialkompetenz erwerben: Der Mensch steht im Mittelpunkt

Die Bedeutung der Mitarbciter für das Unternehmen hat in der Nachkriegsepoche trotz Rationalisierung und Automation stark zugenommen. Der Erfolg eines Unternehmens hängt heute mehr denn je von hochqualifizierten und motivierten Mitarbeitern ab. Exzellentes Management und gute Motivation der Mitarbeiter sind wesentliche Merkmale und Qualitätskennzeichen hervorragend geführter Unternehmen. Die Sozialkompetenz des Managers oder Unternehmers wird immer stärker gefragt. Der Grad solcher Fertigkeiten und Fähigkeiten, die die Qualität des Umgangs mit den Menschen im Betrieb bestimmen, läßt sich messen und feststellen. Das Management kann auf diesem Führungsgebiet an sich arbeiten und laufend dazulernen. Dazu gebe ich Ihnen einige Hinweise.

Auf der anderen Seite ist festzustellen, daß die Bedeutung des Berufs oder der Arbeit im Unternehmen sich in unserer Gesellschaft verändert hat und weiter verändern wird, wenn es keine schwerwiegende und grundsätzliche Verschlechterung der Weltwirtschaftslage gibt. Es findet eine Verschiebung von Werten statt. Diese Veränderungen muß das Unternehmen nicht nur zur Kenntnis nehmen, sondern auch entsprechend reagieren. Auch hierbei möchte ich Ihnen mit einigen Hinweisen behilflich sein.

Der Stellenwert der beruflichen Tätigkeit verändert sich vom Gelddenken zum Zeitdenken

Es wird heutzutage viel von Wertewandel in Gesellschaft, Arbeitswelt und Familie gesprochen.[60] Den Begriff des Wertewandels verwende ich jedoch mit großer Vorsicht. Bei diesem Begriff entsteht nämlich der Eindruck, als ob Wertewandel etwas Einmaliges oder ein deutlich zu beobachtendes Ereignis wäre. Die Werte, an denen sich Menschen orientieren, wandeln sich jedoch immer, solange die Menschen zusammengelebt haben. Die Geschwindigkeit des Wandels allerdings ist sehr unterschiedlich. So gibt es Epochen mit sehr langsamen, kaum sichtbaren Werteverschiebungen und Jahrzehnte mit Wertesprüngen und Werteschüben, vergleichbar etwa den Auswirkungen bedeutender technischer Erfindungen. Der Kommunikationswissenschaftler LUTZ geht noch weiter und bezeichnet den Wertewandel als „ein Schlagwort, dessen Sinngehalt sich um so mehr verflüchtigt, je mehr man ihm zu Leibe rückt.“[61] Richtig ist, daß im sogenannten „Postmaterialismus“, also in der Gesellschaft in der wir offensichtlich leben, der Stellenwert von Kaufkraft und materiellen Konsumgütern geringer geworden ist zugunsten immaterieller Werte und Freizeit. Ob das aber ein „Wertewandel“ ist?

Es könnte eher auch ein Ausdruck des aus der Volkswirtschaftslehre bekannten Gesetzes des abnehmenden Grenznutzens sein, nämlich hier von Gütern, die in ausreichendem Maße vorhanden und zu haben sind. Eine einfache Erklärung ist auch, daß sich die Ebene der Bedürfnisbefriedigung (nach MASLOW) bei vielen Menschen im Kapitalistischen Westen verschoben hat.

Die Verfechter der Thesen, daß in den vergangenen und kommenden Jahrzehnten jeweils Wertewandel stattgefunden haben und stattfinden mit Ausmaßen und Bedeutungen, die alles Dagewesene in den Schatten stellen, überzeichnen wohl etwas. GERKEN sieht zum Beispiel *mehrere Wertewandel:*[62] Der *erste* der Jahre 1965 bis 1979, dessen Ergebnis folgendermaßen charakterisiert wird:

- von der Disziplin zur Emanzipation der Autorität;
- von der Akzeptanz zur Autonomie und Selbstentfaltung;
- von der Pflicht zum Genuß.

Der *zweite Wertewandel,* den wir den Autoren zufolge gerade erleben, bedeutet:

- von der Selbstentfaltung zur Bewußtseinsentfaltung;
- vom Individualismus zum kreativen Altruismus;
- vom Nur-so zum (r) Sowohl-als-auch/Integration.

Dies alles soll ferner in einem Megapunkt in den neunziger Jahren kulminieren, nämlich im *Eintritt zum Light Age,* dem Licht-Bewußtsein. Dann stehe dem Menschen das höchste, ewige Wissen zur Verfügung; eine Spiritualisierung des Alltags finde statt.[63]

Für den Unternehmer und Manager, der hier und jetzt seine Mitarbeiter führen muß, ist wichtig zu wissen, welche Entwicklung zur Zeit zu beobachten ist. Noch vor zehn Jahren war in der Bundesrepublik den Menschen der Beruf wichtiger als die Freizeit. Jetzt rangieren die drei „F“ – Familie, Freunde, Freizeit – vorn. Der Beruf ist hinter der Bildung auf Platz fünf der Werteskala zurückgefallen.

Dieses Untersuchungsergebnis[64] läßt sich grafisch so darstellen:

Was ist den Bundesbürgern am wichtigsten?
(in %)

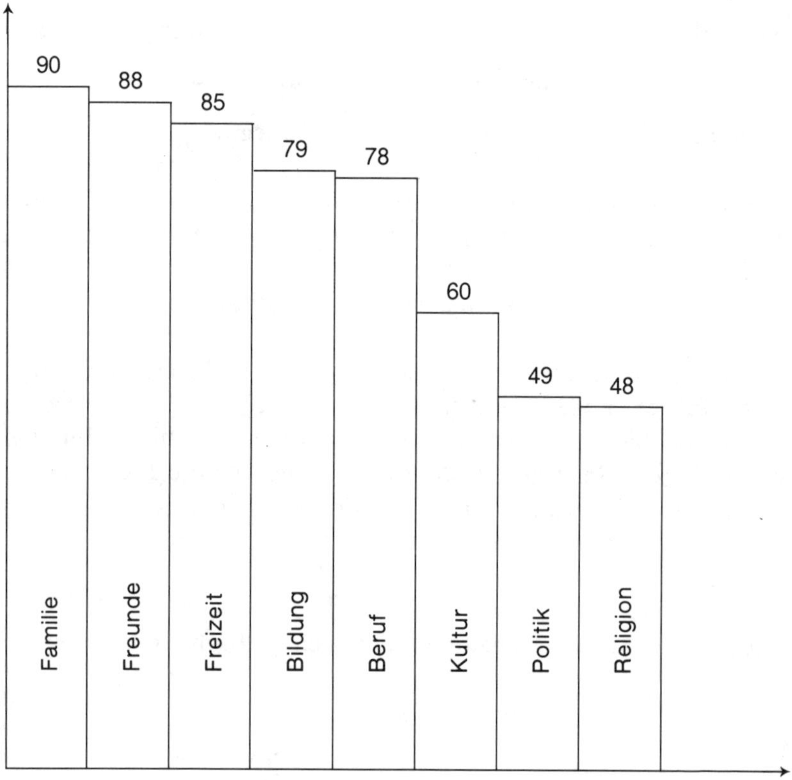

Quelle: B. A. T. Forschungsinstitut (1986)

Unterschiede in der Beurteilung der Lebenswerte ergeben sich je nach Alter, Geschlecht und Beruf. Bei den 14- bis 19jährigen hat die Familie eine extrem niedrige Bedeutung. Selbst der Beruf ist den Jugendlichen noch wichtiger. Freizeit und Freunde rangieren dagegen mit Abstand an der Spitze.

Hoch interessant ist auch das Ergebnis, daß die persönliche *Bildung ohne Leistungsdruck* oder ohne das Ziel, sie für die Karriere einsetzen zu müssen, von über drei Vierteln der Bevölkerung sehr hoch eingeschätzt wird. Daraus könnte man schließen, daß auch Lernen dem Leben einen Sinn geben kann, sofern dieses Lernen Spaß macht. Vor allem die jüngere Generation der 20- bis 34jährigen betonte mit 84 Prozent, wie wichtig ihnen Bildung für das eigene Leben sei. Das Ergebnis dieser Umfrage ist im Prinzip nicht überraschend. Nachdem die grundlegenden körperlichen Bedürfnisse und die sogenannten Sicherheitsbedürfnisse bei den meisten Bürgern der Bundesrepublik befriedigt sind, treten die Bedürfnisse nach Kontakt und Bestätigung auf. Diese lassen sich nach der Meinung der Handelnden am besten in der Familie und in der Freizeit erfüllen. Das Bedürfnis nach Bildung für sich selbst kann ein Bedürfnis nach Selbstbestätigung und Selbstverwirklichung, aber auch nach späterer beruflicher Bestätigung sein. Die Verschiebung der Werte ist unter Berücksichtigung der materiellen Lage des Großteils der Bevölkerung und unter Beachtung der Hierarchie der Bedürfnisse (MASLOW, HERZBERG) verständlich und einleuchtend. Es muß aber immer wieder betont werden, daß die Hinwendung zu neuen Werten nur so lange lebt, wie die materielle Basis vorhanden ist.[65]

Den Erfolgsfaktor Humankapital erhalten und aktivieren

In dieser Freizeitgesellschaft, in der die Bedeutung der beruflichen und betrieblichen Tätigkeit gesunken ist, bedarf es besonderer Betreuung und Motivation der Mitarbeiter durch das Management. Ich habe dazu bereits mehrfach Hinweise gegeben. Zum Beispiel ist die Förderung und Nutzung der kreativen und intuitiven Fähigkeiten der Mitarbeiter ein wichtiger Weg. Auch die vermehrte Bildung von Teams, Kleingruppen und Projekteinheiten kommt den Mitarbeitern in ihren Bedürfnissen nach mehr Sozialkontakten entgegen. Die Aufgaben im Unternehmen müssen, soweit das möglich ist, interessanter gestaltet werden. Das Management muß erreichen, daß die Mitarbeiter Spaß an ihrer Arbeit haben. Nur so kann der Leistungswille für das Unternehmen eingefangen werden, der von Selbstverwirklichung und Selbsterfüllung geprägt ist. Ein wichtiger Weg dazu ist auch, mehr Verantwortung und Kompetenz zu übertragen. Dadurch wird dem Mitarbeiter gezeigt, daß man ihn als Menschen schätzt.

Die Erhaltung des menschlichen Potentials für das Unternehmen kann somit gelingen, wenn folgende *Faktoren* in bezug auf die Mitarbeiter *stärker als bisher beachtet werden:*

- *Anerkennung und Lob* für gut geleistete Arbeit.

- Genaue Kenntnisse über die *Zielsetzungen* des Unternehmens vermitteln.

- Das Produkt oder die Dienstleistung muß nicht nur verständlich, sondern im Sinne des Mitarbeiters *positiv* sein.

- Eingehen auf *private Sorgen und Probleme.*

- *Ein breites Weiterbildungsprogramm* anbieten, auch mit solchen Programmen, die nicht unmittelbar mit dem Unternehmenszweck zu tun haben, d. h. *Personalentwicklung* im besten Sinne treiben.

Die meisten Unternehmen haben zwar begriffen, daß die neuen Produktionsprozesse und die veränderten Abläufe in der Verwaltung eine höhere Qualifizierung fast aller Mitarbeiter benötigen. Die Personalentwicklung wird aber in der Regel noch viel zu eng definiert. Meistens werden fachlich-theoretische Qualifikationen ausgebildet und trainiert. Vernachlässigt werden die sozialpsychologischen und die organisations-psychologischen Richtungen. Diese werden aber immer wichtiger, je mehr Teamarbeit geleistet werden soll und je mehr Kreativität und Innovationsfähigkeit gefordert sind. Da die Bildung zur Zeit in der Bundesrepublik einen sehr hohen Stellenwert in der Werteskala einnimmt und dies voraussichtlich noch einige Zeit so bleiben wird, muß der Betrieb gewissermaßen zum *„Lernort"* und die Werkstatt zur *„Lernstatt"* werden. Vielleicht gelingt es auf diesem Weg, Mitarbeiter im Unternehmen und für das Unternehmen zu motivieren.

Genauso wichtig scheint mir, daß die traditionelle *Tennung zwischen Betrieb/Beruf und dem Privatleben* überwunden wird. Die Veränderung in den Werten zeigt, daß Familie und Freunde ganz oben stehen. Mit anderen Worten: Das Privatleben ist wichtiger geworden. Dagegen ist grundsätzlich nichts zu sagen. Es muß dem Management aber gelingen, mehr aus dem privaten Bereich im Unternehmen zu integrieren. Eine neu orientierte *integrative Personalführung* muß sich um die Partner der Mitarbeiter kümmern. Die Kinder der Mitarbeiter und besonders der mitarbeitenden Frauen müssen unter Umständen mit Hilfe des Unternehmens betreut werden, damit die Qualifikationen der Frauen möglichst ohne familiäre Komplikationen genutzt werden können. Private Sorgen und Nöte müssen in das Unternehmen getragen werden können. Die integrative Personalführung muß in solchen Fällen versuchen, Hilfen anzubieten.

Ein schwieriges Problem bei der verstärkten Zuwendung im Unternehmen zum Faktor „Humankapital" hin sind zweifellos die jeweiligen *Führungskräfte,* und zwar auf allen Ebenen. Hier tritt der größte Schulungsbedarf in der Zukunft auf. Themen werden höchstwahrscheinlich aus den soziologischen und psychologischen Bereichen kommen. Vielfach sind in den heutigen Unternehmen aus einfachen Mitarbeitern Vorarbeiter geworden, die plötzlich zu „kleinen" Chefs avancierten. Sie müssen aber für die ihnen anvertrauten Mitarbeiter Trainer und Coach sein. Sie müssen rollensoziologische Kenntnisse haben, didaktisch geschult sein und im Prinzip ganzheitlich trainiert werden. Dieser Umorientierungsprozeß wird sehr langsam vor sich gehen.

Haben Sie Sozialkompetenz?

Sie wissen aus dem bis jetzt in diesem Abschnitt Gesagten, wie wichtig Ihre Sozialkompetenz gerade bei den sich verändernden Werten der Mitarbeiter ist. Ich verstehe unter dieser Sozialkompetenz die Fähigkeiten und Fertigkeiten des Managers und Unternehmers, den Mitarbeiter als Menschen mit seinen Sorgen, Problemen und Nöten, aber auch mit seinen Stärken zu akzeptieren. Zur Sozialkompetenz gehört auch, daß es als selbstverständlich gilt, daß das gesamte persönliche und familiäre Umfeld des Mitarbeiters der fürsorgenden Beobachtung und Pflege durch das Unternehmen bedarf. Wenn Sie immer daran denken, daß der Mensch der wichtigste und beste „Produktionsfaktor" ist, und deshalb aus betriebswirtschaftlicher Sicht, aber besonders aus humanitären Überlegungen, im Mittelpunkt des betrieblichen Geschehens steht, sind Sie auf dem richtigen Weg.

Umfang, Qualität und Verbesserungsmöglichkeiten Ihrer persönlichen Sozialkompetenz werden im folgenden in zwei Schritten bearbeitet:

Schritt 1:

Prüfen Sie einmal selbst, wie stark Ihre soziale Kompetenz und Ihr Verantwortungsgefühl für die Mitarbeiter ist, anhand der folgenden Fragen und Feststellungen. Kreuzen Sie jede Aussage oder Frage an, und addieren Sie die erreichte Punktzahl.

	Ja	Nein	Manch-mal	Keine Meinung
1. Wenn Mitarbeiter Ihnen private Probleme vortragen, hören Sie immer zu.	1	4	2	3
2. Für alle Abteilungen werden Weiterbildungsprogramme entwickelt und durchgeführt.	2	5	3	4
3. Sie übertragen immer nur so viel Verantwortung und Kompetenzen auf die Mitarbeiter, wie es sein muß.	5	1	2	4
4. Sie denken an Geburtstage, Jubiläen u. ä. der Mitarbeiter und gratulieren persönlich, wenn es geht.	1	4	2	4
5. Weihnachtsfeiern und betriebliche Ausflüge gehören für Sie zur Unternehmenskultur.	2	5	4	4
6. Sie loben und erkennen gute Arbeit neidlos und ohne Vorbehalte an.	1	4	3	4
7. Die jeweiligen Zielsetzungen werden den Mitarbeitern bekanntgegeben, wenn sie danach fragen.	4	1	2	3
8. Ehemalige Mitarbeiter treffen sich gelegentlich im Unternehmen und gehören noch dazu.	2	5	3	4
9. Beobachten Sie auch selbst Fehlzeiten der Mitarbeiter und die Fluktuation?	1	4	2	5
10. Meinen Sie, die Mitarbeiter müssen sich im Unternehmen stark selbstverwirklichen können?	2	4	3	5
Summen:				
Total:				

Auswertung:

Wenn Sie weniger als 20 Punkte erzielt haben, verfügen Sie über viel Sozialkompetenz. Ein Ergebnis über 30 Punkte kann auf Mängel in der Menschenführung hindeuten.

Wie ernst Sie Ihre soziale Verantwortung im Unternehmen nehmen, können Sie, gewissermaßen im Gegentest, auch überprüfen, wenn Sie versuchen, das Ausmaß der *„inneren Kündigung"* der Mitarbeiter festzustellen.[66] Da die Werte, an denen sich die Mitarbeiter ausrichten, sich verändert haben, können „Vorgesetzte" im alten Stil heute keine Mitarbeiter mehr führen, ohne daß es früher oder später zu dieser inneren Kündigung kommt. Ich will das *alte,* heute wohl eher schädliche, *Leitbild* des Vorgesetzten noch einmal ganz deutlich herausstellen:

> *Der Vorgesetzte weiß immer mehr und kann mehr als alle seine Mitarbeiter!*

Diese Einstellung ist der sicherste Weg, wie aus engagierten Mitarbeitern passive Betriebsstatisten werden.[67] Gehen Sie bei den folgenden Aussagen im Geist jeweils Ihre wichtigsten Mitarbeiter durch, und überprüfen Sie, ob Sie Anzeichen für die „innere Kündigung" feststellen können. Die folgenden *Verhaltenssignale deuten klar auf die „innere Kündigung"* hin[68]:

- Kein Interesse an Auseinandersetzungen.
- Typischer Ja-Sager geworden.
- Stets bei der Mehrheit zu finden.
- Keine Vorschläge, keine Kritik.
- Wohldosierter, klug verdeckter Konformismus.

- Chefentscheidungen werden überhaupt nicht oder nach einer Scheinargumentation nur zustimmend kommentiert.
- Kompetenz wird nicht mehr ausgeschöpft.
- Eingriffe in den Delegationsbereich werden gelassen hingenommen.
- Keine Klagen wegen fehlender Information.
- Karriere-Interessen versiegen.
- Zunehmendes Fehlen wegen Krankheit und Familie.
- Zurückhaltung im Auftreten.
- Versiegender Humor.
- Sehr angenehm im Umgang.

Vielleicht haben Sie festgestellt, daß Sie doch nicht so ganz sicher sind, was Ihre soziale Kompetenz betrifft. Möglicherweise stellen Sie auch das eine oder andere Verhaltenssignal bei Ihren Mitarbeitern fest, das auf schwindende Bindungen und zurückgehendes Engagement der Mitarbeiter hindeuten könnte. Deshalb will ich Sie jetzt noch auf ein paar ganz *typische Fehler und Schwachstellen* aufmerksam machen, wie Sie auch bei Ihnen vorkommen könnten. Nur durch eine solche Analyse, wie sie auch im Kapitel über die Kreativität (vergleiche S. 117) vorgeführt wurde, können Sie die richtige Einstellung gewinnen.

Sie greifen oft und gerne in den Aufgabenbereich der Mitarbeiter ein.

Dies ist nur allzu menschlich, denn Sie gehen ja von der Vorstellung aus, daß Sie alles am besten können. Und Sie stellen jedesmal fest, wenn ein Mitarbeiter etwas erledigt, daß Sie es besser gekonnt hätten. Vielleicht denken Sie einmal daran, daß der Mitarbeiter es einfach anders macht, weil er ein anderer Mensch ist. Bleiben Sie ruhig, gelassen, und warten Sie das Ergebnis ab. Erst dann kann konstruktive Kritik am Platze sein.

Sie entscheiden etwas, erklären aber nicht, warum Sie so entschieden haben.

Nach dem Motto: So wird es gemacht, weil ich es am besten weiß, kann es natürlich nicht gehen. Eine vernünftige Begründung und Erklärung motiviert jeden Mitarbeiter so weit, daß er für die Sache einstehen kann. Wenn Sie lieber befehlen, werden Sie immer Probleme mit Ihren Mitarbeitern haben.

Erfolge und das wirtschaftliche Ergebnis des Unternehmens rechnen Sie eigentlich im Grunde Ihres Herzens nur sich und Ihrem Engagement zu.

Dabei vergessen Sie, daß ohne gute und motivierte Mitarbeiter keine ansprechende Leistung möglich ist. Es gibt keine wichtigen Abteilungen oder wichtigere Mitarbeiter. Manche haben mehr Verantwortung und mehr Kompetenz aufgrund ihrer Ausbildung und Erfahrung.

Sie geben Ziele und Planzahlen gerne bekannt – in Form einer Verkündigung oder eines Erlasses.

Durch solches autoritäres Verhalten bei der Ziel- und Sollvorgabe zu erbringender Leistungen zerstören Sie Motivation. Beziehen Sie die Mitarbeiter ein, auch bei Budgetfestlegungen und beim Erarbeiten von Zielen. Auch für Sie ist das einfacher.

Sie haben Ihre Lieblinge, die Sie immer loben, und solche Mitarbeiter, die Sie (gerne) tadeln.

Willkür und Launenhaftigkeit bei der Anerkennung von Leistungen im Unternehmen sind sehr schädlich. Bemühen Sie sich, allen Mitarbeitern das gleiche Maß an Sympathie entgegenzubringen. Es darf keine Günstlinge geben, aber auch keine mißliebigen Personen, die immer Ihre Verärgerung zu spüren bekommen.

Sie interessieren sich nicht für das persönliche Umfeld Ihrer Mitarbeiter. Familie, private Sorgen und Probleme dieser Menschen sind Ihnen egal.

Gerade die Überwindung der traditionellen Trennung zwischen Beruf und Privatleben der Mitarbeiter ist wichtig, weil die sich verschiebenden Werte der Mitarbeiter eindeutig darauf hinweisen, daß Familie und Freizeit im Vordergrund stehen. Kümmern Sie sich deshalb mehr als bisher um die persönlichen Belange der Mitarbeiter. Nehmen Sie Notiz von Geburtstagen, Jubiläen und anderen persönlichen Ereignissen der Mitarbeiter. Dabei müssen Sie aber beachten, daß im persönlichen Umgang mit Mitarbeitern oft unterschiedliche Verhaltensweisen angebracht sind. Was für den einen ein kameradschaftliches Schulterklopfen ist, ist für den anderen der pathetische Händedruck des Vorstandsvorsitzenden vor großem Publikum. Ein Dritter zieht es vor, im Vieraugengespräch mit dem Chef alles zu klären. Welchen Rahmen Sie für solche persönlichen Gespräche oder Auftritte wählen, ist Ihrem Fingerspitzengefühl überlassen.

Sie handeln grundsätzlich nach dem Satz: Vertrauen ist gut, Kontrolle ist besser.

Wenn Sie laufend kontrollieren, auch unangemeldet und unerwartet, sind Sie zwar gut informiert, die Mitarbeiter fühlen sich aber sehr oft schikaniert. Die Kontrolle wird als Mißtrauensbeweis aufgefaßt. Solche von der Sache her meistens nicht gerechtfertigte Kontrollen sind stark demotivierend. Ihre Grundeinstellung und Lebensphilosophie könnte hier die Ursache sein.

Schritt 2:

Jetzt geht es darum, Ihre soziale Kompetenz zu *verbessern*. Entscheidend bei allen Ansätzen ist, daß Sie sich bewußt sind und davon überzeugt sein müssen, daß auch in Ihrem Unternehmen der Mensch im Mittelpunkt steht. Nicht Sie, das Management insgesamt oder die Anteilseigner sind der entscheidende Faktor, sondern jeder Mitarbeiter als Mensch.

Sie verbessern Ihre sozialen Fähigkeiten und Fertigkeiten, wenn Sie diese Erkenntnis zur Maxime Ihres unternehmerischen Handelns machen. Die folgenden Hinweise sind Schlußfolgerungen aus diesem Leitsatz und aus der Grunderkenntnis, daß die menschlichen Fähigkeiten im Unternehmen heutzutage allenfalls zu 30 bis 50 Prozent im Durchschnitt genutzt werden. Die Mitarbeiter würden meistens gerne mehr geben, wenn das gewünscht würde und sie dazu aufgefordert würden. Sie müssen deshalb besser betreut werden. Der Chef ist Trainer, Moderator und „Bezugsperson" bei vielen Dingen.

Achten Sie besonders auf folgendes:

- Viel und vor allem rechtzeitig *informieren*.
- *Personal integrativ* führen: Der persönliche und private Bereich der Mitarbeiter ist wichtig.
- *Personalentwicklung* systematisch durchführen: Die Mitarbeiter müssen Spaß am Lernort Betrieb bekommen.

- *Gerecht und ausgewogen* führen: Lob, Anerkennung, Kritik und Tadel zur rechten Zeit und angemessen geben.

- *Mitarbeitergespräche* und Mitarbeiterbeurteilung einführen: Mindestens für die leitenden Mitarbeiter sollten Sie das selbst tun. Das Vier-Augen-Gespräch wertet den Mitarbeiter auf. Auch Kritik ist in diesem Rahmen eher möglich als in der Betriebsöffentlichkeit.

- Arbeitsgruppen und Projekteinheiten als *Teams* an bestimmten Aufgaben arbeiten lassen.

- Kollegialen Umgang und ein faires Verhältnis zum *Betriebsrat,* zur Jugendvertretung und anderen Arbeitnehmergremien suchen.

- Über die *Ziele und die Philosophie* des Unternehmens verständlich informieren und oft davon sprechen, was erwartet wird und wo die Reise hingeht.

- Nach Möglichkeit *„Management by walking around“* betreiben: So viel wie möglich Chef-Mitarbeiter-Kontakte pflegen.

Soziale Kompetenz ist beim Manager oder Unternehmer auch eine Frage der Kontaktfähigkeit, der Freude am Umgang mit Menschen und vor allem eine Frage der Persönlichkeit. Die Autorität aus der Person heraus und nicht kraft Stellung und Amt wird heute von den Mitarbeitern gefragt und dann auch anerkannt. Wie Sie gesehen haben, läßt sich aber hier einiges trainieren.

Alles wird flexibler und reflexibler,
und das westliche TAO entsteht.
GERKEN

5.8 Wandel und Wechsel akzeptieren, Trends erkennen und bipolar steuern

Ständiger Wandel und laufender Wechsel, hinter denen aber strukturelle Grundabläufe zu erkennen sind, waren für die Philosophie des TAO eine Selbstverständlichkeit. TSCHUANG TSE, einer der drei Großen des Taoismus, sagte:

> *„Im Wandel und im Wachstum aller Dinge hat jeder Keim und jeder Zug die ihm gemäße Form. Darin sehen wir allmähliches Reifen und Verfallen, den konstanten Fluß von Wandel und Wechsel.“*

Wandel und Wechsel, laufende Veränderungen, sind wesentliche Züge der Natur. Ursache für diese dauernde Dynamik ist das ununterbrochene Zusammenspiel zwischen Yin und Yang, also zwischen den beiden Polen, die sich immer und überall finden.

So war es auch ein wichtiges Anliegen des Taoismus, den Wandel und Wechsel, damals insbesondere in der Natur, ständig zu beobachten. Wege, Abläufe und Rhythmen waren zu erforschen, und es war darauf zu achten, wenn sie oder vergleichbare Abläufe wiederkehren, denn „Wiederkehr ist die Bewegung des TAO“. Die taoistische Philosophie ging jedoch nicht nur von dem Gedanken aus, daß das Fließen und der Wandel die einzigen Kriterien der Natur und natürlicher und damit menschengerechter Abläufe seien, sondern daß dahinter konstante Strukturen ständen, die es zu beobachten gelte. Von dieser Annahme geht im Grunde ein wesentlicher Teil der Volkswirtschaftstheorie auch heute noch aus, indem versucht wird, Zyklen und Ablaufmuster zu finden, zu errechnen oder festzulegen.

Es scheint mir unbestreitbar, daß Wandel und Wechsel unser Leben immer mehr beherrschen. Bezogen auf die Unternehmensführung kann es deshalb nur die Konsequenzen geben:

1. Wandel und Pluralitäten erkennen und identifizieren.

2. Den Wandel akzeptieren und als normal betrachten.

3. Vorhersehbare Trends und Wechsel in die unternehmerische Strategie integrieren.

Diese Zusammenhänge und Forderungen werden im folgenden dargestellt. Ich versuche auch wieder, Ihre persönliche Wandlungsfähigkeit und Flexibilität, auf die es ja letztlich ankommt, zu testen und Hinweise zu geben, wie Ihre Einstellung verändert werden könnte, falls es Ihnen selbst notwendig erscheinen sollte.

Das Unternehmen lebt und wächst durch Wandel und Flexibilität

Unternehmerische Flexibilität bedeutet im Grunde, den Wandel lieben, ihn mindestens akzeptieren, vor allem aber, flexibel und anpassungsfähig zu sein. Für viele Manager oder Unternehmer ist es verlockend, sich in die Probleme und Mühen des Alltagsgeschäfts zu stürzen und darin zu verwickeln. Nichts ist für den normalen heutigen Menschen lästiger, als sich mit Veränderungen auseinandersetzen zu müssen. Dies hängt einerseits mit einer gewissen menschlichen Bequemlichkeit zusammen, andererseits aber auch damit, daß sich kaum jemand gerne mit unsicheren, risikobehafteten Dingen beschäftigen möchte. Instinktiv möchten wir alle Wandel und Veränderungen vermeiden und ihnen aus dem Weg gehen.

In den bisherigen Abschnitten des Kapitels 5, in dem Sie sich gerade befinden, haben Sie viel erfahren und möglicherweise auch angenommen über menschliche Fähigkeiten und Techniken, wie

- *kreatives* Verständnis,
- *geduldige* Vorgehensweise,
- *intuitives* Handeln,
- *sensible* Führung,
- *visionäre* Zielsetzung.

Nur die Beherrschung dieser Fähigkeiten und Techniken macht Sie offen und frei für das Voraussehen von Veränderungen und gibt Ihnen als Manager oder Unternehmer die Möglichkeit, durch entsprechende Vielseitigkeit die Gefahren des Wandels in Chancen für das Unternehmen umzusetzen.

Hinzu kommt, daß die Notwendigkeit, Wandel und Veränderungen zu erkennen, zu akzeptieren und in die Strategie des Unternehmens zu integrieren, heute wichtiger geworden ist als früher. Warum ist das so, hat es doch immer schon Veränderungen und „Angriffe auf unsere lieben Gewohnheiten" gegeben? Die Fähigkeit, auf Wandel und Veränderungen zu reagieren, ist deshalb wichtiger geworden, weil die Veränderungen, insbesondere im wirtschaftlichen Bereich, stärker und schneller vor sich gehen. Das Tempo des Wandels hat sich also verändert. Bedenken Sie einmal folgende Abläufe und ihre Auswirkungen auf die Geschwindigkeit des Wandels, und vergleichen Sie die Situation vor zehn Jahren und heute:

- *Technische Innovationen.* Ausgehend von der Rüstungsindustrie, dem hohen Forschungs- und Entwicklungsaufwand vieler Unternehmen und dem vermeintlichen Zwang, immer neue Produkte auf den Markt bringen zu müssen, steigt das Innovationstempo laufend an.

- *Globale Kommunikation.* Sie ist heute schon gut und wird noch „besser" werden in Zukunft, so daß sie zunehmend als Verstärker der Geschwindigkeit des Wandels wirkt.

- *Intensiver internationaler Wettbewerb.* Er führt aufgrund des harten Konkurrenzdruckes, der weltweit entstanden ist, ebenfalls zu einer Beschleunigung von Veränderungen.

- *Produktlebensdauer.* Sie sinkt laufend aufgrund der bisher genannten Faktoren, was aber wiederum als Verstärker des Wandels wirkt.

- *Politik und Gesetzgebung.* Sie wird auch immer hektischer, vor allem aber für die Unternehmen unberechenbarer, so daß auch hier oftmals nicht einfach vorhersehbare Veränderungen auftreten können.

Diese Grundfaktoren geben also der unternehmerischen Fähigkeit, Wandel und Veränderungen zu erkennen und zu integrieren, einen neuen Stellenwert. Diese Fähigkeit könnte man auch als *Vielseitigkeit*[69] bezeichnen. Sie ist eine Mischung aus dem Gefühl für Kommendes, aus einer Visionsfähigkeit und aus dem Einsatz bestimmter technischer Instrumente.

Wie werden Sie ein solch vielseitiger, wandlungsbereiter Manager oder Unternehmer im Sinne der hier beschriebenen Fähigkeit? Da diese Fähigkeit weitgehend erlernbar und trainierbar ist, biete ich Ihnen folgende logischen Schritte an:

1. Erkennen Sie Ihre Fähigkeit, Wandel zu akzeptieren und zu integrieren. Wie schätzen Sie sich ein?

2. Verbessern Sie Ihre Fähigkeit, den Wandel zu lieben. Was ist machbar?

3. Trainieren Sie Ihre Fähigkeit, Veränderungen vorauszusehen. Was läßt sich tun?

1. Schritt:

In einem ersten Schritt sollen Sie erkennen, wie stark Ihre Fähigkeit entwickelt ist, den immer schneller werdenden Wandel zu akzeptieren und zu integrieren.

Als neuzeitlicher Manager oder Unternehmer sollten Sie Ihre Vielseitigkeit, d. h. Ihre Fähigkeit, den Wandel zu lieben, besonders durch folgende Eigenschaften und Aktivitäten beweisen:

- Sie sollten ständig über *neue Produkte und Dienstleistungen nachdenken*. Dies bedeutet nicht, eine unüberschaubare Produktvielfalt zu schaffen, um für alle Gelegenheiten gerüstet zu sein, sondern gezielt und strategisch Geschäftsfelder zu besetzen und dort Produkte und Dienstleistungen zu etablieren. Wichtig ist, die weltweite Konkurrenz zu beobachten, auch wenn sie sich nicht unmittelbar auf dem heimischen Markt bewegt. Anregungen und Ideen gibt es immer. Trends und Veränderungen lassen sich so früher erkennen.

- Wenn eine Idee für ein Produkt oder eine neue Dienstleistung als richtig erkannt wurde, sollten auch sofort das *notwendige Budget oder die entsprechenden Sachinvestitionen bereitgestellt* werden. Es gibt viele Unternehmer, die im Grunde schon wissen, wo der Weg lang geht, die sich aber scheuen, die entsprechenden Konsequenzen zu ziehen, die erst einmal Geld kosten.

- Entscheidend ist auf Dauer die *Kundenbeziehung*. Auch die Kunden verändern sich in ihren Bedürfnissen und Erwartungen. Von Generation zu Generation verschieben sich die gesellschaftlichen Werte. Dies müssen Sie sehr sorgfältig zur Kenntnis nehmen. „Umfeld-Monitoring“ bei den Kunden ist angesagt. Es gibt immer noch zu viele Unternehmer oder Manager, insbesondere im mittelständischen Bereich, denen ein „Einmalverkauf“ wichtiger ist als die laufende Pflege der Kundenbeziehung.

Diese ist zwar manchmal aufwendig und auch langwierig, bringt oft keine spektakulären Verkaufsergebnisse, sorgt aber dafür, daß in Zeiten des schnelleren Wandels auch noch Umsätze möglich sind und der Kunde nicht ganz verloren ist.

- *Beobachtung der Konkurrenz* in bezug auf Investitionen, Wachstum, Personalstruktur, Produkte. Hier gewinnen Sie oft wertvolle Erkenntnisse, wie in „Ihrem“ Markt von den Konkurrenten gedacht und gehandelt wird. Ich bin immer wieder erstaunt, wie wenig Unternehmen, insbesondere aus dem mittelständischen Bereich, über ihre Konkurrenten Bescheid wissen. Oftmals sind nur die Zahlen und Fakten bekannt, die sowieso in der Zeitung stehen, also für jedermann zugänglich sind.

- *Denken und Handeln in systematischen Unternehmenszusammenhängen.* Nur wenn in einem Unternehmen keine wesentliche Abteilung isoliert vor sich hinarbeitet und alle betrieblichen Funktionen als Ganzheit und als ein System betrachtet werden, kann auch rasch auf Wandel und Strukturveränderungen reagiert werden. Heute ist es jedoch noch vielfach so, daß es „wichtige“ und „weniger wichtige“ Abteilungen im Unternehmen gibt. Entscheidend ist aber, daß nicht nur Marketing und Produktion sehr gut koordiniert sind, sondern die Administration auch als mindestens gleichwertige Klammer gilt. Viele Unternehmen setzen heute auf Marketing und meinen, das sei die wichtigste Funktion. Wenn es aber darum geht, eine Kundenbeziehung aufzubauen und aufrechtzuerhalten, ist das Unternehmen als ganzheitliches System zu betrachten.

- *Unerschrockenes Denken und Mut zum Handeln.* Gerade in Zeiten starker wirtschaftlicher Turbulenzen und rascher Veränderungen ist viel Realitätssinn gefragt. Oftmals sind auch einsame Entscheidungen der Führungsspitze notwendig. Diese Notwendigkeiten werden in der heutigen Zeit leicht übersehen, insbesondere, wenn so viel von Teamarbeit, von gemeinsamem

Denken und Handeln gerade auch in der „New-Age"-Business-Literatur geredet wird. Leider schwanken die Hinweise und Empfehlungen zum Thema „Führen" je nach vorherrschendem Zeitgeist besonders stark vom Extrem des notwendigen „Alles-allein-Entscheiders" bis zur insgesamt „kollektiv-humanen" Unternehmensführung. Zu wenig wird erkannt, daß die eine oder die andere Handlungsweise und Einstellung je nach Situation richtig und angemessen sein kann. Duales Management ist aber gleichberechtigtes und gleichwertiges Einsetzen aller Fähigkeiten und Möglichkeiten im Unternehmen.

- *Scharfe Umfeld- und Umweltbeobachtung.* Damit meine ich, daß der Unternehmer oder Manager heute mehr denn je alle Rahmenbedingungen des Unternehmens laufend beobachten und im Griff haben muß. Dies gilt für politische, soziologische und technische Entwicklungen, jeweils sowohl auf nationaler als auch auf internationaler Ebene. Es passiert heute immer öfter und immer schneller, daß ein Unternehmen, auch im mittelständischen Bereich, durch seine Produkte, Produktionsverfahren oder das Management plötzlich ins Gerede kommt und der Absatz zu leiden beginnt. Es ist auch denkbar, daß neue Gesetzgebungen, die auch auf internationalen Druck zustande kommen können, das Produktions- und Dienstleistungsprogramm des Unternehmens berühren (z. B. EG-Binnenmarkt).

Aus dem Gesagten ergibt sich, daß der vielseitig orientierte, dem laufenden Wandel aufgeschlossene Manager oder Unternehmer folgendes *Positiv-Profil* hat. *Der Manager von morgen wird:*

- flexibel sein und vor Veränderungen keine Angst haben. Wandel ist für ihn etwas Natürliches;
- großen Wert auf Experimente und Forschung und Entwicklung legen;

- tolerant und vor allem geduldig sein und mit dieser Einstellung gelernt haben, wann der richtige Augenblick zum Handeln gekommen ist;
- Interesse an persönlichen Entwicklungen bei sich und bei seinen Mitarbeitern haben;
- spielerisch sein können, auch im wahrsten Sinne des Wortes, irgendein Spiel gerne betreiben.

Ein so vielseitig orientierter Manager oder Unternehmer hat auch ein typisches *Negativ-Profil.* Bei ihm finden sich besonders die folgenden Eigenschaften und Fähigkeiten, die in unserer Gesellschaft mehr oder weniger als negativ eingestuft werden[70]:

- stark egozentrisch;
- hält oft Distanz zu anderen und zeigt manchmal Kontaktschwäche;
- eine hemmungslose und fordernde Einstellung gegenüber Mitarbeitern und Problemen;
- aufsässig und manipuliert gerne;
- Neugierde;
- Unruhe, Unstetigkeit, Ungeduld.

Nach dem bisher Gesagten sind Sie, so glaube ich, jetzt in der Lage, zu erkennen, wie vielseitig und wie aufgeschlossen Sie gegenüber dem ständigen Wandel und Veränderungen sind. Ich bitte Sie deshalb, sich die folgenden zehn Fragen anzusehen und spontan zu beantworten. Kreuzen Sie die für Sie in Frage kommende Antwort einfach an, und addieren Sie am Schluß die Punkte.

	Ja	Nein	Manchmal	Keine Meinung
1. Gewisse neue Entwicklungen sehen Sie, halten jedoch unbeirrt an Ihren Planungen fest, wenn Sie diese einmal als richtig erkannt hatten.	3	5	2	1
2. Sie bemühen sich, soviel Mittel wie möglich für Forschung und Entwicklung bereitzustellen.	5	2	3	2
3. Den Unterschied zwischen Leichtsinn und Risiko kennen Sie.	4	1	3	1
4. Neue Trends sind für Sie wichtig, und Sie beobachten sie.	5	2	3	2
5. Sie reagieren auf die Aktivitäten anderer.	2	4	2	1
6. Sie machen sich "spielerische" Gedanken.	5	2	3	1
7. Sie sind jeden Morgen gespannt, was heute wieder passiert.	4	1	2	1
8. Lernen und dauerndes neues Verstehen ist für Sie Selbsterfahrung.	5	2	3	2
9. Sie glauben Ihre unmittelbare Konkurrenz gut genug zu kennen.	1	5	3	1
10. Sie treffen auch schnelle Alleinentscheidungen, die möglicherweise später von den Mitarbeitern kritisiert werden.	4	1	3	1
Summen:				
Total:				

Auswertung:

Wenn Sie über 35 Punkte erreicht haben, besitzen Sie ein hohes Maß an Vielseitigkeit und lieben den Wandel geradezu. Unter 25 Punkten ist es sicher notwendig, etwas für die persönliche Flexibilität und Vielseitigkeit zu tun. Sie müssen wieder lernen, öfter aus dem „Alltagstrott" auszubrechen und über den Tellerrand zu schauen, sonst werden Veränderungen und Wandel leicht zu Gefahren und nicht zu Chancen für Ihr Unternehmen.

2. Schritt:

In diesem zweiten Schritt versuche ich Ihnen zu zeigen, wie man die persönliche Fähigkeit, vielseitig zu sein und den Wandel als laufende Herausforderung zu betrachten, verbessern kann. Wichtig ist zuerst die Erkenntnis, daß die Fähigkeit Vielseitigkeit nicht in eine private und eine betrieblich-berufliche Ebene getrennt werden kann. Ferner ist wichtig zu sehen, daß in der Regel nur solche Menschen sich mit dem Wandel erfolgreich befassen können, die auch im Leben vielseitig aktiv sind. Wer sich nicht im Leben mit einer Vielzahl von (körperlichen und geistigen) Aktivitäten befaßt, wird auch kaum in der Lage sein, Änderungen und Wandel vorauszuahnen und sich ihnen anzupassen.

Dagegen läßt sich einwenden, daß vielfältige Aktivitäten kaum die Möglichkeit geben, in die Tiefe der Dinge einzudringen. Dies ist sicher richtig. Es ist aber die Frage zu stellen, ob ein Unternehmer oder Manager philosophisch und betrachtend durch das Leben gehen sollte oder eher durch aktive (leider manchmal auch rastlose) Lebensgestaltung zur Dynamik des Unternehmens beitragen könnte. Die Antwort auf diese Frage hängt sicher auch von der Struktur und Mentalität des Unternehmens ab, von seiner Kultur und vom Produktionsprogramm.

Die folgenden Empfehlungen gelten also nur für diejenigen unter Ihnen, die an ihrer Lebenseinstellung insofern etwas ändern wollen, als sie vielseitiger werden möchten. Ich betone es nochmals: Diesem Wunsch nachzugeben bedeutet in der Regel, viele Dinge brauchbar zu beherrschen, aber im Grunde doch „oberflächlich" zu sein. Für den Manager oder Unternehmer von morgen scheint mir die breite, vielseitige, etwas unruhige und zappelige Einstellung und Grundhaltung aber die richtige zu sein. Der Fachmann, Experte oder Spezialist wird sicher immer weniger an der absoluten Führungspitze gebraucht werden. Dafür sorgt der rasche Wandel.

Was können Sie tun, um wechselnde Aktivitäten zum Bestandteil Ihres täglichen Lebens zu machen? Es ergeben sich folgende Möglichkeiten[71]:

- Versuchen Sie, mindestens einmal im Vierteljahr eine *neue berufliche oder private Aktivität aufzuspüren und diese dann auch auszuüben.* Dies können zum Beispiel neue Hobbys sein, aber auch neue Marktstrategien, veränderte Formen von Mitarbeiterzusammenkünften, also überraschende, für Sie neue Dinge, die Sie an einen Wandel oder an Veränderungen gewöhnen. Ich glaube schon, daß Manager oder Unternehmer, die zu wenig Zeit beispielsweise für ein neues Hobby haben, auch zu wenig Zeit insgesamt zum Lernen haben und so keine neuen Erfahrungen sammeln können. Dies ist in ihrer Position sicher auf Dauer schädlich für das Unternehmen.

- *Alte eingefahrene Gewohnheiten und abgenutzte Aktivitäten sollten Sie von Zeit zu Zeit fallen lassen.* Ich weiß, daß es schwer ist, von Gewohnheiten zu lassen. Aber wenn man einmal angefangen hat, darüber nachzudenken, was man eigentlich den ganzen Tag so tut, wird man manches finden, was überflüssig ist oder was auch ohne weiteres geändert werden könnte. Sie sollten sich sicher auch nicht zwei Jahre lang damit geistig beschäftigen, wie der Umgang mit dem Betriebsrat verbessert werden könnte. Probieren Sie einfach einmal einen Weg aus. Sie können ja nach einem Vierteljahr auf ein neues Geleise wechseln.

- Die Gefahr liegt nahe, daß eben aus Gründen der Gewohnheit und der Bequemlichkeit *nur vermeintliche neue* Aktivitäten begonnen werden. In Wirklichkeit sind die neuen Aktivitäten den alten sehr ähnlich; es handelt sich nur um *Abziehbilder* in einer anderen Farbe. Also aufpassen: Die Gefahr des unbewußten Selbstbetrugs liegt nahe, weil die Gewohnheit eben eine starke Macht ist.

3. Schritt:

Den Wandel vorhersehen und Veränderungen voraussagen können Sie nur, wenn Sie persönlich dazu in der Lage sind und wenn Sie einige Techniken und Mechanismen beherrschen. Im 2. Schritt habe ich Ihnen gezeigt, was Sie persönlich tun können, wenn Sie der Meinung sind, Sie müßten vielseitiger und „wandelbereiter" oder pluralistischer werden. Jetzt stelle ich im 3. Schritt dar, wie man Veränderungen tatsächlich identifiziert und rechtzeitig erkennen kann.

Die beste Vorgehensweise findet sich bei MARTEL[72]. *Danach sind zwei Kategorien von Veränderungen* zu unterscheiden, je nachdem wie sie für das Unternehmen bedeutsam sind. Der *erste Veränderungsbereich*, der zu beobachten ist, betrifft alle Daten, die dafür bedeutsam sind, was ein Unternehmen für seine laufenden oder geplanten Aktivitäten benötigt. Es handelt sich also um den gesamten *Beschaffungssektor im weitesten Sinne*. Beobachtet werden alle Veränderungen, die wichtig sind, um Güter oder Dienstleistungen bereitzustellen. Dazu gehören zum Beispiel:

- Quellen und Informationen, die Anlagen und Ausrüstungen betreffen;
- Beobachten neuer Techniken und das Reifen der in Betrieb befindlichen technischen Anlagen;
- Werteveränderungen bei den Mitarbeitern, zum Beispiel veränderte Gewohnheiten und Einkommenserwartungen;

- Veränderungen bei den Kosten für Werkstoffe, Arbeit und Kapital;
- Veränderungen der wirtschaftlichen Entwicklung in den Beschaffungsländern und der zunehmende Wettbewerb;
- Gesetze und Verordnungen mit Auswirkungen auf Umweltschutz, Produktsicherheit und Außenhandel.

Der zweite Veränderungsbereich, der systematisch beobachtet werden muß, betrifft sowohl das Umfeld des Unternehmens als auch ganz besonders die *Zielgruppe.* Zum Umfeld gehören auch Händlerorganisationen, Servicestationen sowie alle Faktoren, die in irgendeiner Form das Kundenverhalten beeinflussen. Im einzelnen gilt es laufend und besonders zu beobachten:

- neue und verbesserte Kommunikationsmöglichkeiten;
- Veränderungen in den demografischen Daten der Bevölkerung;
- Veränderungen in den Verhaltensweisen, Verbrauchergewohnheiten, Präferenzen, Modeerscheinungen usw.;
- vorausschauende Entwicklung der jeweiligen kurzfristigen Konjunkturzyklen einschließlich des jeweils frei verfügbaren Einkommens, Verfügbarkeit von Krediten, Zinsentwicklung usw.

„Sehr wichtig ist es, beide Kategorien zu beachten. Ein Unternehmen kann sich noch so sehr auf Fortschritt in der Technologie, ausländische Konkurrenz, Verfügbarkeit von Werkstoffen, auf Preise, veränderte Beschäftigungslagen, neue Gesetze und dergleichen einstellen, es wird dennoch keinen Erfolg haben, wenn es nicht beachtet, welche Neustrukturierung im Zwischenhandel oder welche Entwicklung in den Werbemedien stattfindet oder was sich bei den Präferenzen der Kunden ändert.“[73]

Im übrigen sollten Sie *jede* Möglichkeit nutzen, sich über kommende Veränderungen oder Anzeichen eines Wandels zu informieren. So ist es zum Beispiel in der heutigen Situation der Bundesrepublik Deutschland nicht allzu schwierig, sich ein Bild davon zu machen, wie die Bevölkerungsentwicklung der nächsten zwanzig Jahre aussehen wird. Damit ist zugleich etwas ausgesagt über die Kaufkraftentwicklungen in den einzelnen Bevölkerungsschichten. Es ist auch heute schon klar, daß die Besteuerung in der Bundesrepublik stärkeres Gewicht auf die indirekten und Verbrauchssteuern legen wird. Auch die Veränderungen, die durch den EG-Binnenmarkt eintreten werden, sind zumindest für einige Branchen heute schon recht deutlich zu erkennen.

Eine sehr gute Möglichkeit der laufenden Information über neue Entwicklungen sind die Trendstudien und der Informationsdienst „Radar für Trends", die von Gerd GERKEN herausgegeben werden.[74] Auch die Verbände und die Ministerien veröffentlichen fast laufend Studien über sich abzeichnende Entwicklungen. *Es gibt genügend Material.* Entscheidend ist nur, daß Sie sich die Zeit nehmen, sich mit der Zukunft zu beschäftigen. Dies haben leider viele Manager oder Unternehmer immer noch nicht erkannt und arbeiten lieber als Spezialisten im stillen Kämmerchen vor sich hin. Dabei vergessen sie, daß ihr Unternehmen immer stärker in die Umwelt eingebunden ist und aufgrund immer stärker werdender Abhängigkeiten immer weniger Aktionsfreiraum hat. Und diese Entwicklung wird sich noch weiter fortsetzen. Für den Fortbestand und das Gedeihen der Unternehmen gilt ganz besonders der Satz:

Das Wissen um die Zukunft ist Macht.

Global- und Rahmentrends, mit denen Sie und Ihr Unternehmen leben müssen

„Die beste Möglichkeit, sich auf die Zukunft vorzubereiten ist, den Wandel zu begreifen und zu akzeptieren. Das setzt aber voraus, sich mit dem Wandel ehrlich auseinanderzusetzen, also den Wandel nicht nur als kurzfristige Erscheinung abzutun. Diesen Fehler haben wir meines Erachtens in der Vergangenheit in verschiedenen Bereichen gemacht, z. B. beim Umweltschutz oder bei der Arbeitslosigkeit. Und daraus sollten wir lernen." Diese Aussage von KNEBEL im Vorwort des „Analytik 87"-Kongreßbandes[75] will ich Ihnen ganz bewußt noch einmal vorhalten, ehe ich versuche, die wichtigsten Global- und Rahmentrends der 90er Jahre darzustellen.

Es können, wie gesagt, *nur Rahmentrends und globale Erscheinungen und Veränderungen* angegeben werden, die mit hoher Wahrscheinlichkeit eintreten werden, wenn sich nichts Grundlegendes in der Welt verändert. Sie müssen dann versuchen, die Auswirkungen dieser höchstwahrscheinlichen Entwicklungen auf Ihr Unternehmen in den Kategorien Beschaffung, Produktion und Absatz selbst herauszuarbeiten und zu untersuchen. Die dargestellten Veränderungen oder Wandelerscheinungen könnten bis in die Mitte der 90er Jahre wirksam werden.

Folgende wirtschaftliche und soziale Rahmentrends sind heute ersichtlich[76]*:*

- *Billigimporte* werden ganze Branchen bedrohen, wie zum Beispiel die Textilindustrie und die gesamte Unterhaltungselektronik, allerdings auch die Automobilindustrie.

- *Exporte von europäischem und deutschem Know-how* und von ganzen Anlagen und Fabriken werden den Trend der Billigimporte nach Deutschland nur *verstärken.* Man sollte sich deshalb sehr genau überlegen, wenn man Know-how in Form von produktionsfähigen Anlagen oder Maschinen weitergibt; evtl. ist es besser, auf Lizenzen auszuweichen.

- Die *Energie- und Rohstoffpreise* werden weiter steigen. Es ist nicht auszuschließen, daß ein dritter Ölpreisschock mit gewaltigen konjunkturellen Rückwirkungen kommt. Exotische und seltene Rohstoffe werden ebenfalls stark im Preis steigen. Die entsprechenden Ausfuhrländer haben ihre Chancen erkannt oder werden durch drückende Zinslasten gezwungen, die Preise anzuheben. Die Alternative könnte sein, auf andere Rohstoffe auszuweichen. Auf jeden Fall führen steigende Energie- und Rohstoffpreise zur Abschöpfung von Kaufkraft, die dann bei der „normalen“ Nachfrage fehlt.

- Bei vielen *Grundbedürfnissen tritt eine Marktsättigung* auf. Dies gilt auch schon für bessere Qualitäten und höherwertige Produkte. Auf jeden Fall sinken die Ausgaben für Grundnahrungsmittel und Grundbedürfnisse bei steigendem Einkommen anteilig. Die Marktsättigung wird sich auch bei Gebrauchsgütern, wie Autos, Videorekordern usw., bemerkbar machen.

- *Dienstleistungsmärkte* werden noch expansiv bleiben. Dabei ist allerdings zu berücksichtigen, daß Dienstleistungen auch Geld kosten und bei tendenziell sinkender Kaufkraft vielleicht die Nachfrage nach Dienstleistungen ins Stocken kommen könnte.

- Die *Bürokratie* wird weiter zunehmen und die Tendenz zur Verselbständigung sich verstärken. Dies bedeutet für die Unternehmen ein Mehr an Kosten und einen Verlust an Effizienz und Schnelligkeit, was sich wieder auf die Kundenbeziehung auswirken kann.

- *Umwelt- und Gesundheitsfanatismus* kann dazu führen, daß sich Verbrauchergewohnheiten doch langfristig auch bei der Masse ändern und daß Unternehmen aufgrund ihres Produktionsprogramms Schwierigkeiten bekommen könnten, obwohl die Produkte für sich gesehen gut und ökologisch vertretbar sind, das Image des Unternehmens aber angeschlagen ist. Ein sehr sensibler Bereich für Umfeld-Monitoring durch das Management.

- *Gesellschaftliche Werteverschiebungen* hin zu mehr Freizeit, zu mehr Familie und zu Freunden verändern die Leistungsbereitschaft des einzelnen und führen zu Motivationsproblemen für das Management. Diese ganze Entwicklung ist mit steigenden Personal- und Personalzusatzkosten verbunden. Das Augenmerk des Managements wird verstärkt auf den Faktor Mitarbeiter zu richten sein.

- Diese Problematik wird zu einem weiteren *Rationalisierungs- und Automatisierungsschub* führen. Soweit möglich, werden die Unternehmen immer mehr versuchen, den Produktionsfaktor Arbeit zu ersetzen. Entsprechende technische Innovationen sind weiterhin zu erwarten. Die Auswirkungen von CIM und CAD* in bezug auf Personalfreisetzungen werden erst kommen. Wir stehen im Prozeß der Automatisierung nicht am Ende, sondern erst am Anfang.[77]

- Eine gewisse *soziale Paralyse* verstärkt den Trend zur weiteren Automation und Rationalisierung. Arbeits- und Sozialrecht haben einen Stand erreicht, nach dem praktisch niemand mehr entlassen werden kann. Diese Entwicklung wird sich weiter verstärken. In Zukunft wird es immer mehr in den Personalabteilungen heißen: Drum prüfe, wer sich bindet, denn es wird ewig sein!

- *Bevölkerungsrückgang.* Nach den geburtenstarken Jahrgängen der 60er Jahre hat die Bundesrepublik eine der niedrigsten Geburtenraten der Welt. Dies führt zwangsläufig zu Nachfrageschrumpfungen bei vielen Erzeugnissen und Dienstleistungen. Hier liegt ein entscheidender Ansatz für das Überleben vieler Unternehmen. Rechtzeitig müssen Weichen gestellt werden.

- *Chronische Konjunkturschwäche.* Aufgrund zahlreicher Umstände sind die kurzfristigen und kleineren Konjunkturzyklen heute nicht mehr so ausgeprägt. Nach der volkswirtschaftlichen

Theorie der Langzeitzyklen ist wohl frühestens Anfang der 90er Jahre mit einem nachhaltigen starken Aufschwung zu rechnen. Dies ist dann vorstellbar, wenn wirklich benutzerfreundliche und fortschrittliche Elektronik in das Stadium des Massenkonsums tritt.

- Die *Mikroelektronik* führt zu einer weltweiten technischen Nivellierung. Die bisherigen deutschen Strategievorteile auf dem Weltmarkt, nämlich Fleiß, Qualität und Ausbildung, werden durch diese Mikroelektronikentwicklung entwertet werden. Die zukünftige Waffe heißt deshalb Kreativität. Neue und qualitativ hochwertige Produkte haben eine Zukunftschance.

- Folgerichtig müssen die *Produkte von morgen* solche Eigenschaften aufweisen: innovativ, intelligent, qualitativ hochwertig; es müssen Problemlösungssysteme sein oder Produkt-Dienstleistungs-Kombinationen, rohstoff- und energieunempfindlich. Die Produkte dürfen keine Veranlassung zu öffentlicher Kritik geben (Umwelt, Gesundheit, Sozialfaktoren).

- Es ist anzunehmen, daß das *politische Bewußtsein* in der Bevölkerung ansteigen wird. Dann kann auch die Unternehmensführung und die Kultur eines Unternehmens sehr schnell zur Diskussion stehen. Eine *sinn- und wertorientierte Unternehmensführung* wird so zu einem wichtigen Wettbewerbsfaktor.

- *Mehr Realismus in der Führung und das Ausschöpfen aller geistigen und tatsächlichen Möglichkeiten im Management* ist ein Trend, der jetzt sichtbar wird. Kein Unternehmer sollte sich von der zur Zeit noch in Mode befindlichen neuen Irrationalität des New Age oder vom „Ökosozialismus“ anstecken lassen. Gefragt ist ein breites Weltbild, nicht ein anderes. Der Trend geht eindeutig zur mentalen und umfassenden Führung. Dies ist ja auch das Grundanliegen dieses Buches.

> Zeit ist das knappste Kapital, und
> wenn man sie nicht managen kann,
> kann man auch nichts anderes managen.
> P. F. DRUCKER

5.9 Auf den Weg konzentrieren: Vom Terminkalender zum Selbstmanagement

Im Kapitel 4.8 habe ich dargestellt, wie man ein gesundes Verhältnis zur Zeit entwickeln kann. Dabei muß man sich bewußt werden, daß es verschiedene Zeitkategorien gibt, und auch der Tatsache, daß jeder Mensch gleich viel Zeit zur Verfügung hat. Wenn Sie für die Arbeit mit dem jetzt beginnenden Kapitel noch einmal etwas geistigen Unterbau benötigen, lesen Sie nach ab Seite 91.

Inzwischen wissen Sie es: *Der Weg ist das Ziel.* Dies ist nicht nur die Grundhaltung fast aller fernöstlichen Lehren und Philosophien, sondern eine der besten Einstellungen im Management überhaupt. Sie gilt auch für den Umgang mit der Zeit. Wenn Sie die Ihnen zur Verfügung stehende Zeit sowohl effektiv betrieblich als auch ausgleichend musisch einsetzen, werden Sie selbst effektiv und ausgeglichen. Effektives, sinnvolles Arbeiten bedeutet, sich auf den Weg konzentrieren, und dann geht das meiste andere fast wie von selbst.

Warum methodische Zeitplanung?

Ich halte es für wichtig, daß Sie als Manager oder Unternehmer so systematisch und effektiv wie möglich arbeiten. Aufgrund der Vielfalt der Tätigkeiten und der zu bewältigenden Menge der Arbeit dürfen Sie sich nicht von Zufälligkeiten des Tages lenken lassen. Andererseits laufen Sie Gefahr, den Planungseffekt ins Gegenteil zu verkehren und zum Sklaven Ihres Zeitplanbuches zu werden, wenn Sie (sich) zu genau und pingelig programmieren. Die richtige Methode und die ausgewogene Intensität der Anwendung sind also entscheidend. Aber tun müssen Sie auf jeden Fall etwas. Glauben Sie nicht, daß es in Zukunft ausreichen wird, wenn Sie zum Beispiel irgendeinen Terminkalender in irgendeinem Format führen, den Sie zufällig geschenkt bekommen haben. Zeitplanung muß methodisch, auf die Bedürfnisse des jeweiligen Anwenders und entsprechend seinen Tätigkeiten durchgeführt werden.

Es ist allerdings schwierig, bei der Vielzahl der heute angebotenen Zeitplantechniken den Durchblick zu bewahren. Noch nie wurden so viele Modelle, Konzepte und Produkte für ein planvolles Zeitmanagement angeboten. Ich finde auch, daß die Versprechungen in bezug auf Zeitersparnis und effektives Arbeiten recht zweifelhaft sind. Es gibt sogar Zeitplanungen, in denen jede einzelne Minute des Tages festgehalten werden soll! Auch entlasten komplizierte Planungshilfen, unübersichtliche Übertragungssysteme und schlecht gegliederte Arbeitsmittel den Manager nicht. Sie machen ihm im Gegenteil mehr Arbeit.

Systeme, die dazu anregen, seinen Tag möglichst genau und vollständig zu „verplanen“, haben wenig Nutzen. Sie bergen eher die Gefahr eines „Zeitfetischismus“ in sich. Derjenige, der vor lauter Detailarbeit und Einzeltätigkeiten die große Linie nicht mehr sieht (und sehen will), stürzt sich natürlich gerne auf solche vermeintlichen Planungshilfen. Wenn er sie anwendet, muß er sich ja in seiner Struktur und seinem Verhalten nicht ändern. Zum Chaoten kommt eine chaotische Planungshilfe. Damit ist nichts gewonnen. Entscheidend ist eher, daß solche Menschen lernen, umzudenken und insgesamt methodischer zu arbeiten. Dazu gebe ich Ihnen einige Hilfen und helfe Ihnen auch zu überprüfen, wie methodisch und „ordentlich“ Sie wirklich sind.

Ich halte es noch einmal fest: Methodische Zeitplanung als eine erste Stufe für effektives Arbeiten und Planen im Management ist wichtig und für mich unerläßlich. *Zeitmanagement kann aber nur zusammen mit einer Planung der wichtigsten privaten und beruflichen Lebensziele zum Erfolg führen.* Erst aus den persönlichen und beruflichen Zielen und den betrieblichen Zielsetzungen können Zeit- und Arbeitspläne abgeleitet werden, die nicht nur sinnvoll sind, sondern die auch mit den planenden und denkenden Menschen in Einklang stehen. Es gilt also:

> *Wer nicht weiß, wohin er gehen will, der weiß auch nicht, wie er da hinkommen soll.*

Dieser Merksatz läßt sich noch erweitern:

> *Wer den Weg nicht kennt, dem nützt auch der beste Tages- und Wochenplan nichts.*

Methodische Zeitplanung ist also die Kunst, die vorhandene Zeit richtig einzusetzen. „Richtig“ heißt in dem hier verstandenen Sinne entsprechend dem einsetzenden Menschen und entsprechend dem Weg, den es zu gehen gilt. So muß auch die methodische Zeitplanung alle Bereiche möglicher Zielsetzungen umfassen, nämlich die persönlichen, beruflichen und betrieblichen. Im persönlichen Bereich sind dies besonders die Familie, Gesundheit, Urlaub, Hobbys und Verpflichtungen jeglicher Art. Im beruflichen Bereich geht es hauptsächlich um Karriereplanung und Weiterbildung. Betrieblich gehören zur methodischen Zeitplanung auch die Einbindung der Unternehmensziele und das Controlling.

Wichtigstes Hilfsmittel der methodischen Zeitplanung ist das Zeitplanbuch. Solche Zeitplanbücher mit Ablagesystemen und weiteren Hilfsmitteln gibt es in verschiedenen Ausführungen und Größen. Auch inhaltlich bieten sie verschiedene Grade der Arbeitsunterstützung. In der Anmerkung[78] habe ich Ihnen die wichtigsten und besten Zeitplansysteme namentlich und mit Anschriften versehen aufgelistet.

Ein *gutes Zeitplanbuch* als Bestandteil eines methodischen Zeitplansystems muß ein paar *Grundvoraussetzungen* erfüllen, die mir während meines über zehnjährigen Umgangs mit solchen Systemen als besonders wichtig aufgefallen sind:

- *Es muß bequem mit sich zu führen sein.* Das heißt, es sollte in jede Jackentasche passen, auch in solche eng geschnittener italienischer Anzüge. Es muß auf jeden Fall immer mitgenommen werden können, sonst funktioniert das ganze System nicht. Die Erfinder von Zeitplansystemen sollten auch einmal an Frauen im Management denken.

- *Es muß anregen, mit ihm zu arbeiten.* Dies bedeutet, daß Material, Gestaltung und Handhabung leicht und einfach sein müssen. Es darf ferner nicht nur Terminkalender, sondern muß vor allem Planungsinstrument und ein ganzes *System* sein.

- Es muß so aufgebaut und gegliedert sein, daß Sie als Nutzer vom Überblick oder einer Jahresübersicht zum Detail, also den Wochen- und Tagesplänen, kommen. Sie müssen alle wichtigen Aktivitäten und Termine systematisch und zielgerichtet planen und überwachen können. Das Zeitplanbuch muß also *selbst in hohem Maße methodisch und didaktisch geschickt angelegt sein.*

- *Es muß sich auch als Kontrollinstrument eignen.* Sie müssen schnell überprüfen können, ob Termine, Erfolge oder Ziele in der richtigen Zeit erreicht worden sind. Das Zeitplanbuch braucht also auch ein hohes Maß an *Transparenz.*

- *Es muß so angelegt sein, daß der private und der beruflich-betriebliche Bereich gleichermaßen berücksichtigt* werden kann.

Denn: Ein nur mit betrieblichen Zielen geführtes Planbuch ist sinnlos. Es verstärkt allenfalls die Schizophrenie der Trennung zwischen Privatleben und Beruf/Betrieb, die für den Menschen selbst nur schädlich ist.

Der Umgang und die Arbeit mit einem Zeitplansystem und mit dem dazugehörigen Zeitplanbuch verlangt viel persönliche *Disziplin.* Viele Mitarbeiter, die ich kenne, benutzen das Planbuch entweder nur als Terminkalender oder nur als besseres Notizbuch. Beides ist sinnlos und der gesamte Aufwand zu groß. Man muß erkennen, daß methodische Zeitplantechnik ein lebensbegleitendes System ist, das vieles verändern kann im Leben, weil manches klarer wird, weil bestimmte Prioritäten sich verschieben, wenn man gezwungen wird, sich genauer damit zu befassen, und manches weniger wichtig wird, wenn man die Bedeutung des jeweiligen Tuns auch noch dokumentiert, und zwar im voraus und als Kontrolle des Ergebnisses. Ich will es noch einmal ganz plakativ herausstellen:

> *Methodische Zeitplanung ist ein lebensbegleitendes System, das für den Manager oder Unternehmer immer unerläßlicher wird. Entscheidend ist, daß Persönlichkeit und Planungssystem zusammenpassen.*

Das gewählte Planungssystem und Ihre Persönlichkeit müssen also harmonieren. *Dann erreichen Sie durch methodische Zeitplanung:*

- *gesteigerte Arbeitseffektivität;*
- mehr Freiräume für *kreative* Arbeiten;
- mehr Zeit für wirklich wesentliche *Entscheidungen;*
- *mehr Zeit für sich selbst* und die *Familie;*
- eine bessere und stabile *Gesundheit* durch Entlastung des Streßanteils.

So ordnen Sie sich selbst und Ihre Arbeit

In der persönlichen täglichen Arbeit gibt es eine Menge Schwachstellen und Zeitfallen. Diese bemerken Sie zum Teil überhaupt nicht. Sie sind auch schwer zu identifizieren, man merkt es nur am Abend, wenn man sich die Fragen stellt: Was habe ich heute eigentlich erreicht? Wie effektiv habe ich gearbeitet? Was sind alles für Störungen aufgetreten?

Wie werden Sie nun ein methodisch und effektiv arbeitender Manager oder Unternehmer, der sehr „zeitbewußt“ ist? Hier gibt es viel zu lernen und zu trainieren. Deshalb biete ich Ihnen folgende *Schritte* an:

1. Erkennen Sie Ihre Fähigkeiten und Fertigkeiten, methodisch und zeitbewußt zu arbeiten. Wie schätzen Sie sich selbst ein?

2. Verbessern Sie Ihr Talent, methodisch und zeitbewußt, und damit effektiv, zu arbeiten. Hier gibt es ein paar Hilfestellungen.

1. Schritt:

In einem ersten Schritt sollen Sie erkennen, wie stark Ihre Fähigkeit und Fertigkeit entwickelt ist, methodisch und effektiv zu arbeiten. Sie sollen merken, daß es viele Zeitfallen und arbeitstechnische Probleme gibt, die Ihnen noch gar nicht deutlich bewußt sind. Ich zeige Ihnen im folgenden einmal das typische *Negativprofil* eines Managers oder Unternehmers, der alle häufig wiederkehrenden zeitplanerischen Fehler begeht und völlig unmethodisch arbeitet.[79] Vielleicht erkennen Sie sogar die eine oder andere Handlungsweise wieder! *Der unsystematische, unkonzentrierte, ohne Planungshilfe arbeitende Manager oder Unternehmer*

- hat einen überhäuften, „chaotischen“ Schreibtisch, behauptet aber, jederzeit alles zu finden;
- stöhnt über den Papierkram und über viel zu viel zum Lesen;

- produziert und bekommt zu viele Aktennotizen und innerbetriebliche Vermerke;
- will immer alles wissen und mischt sich überall ein;
- kommt zur Besprechungen und Arbeitssitzungen ohne Unterlagen und unvorbereitet;
- versucht, zuviel auf einmal zu tun, und arbeitet die Akten und Papierberge ab, indem er das meiste von links nach rechts und umgekehrt legt;
- hat keine, auch für sein Sekretariat ersichtliche klare Tagesplanung, so daß ständig Wartezeiten für Besucher und Besprechungen entstehen;
- ist in der Regel unfähig, nein zu sagen;
- verzögert gerne alles und lebt von der „Aufschieberitis“;
- läßt sich bei Besprechungen laufend telefonisch unterbrechen, weil er meint, ohne ihn geht nichts.

Diese Aufzählung von arbeitsmethodisch und zeitplanerisch falschem Verhalten ließe sich fast beliebig fortsetzen. Vielleicht haben Sie beim Lesen die eine oder andere „Sünde“ entdeckt, die Sie auch begehen. Das läßt sich durch Disziplin und arbeitsmethodische Hilfsmittel ändern. Sie müssen sich nur erst bewußt werden, wieviel tägliche Störfälle und vermeidbare Brüche im Arbeitsablauf auftreten.

Wer als Manager oder Unternehmer effektiv, methodisch und zeitbewußt arbeitet, der fällt täglich auf, weil er meistens den Tag nicht nur ruhig angeht, sondern auch ruhig abschließt. Er ruht in sich, weil er sich auf die Methode verlassen kann. Er muß nicht hektisch agieren, sondern ist Vorbild für alle Mitarbeiter. Ein solches *Positivprofil* eines mit Planungstechnik arbeitenden Managers oder Unternehmers könnte folgendermaßen aussehen. *Dieser positive Mensch*

- bearbeitet auf seinem Schreibtisch jeweils nur einen Vorgang;
- liest selektiv und effektiv, d. h., er weiß, was er lesen muß, und weiß auch, mit welcher jeweiligen Intensität gelesen werden muß;
- begrenzt Aktennotizen und innerbetriebliche Vermerke sowohl quantitativ (zum Beispiel maximal eine Seite) als auch qualitativ;
- versucht immer, nur über das Wesentliche informiert zu sein, und versteht es, Nebensächliches zu erkennen und wegzulassen;
- ist ungewöhnlich gut informiert über die große Linie und das zu erreichende Ziel beim jeweiligen Problem und schaltet sich auf Arbeitssitzungen nur ein, wenn er wirklich etwas zu sagen hat;
- hat eine klare persönliche Ziel- und Prioritätensetzung und weiß so, was er zu tun und was er zu lassen hat. Dies bedeutet auch, ab und zu konsequent nein zu sagen;
- spricht mit seinem Sekretariat Tages- und Wochenpläne ab, wobei das Sekretariat auch selbst Termine und Aktivitäten vereinbart und alle Terminkalender auf dem laufenden hält;
- setzt sich selbst Erledigungstermine, vermeidet also, irgend etwas aufzuschieben, nur weil es jetzt gerade unangenehm ist zu entscheiden. Eine „Selbstbelohnung" ist jedoch dann auch wichtig;
- läßt sich zeitweise telefonisch abschirmen und läßt über sein Sekretariat den Rückruf vereinbaren.

Sicher ist Ihnen aufgefallen, daß es sich hier im Grunde genommen nur um Kleinigkeiten handelt. Es sind keine geschäftsentscheidenden Probleme und Abläufe betroffen. Aber es gibt eine Unzahl solcher

Zeit- und Effektivitätskiller

Sie könnten sicherlich die Liste des Negativprofils weiter fortsetzen, wenn Sie einfach einen normalen Tagesablauf bei sich im Unternehmen durchgehen. Dabei wird Ihnen auch bewußt, wie wenig planvoll und systematisch im Management offensichtlich immer noch gearbeitet wird. Wenn über dieses Thema gesprochen wird, sagen die betroffenen Manager oder Unternehmer, sie würden deshalb keine Planungsmethode oder Arbeitstechniken anwenden, weil sie sich ihren kreativen Freiraum bewahren wollten, ein System dürfe sie nicht einengen. Gerade diese Menschen haben immer noch nicht erkannt[80]:

Kreativität ist zu 90 % Systematik.

Sie wissen es inzwischen besser, nachdem Sie das Kapitel über die Kreativität in diesem Buch durchgearbeitet haben (5.1). Jetzt sind Sie sicher auch in der Lage, die folgenden Fragen spontan zu beantworten. Sie können mit dieser Selbsteinschätzung feststellen, wie methodisch und systematisch Sie denken, handeln und arbeiten. Kreuzen Sie jeweils die für Sie in Frage kommende Antwort an, und addieren Sie am Schluß die Punkte.

	Ja	Nein	Manchmal	Keine Meinung
1. Führt Ihr Sekretariat auch einen Terminkalender, der laufend mit Ihrem abgestimmt wird?	4	1	2	1
2. Reagieren Sie prompt auf jede Information?	1	5	3	2
3. Beschließen Sie jeden Tag mit einer Rückschau?	5	2	3	1
4. Haben Sie zu allem sofort eine Meinung?	2	4	2	1
5. "Blocken" Sie Tätigkeiten, wie zum Beispiel Telefonieren oder Lesen von Fachinformationen, ab?	4	1	2	1
6. Planen Sie den kommenden Tag am Abend vorher?	4	1	2	1
7. Geht Ihr Terminkalender/Planbuch mit in den Urlaub?	5	2	3	2
8. Vergessen Sie mindestens einmal pro Woche einen Termin oder eine Aktivität?	2	5	2	1
9. Können Sie sich vorstellen, immer wiederkehrende Abläufe zu dokumentieren und bei Bedarf nach einer solchen Liste vorzugehen?	4	1	3	2
10. Wenn ein Mitarbeiter Sie jetzt und sofort sprechen will, wird er immer vorgelassen?	2	4	2	1
Summen:				
Total:				

Auswertung:

Ein Ergebnis über 35 Punkten zeigt Sie als methodisch vorgehenden Menschen, der offensichtlich mit Planungstechniken arbeitet und systematisch denken kann. Zumindest haben Sie erkannt, wie wichtig Arbeitsmethodik ist und daß sie sich auf alle Bereiche erstrecken muß. Unter 25 Punkten besteht Handlungsbedarf: Vielleicht denken und arbeiten Sie etwas zu unsystematisch, um den steigenden Anforderungen der kommenden Zeit gewachsen zu sein.

2. Schritt:

Nachdem Sie jetzt festgestellt haben, wie methodisch und systematisch Sie handeln, können Sie den zweiten Schritt gehen und bei sich selbst systematisch einiges in Ordnung bringen. Denn nur, wenn Sie selbst innerlich geordnet sind, können Sie auch „ordentlich", d. h. methodisch, arbeiten. Ihre innere Unordnung oder, weniger kraß ausgedrückt, Ihre „Unebenheiten" könnte man folgendermaßen systematisieren[81]:

Randerscheinungen und kleinere Anzeichen. Dazu zähle ich zum Beispiel:

- Unordnung in den Arbeitsmitteln;
- Unpünktlichkeit;
- Entschlußlosigkeit;
- Bequemlichkeit;
- Ablenkbarkeit;
- Vergeßlichkeit;
- Konzentrationsschwäche;
- Hast oder Trägheit.

Diese Randerscheinungen und kleinere Anzeichen, die oft als menschlich verziehen werden, sind meistens nur Ausdruck und Folgen schwerwiegender, zentraler Störungen des seelischen Gleichgewichts.

Zentrale Kennzeichen der „inneren Unordnung“. Hierzu möchte ich rechnen:

- Schuldgefühle;
- Mangel an Selbstvertrauen;
- Stimmungslabilität;
- Geltungssucht;
- Machtstreben;
- Ängste, besonders vor Prestigeverlust;
- Affekte, die plötzlich ausbrechen.

Diese seelischen Probleme müssen in der Regel fachkundig psychologisch oder psychotherapeutisch behandelt werden. Dies ist nicht Aufgabe dieses Buches. Ich will nur verdeutlichen, daß solche seelischen Schwierigkeiten zu großen Managementproblemen führen können, wenn sie nicht rechtzeitig angegangen werden.

Im folgenden stelle ich noch einige Problemfelder heraus, die im unternehmerischen Alltag oftmals Schwierigkeiten bereiten, und gebe Ihnen gleichzeitig die methodische Hilfe dazu.

Problemfeld Zeitplanung

Dieses Problemfeld stellt sich Ihnen dann, wenn Ihre Tages- und Terminplanung unzureichend ist, wenn die Zielsetzungen unklar sind oder überhaupt noch nicht der Versuch gemacht wurde, sie zu formulieren, oder wenn Sie zu viel auf einmal erledigen möchten. Dann wird es höchste Zeit, mit einem *Zeitplansystem* zu arbeiten. Dies gilt auch, wenn Sie keine Übersicht mehr haben über alle Aktivitäten und Projekte oder wenn Sie mit Notizzetteln und Aufschrieben auf alle möglichen Blätter zu arbeiten versuchen. Wenn Sie sich ärgern, weil Sie zum dritten Mal schon überlegen müssen, wie dieser oder jener Routinevorgang zu erledigen ist, wird es Zeit, mit einem *Planungshelfer „Routinen"* zu arbeiten. Wenn Sie sich schon überlegt haben, wo Sie in Ihren einfachen Terminkalender noch alles hineinschreiben sollen, haben Sie wohl den Unterschied zwischen Terminen und Aktivitäten noch nicht erkannt. Auch dann wird es dringend Zeit, mit einem methodischen Zeitplansystem zu arbeiten.

Problemfeld persönlicher Arbeitsstil

Der überhäufte Schreibtisch ist ein methodisches Problem. Sie sollen und dürfen nur *jeweils einen Vorgang* bearbeiten. Wenn Sie nichts mehr finden und in der Regel Ihre Sekretärin verdächtigen, dann benutzen Sie ein schlechtes Ablagesystem (oder gar keines!). Vielleicht fehlt es aber nur einfach an der Disziplin, einen *Ordnungs- und Aktenplan* für die persönliche Ablage zu erarbeiten und zu verwenden. Ärgern Sie sich, daß Sie zuviel zu lesen haben und daß der Papierkram Ihnen auf die Nerven geht, versuchen Sie es einmal mit *selektivem und effektivem Lesen.*[82] Wenn Sie immer alles wissen wollen, arbeiten Sie uneffektiv. Wenden Sie dann das *Pareto-Prinzip* an und destillieren Sie das Wesentliche. Mit dem entsprechenden Mut zur Lücke werden Sie feststellen, daß 20 % der Ihnen vorliegenden Papiere und Unterlagen etwa 80 % der Informationen enthalten, die Sie wissen müssen.

Problemfeld Störungen

Häufig werden Sie telefonisch bei Konferenzen oder wichtigen Gesprächen unterbrochen. Lassen Sie sich, ehe Sie sich dauernd ärgern, durch Ihr Sekretariat *abschirmen und Rückruf* vereinbaren. Starten Sie die Rückrufaktion, werden Sie erstaunt sein, wieviel sich in der Zwischenzeit schon erledigt hat. Lassen Sie nicht jeden Besucher einfach zu sich vor: Auch Sie brauchen *störungsfreie Zeiten,* die sogenannte „stille Stunde", in der Sie schöpferisch arbeiten oder sogar ab und zu nur entspannen! Langwierigen und zähen Besprechungen sollten Sie mißtrauen. Meistens stören solche Veranstaltungen Ihr Wohlbefinden und auch den ganzen Tagesplan. Es liegt an Ihnen: Setzen Sie zu Beginn der Besprechung das Ziel und auch den *zeitlichen Rahmen* fest (maximal ein bis zwei Stunden), und niemand wird Ihnen böse sein. Im Gegenteil: Das Besprechungsergebnis kann sich wahrscheinlich sehen lassen, weil Sie konzentriert gearbeitet haben. Richten Sie eine *Besprechungsecke* ein. Schirmen Sie sich ab von Lärm und Belästigungen. Der *private Kontakt* und der „private Schwatz" im Betrieb müssen und sollen auch sein. Aber: Haben Sie schon einmal daran gedacht, solche Kontakte in eine relativ leistungsschwache Zeit zu verlegen? Überprüfen Sie noch einmal auf Seite 133, wann im Tagesablauf die normalen Leistungstiefs liegen.

Die drei Problemfelder, die ich herausgegriffen habe, lassen sich fast beliebig um weitere vermehren. Auch die in diesen Problemfeldern angeschnittenen Probleme und Schwachstellen sind natürlich nicht vollständig aufgezählt. Ich wollte Ihnen lediglich zeigen, daß es fast für alle Zufälligkeiten und Probleme der Alltagsarbeit methodische Hilfsmittel gibt.

Arbeitstechniken: Nichts für Theoretiker

Es gibt eine Menge Arbeitstechniken, die die Routine- und Alltagsarbeit erleichtern. Von der Notwendigkeit, bei Ihrem Beruf und Ihrer Belastung ein *Zeitplansystem* anzuwenden, sind Sie sicher jetzt überzeugt. Die Anmerkung[78] gibt Ihnen einige Hinweise zu den derzeit gängigen Systemen. Im folgenden informiere ich Sie noch über einige andere persönliche Arbeitstechniken und -methoden. Eine gute Übersicht findet sich im übrigen im „Arbeitsmethoden-Handbuch“, herausgegeben von der Gesellschaft für Arbeitsmethodik.[83]

Arbeitstechniken sind sinnvoll und gut, wenn sie richtig angewendet werden. Sie sind nichts für Theoretiker. Solche Techniken und Methoden müssen jeden Tag, jede Minute, im privaten und betrieblichen Bereich angewendet werden. Dann wird das Leben in der Tat einfacher. Erstaunlich ist nur die Tatsache, daß relativ wenig Manager oder Unternehmer systematisch sich irgendeiner Methode bedienen. Das mag daran liegen, daß viele nicht nein sagen können, möglichst viele Aufgaben und Herausforderungen annehmen und sich dabei überschätzen. Sicher gibt es auch im Management den Typ des Überehrgeizigen, der zeigen will, daß er allen anderen überlegen ist. Unverständlich, daß sich die wenigsten der Arbeitstechniken bedienen. *Gute Methoden sind zum Beispiel die folgenden:*

ABC-Analyse

Bei dieser Methode werden die Aufgaben nach ihrer Wichtigkeit geordnet. Dann werden die Anteile der Aufgaben am Gesamtwert oder Gesamtumfang gemessen. Es wird ersichtlich, daß nur etwa 15 % der Aufgaben einen hohen Anteil (65 %) am Gesamtwert aller Aufgaben hinsichtlich der Effizienz einnehmen: die sogenannten A-Aufgaben. Die am wenigsten wichtigen Aufgaben nehmen 65 % am Gesamtumfang ein, haben aber nur 15 % Bedeutung am Gesamtumfang: die sogenannten C-Aufgaben. Der Rest mit 20 % am Gesamtwert sind die sogenannten B-Aufgaben. Die genannten Prozentsätze dienen der Orientierung für die Prioritätensetzung: etwa 65 % der Zeit für die wichtigsten A-Aufgaben, rund 20 % für die durchschnittlich wichtigen B-Aufgaben und 15 % für die unbedeutenden und delegierbaren C-Aufgaben. Angewendet wird diese Methode bei der *Analyse von Aufgaben* und bei der *Bestimmung von Prioritäten.*[84]

Konferenztechnik

Hier geht es darum, Regeln und Hinweise für eine effektive Leitung und Durchführung von Konferenzen zu beachten. Es gibt methodische Anleitungen für die einzelnen Konferenz- oder Besprechungsstufen, wie zum Beispiel Vorbereitung, Durchführung und Nachbearbeitung.[85]

Kepner-Tregoe-Methode

Dies ist eine Methode der Entscheidungs- und Problemlösungstechnik, die bei *komplexen Problemsituationen* anwendbar ist. Stufen dieser Methode sind Situationsanalyse, Problemanalyse, Entscheidungsanalyse, Analyse der potentiellen Probleme.[86]

Netzplantechniken

Hierunter sind verschiedene Verfahren zu verstehen, die für die Projekt- und Terminplanung geeignet sind. Projekte werden in einzelne Abschnitte und Aktivitäten zerlegt, die ablauftechnisch, zeitlich, kapazitäts- und kostenmäßig abhängig sind. Vorgänge und Abhängigkeiten werden grafisch dargestellt. Geeignet sind diese Methoden für die integrierte Planung von Forschungs- und Entwicklungsprojekten, von organisatorischen Aufgaben oder im persönlichen Bereich.[87]

Ökologie und Ökonomie sind keine Gegensätze.
FORNALLAZ

5.10 Nicht zu Lasten der Umwelt wirtschaften

Aldous HUXLEY schreibt: „Der Taoist hat kein Verlangen danach, die Natur seinen unüberlegten, zeitlichen Zwecken zu unterwerfen. Er will mit der Natur zusammenwirken, um materielle und soziale Bindungen zu schaffen, in denen der einzelne TAO auf jeder Ebene verwirklichen kann ... verglichen mit dem Taoismus und Buddhismus war die christliche Haltung gegenüber der Natur erstaunlich wenig empfindsam und oft ausgesprochen tyrannisch und gewalttätig."[88]

Für den Taoisten war eins sein mit der Natur und den natürlichen Abläufen eine Selbstverständlichkeit. Ich lasse stellvertretend für viele andere noch einmal TSCHUANG TSE zu Wort kommen:

Nur die wahrhaft Klugen kennen die Einheit der Dinge. Darum setzen sie keine Unterscheidungen, sondern folgen dem Allgemeinen und Gewöhnlichen. Das Allgemeine und Gewöhnliche sind die natürliche Funktion aller Dinge, in der die allgemeine Natur des Ganzen ausgedrückt ist. Wenn sie der allgemeinen Natur des Ganzen folgen, sind sie glücklich. Wenn sie glücklich sind, sind sie der Vollkommenheit nahe.

Ökologisierung im und mit dem Unternehmen durch Umdenken?

Sicher ist, daß Unternehmer oder Manager die *ökologischen Herausforderungen unserer Zeit ernster nehmen müssen.* Es gibt Denker und Mahner, die der Meinung sind, daß nicht nur das marktwirtschaftliche System, sondern die Menschheit insgesamt gefährdet ist, wenn die Berücksichtigung der Ökologie in der Ökonomie so unzureichend wie bisher geschehe.[89]

Für den Umgang zwischen der Unternehmensspitze bzw. den Kapitaleignern und den Arbeitnehmern bzw. den Gewerkschaften haben sich besonders nach 1945 Spielregeln etabliert, die es beiden Interessensgruppen ermöglichen, nicht nur zu bestehen, sondern zum Wohle aller und des Systems zu handeln. Dies war nicht immer so. Es gab auch Zeiten, in denen Arbeitnehmervertreter oder Gewerkschaftler als Feinde und Systemzerstörer betrachtet wurden.

Ähnlich stellt sich die Situation heute dar zwischen Management und Ökologie. Noch betrachten die meisten Manager oder Unternehmer ökologische Forderungen als unternehmensschädlich und deren Vertreter als Feinde, die das Unternehmertum grundsätzlich angreifen oder seine Bedeutung mindestens verringern wollen. Es herrscht Frontstellung, und nur in ganz wenigen Köpfen der Unternehmer beginnt sich durchzusetzen, daß nur durch solidarisches Handeln und Umdenken Ökonomie und Ökologie in Einklang gebracht werden können.

In der heutigen Situation wird es wohl noch *starker staatlicher Eingriffe* bedürfen, um ökologische Forderungen durchzusetzen. Auch der Umgang zwischen Unternehmern und Gewerkschaften wurde im Laufe der Jahrzehnte gesetzlich geregelt und durch die Rechtsprechung verfeinert. Solange umweltschädigendes Verhalten ohne Sanktionen möglich, finanziell sogar attraktiv und dazu noch wesentlich bequemer ist, kann Umweltschutz in großem Ausmaß allenfalls mit dem Zwang staatlicher Gebote und Verbote erreicht werden. Dies ist natürlich ein kreativitätshemmender Weg, der wenig innovative und bahnbrechende Lösungen (Produkte, Fertigungsverfahren, Arbeitsmodelle usw.) zuläßt. Aber es ist immerhin ein Weg, der konsequenter begangen werden muß. Dabei scheint es mir allerdings wichtig zu sein, daß die Gesetzgebung klare *Ziele und Rahmenbedingungen* vorgibt, an denen sich jedes Unternehmen orientieren kann.

Es bleibt bei vielen Managern und Unternehmern ein großer Rest Skepsis, ob die Marktwirtschaft nach heutiger Prägung überhaupt in der Lage ist, ökologische Aufgaben zu lösen. Die Skepsis könnte geringer sein, wenn die Wirtschaft verpflichtende ökologische Ziele akzeptieren würde. Dies würde allerdings bei den handelnden Personen ein *Umdenken* voraussetzen in der Richtung, daß die Ökologisierung des Unternehmens für das Überleben des Systems und der Menschen als unabdingbar notwendig erkannt wird. Ein weiter Weg noch, wie ich finde.

Es wird aber auch immer mehr *Verbraucher* geben, die darauf achten, ob und wie das betreffende Unternehmen mit der Ökologie umgeht, wie die Produkte umweltfreundlich gefertigt und verpackt und vertrieben werden und wie das Unternehmen selbst im Inneren, also in seiner Kultur, umweltfreundlich eingestellt ist und handelt. Daß einige große, in der Regel weltweit operierende Unternehmen dies schon erkannt haben, zeigen zur Zeit große Anzeigenkampagnen (zum Beispiel COCA COLA, BAYER). Die Macht der Konsumenten kann gewaltig sein, wenn sie genutzt wird. Kritisches Konsumverhalten erzwingt allemal eine Änderung von Unternehmensstrategien.

Ich zweifle nicht an der Fähigkeit der Manager oder Unternehmer, die ökologische Wirtschaft zu schaffen oder die Marktwirtschaft weitgehend zu ökologisieren, *wenn dies gewünscht wird.* FORNALLAZ fragt zu Recht: Warum also dann warten, wenn die Wege bekannt sind?[90] *Folgende Wege werden von ihm als systembildend und grundsätzlich bedeutsam vorgeschlagen:*

- *Im materiellen Sektor Kreisläufe* anstreben. Dies bedeutet weg von den linearen, auf Endlichkeit und Vernichtung (Abfall, Abwasser, Abluft) angelegten Produktionsabläufen und hin zum Recycling und der weitgehenden Wiederverwendung von Stoffen.

- Die *Nachhaltigkeit von Energien und Werkstoffen* beachten. Hierunter ist zu verstehen, daß Energie und Materie nachhaltig vorhanden sind und wir heutzutage nur Bruchteile nutzen und den Rest verschwenden.

- *Emissionen vorsorgend vermeiden.* Dieser Weg ist sicher jedem sofort einleuchtend.

- Vermehrte Beachtung der *Bedürfnisse des immateriellen Sektors.* Hier wird in der Regel umwelt- und menschenfreundlich gearbeitet.

- *Dezentralisation* und Schaffen kleinerer Einheiten, weil sie ebenfalls umweltfreundlicher, insbesondere aber menschengerechter sind.

- Vermehrte Übertragung von *Verantwortung nach unten* sowie Schaffen von Zeitflexibilität bis hin zur Zeitsouveränität.

Dies sind Forderungen und Wege, die zu einer Zielbündelung von Ökonomie und Ökologie führen könnten. Es muß allerdings gesagt werden, daß das gesamte theoretische Fundament für eine derartige Wirtschaftsverfassung nicht existiert. Es gibt allenfalls Denkansätze in der beschriebenen Richtung.[91] Hier sind staatliche Stellen und die universitäre Forschung ganz besonders gefordert. Bis dahin müssen die „Macher“, die den vorgezeichneten Weg visionär sehen, Schritte in Richtung Ökologisierung des Unternehmens tun. Es kommt ihnen zugute, daß in der Bevölkerung eine breiter werdende Schicht umdenkt (vielleicht aufgrund der zunehmenden Umweltkatastrophen). Dieser Umdenkungsprozeß zeigt sich bis jetzt zwar nur in verstärkten Recyclinghandlungen oder der vermehrten Benutzung öffentlicher Verkehrsmittel. Es ist aber nicht auszuschließen, daß demnächst auch Verpackungen und ihre Umweltverträglichkeit im weitesten Sinne zur Diskussion gestellt oder ganze Produkte überhaupt angegriffen oder boykottiert werden. Das Szenario sollte jeder Manager oder Unternehmer für seine Produkte oder Dienstleistungen heute unbedingt aufbauen und so im Interesse des Unternehmens die Weichen richtig stellen.

Staatliche Umweltpolitik als betrieblicher Kostenfaktor

Die staatliche Umweltpolitik wird für die Betriebe immer bedeutsamer. Angesichts der zunehmenden Gefährdungen durch Umweltkatastrophen ist künftig mit noch stärkeren Eingriffen des Staates zu rechnen, um die Umweltqualität für die Bürger einigermaßen aufrechtzuerhalten oder um unmittelbare Gefahren abzuwenden. Zum Zustand der betrieblichen Umweltbeziehungen gibt es gute Analysen des Istzustandes und der Wirkungsweisen der einzelnen politischen Instrumente.[92]

Die Umweltpolitik nimmt in der Regel direkten Einfluß auf den Produktionsprozeß und auf die Kombination der Produktionsfaktoren, und zwar durch Vorschriften oder Anreize zur zwangsweisen oder freiwilligen Minderung der Umweltbelastung durch die Produktion. Diesen staatlichen Anforderungen kann der Unternehmer im Prinzip auf zweierlei Weisen entsprechen:

- durch *integrierte Umweltschutzmaßnahmen*. Hier wird durch verschiedene innerbetriebliche Produktionsmaßnahmen der Schadstoffanteil vermindert oder vermieden;
- durch *nachgeschalteten Umweltschutz*. Hier wird im Anschluß an die Produktion der Schadstoffanteil oder die Gefährdung vermindert.

Die gesamte, heute herrschende Umweltpolitik, auch im Bereich des privaten Verbrauchs, beruht aber noch viel zu wenig auf der Einsicht der Verursacher oder der Nutzer und Anwender, sondern fast ausschließlich auf Zwangsmaßnahmen des Staates. Das Ausmaß dieser Zwangsmaßnahmen hängt von der unmittelbaren Bedrohung und von der Stärke und Macht der jeweiligen politischen Interessengruppen ab. Bei den meisten Unternehmen ist somit vom TAO-Management wenig zu sehen und zu spüren. Umweltschutz geschieht fast ausschließlich durch Gesetz und Verordnung. Dies wird sich jedoch ändern, da der Umdenkensprozeß sicher durch vermehrte Katastrophen und Markteinbrüche beschleunigt werden wird. Wenn der Unternehmer den Umweltschutz nicht mehr in erster Linie als Kostenfaktor, sondern als zu integrierende Selbstverständlichkeit betrachtet und sein Unternehmen nicht mehr gegen die Natur stellt, dann sind Ökologie und Ökonomie keine Gegensätze mehr. Jeder Unternehmer oder Manager sollte sich bewußt sein, daß Natur und Menschheit letztlich nur überleben können, wenn sich die Menschen, und damit die Unternehmen, als Teil der Natur und als Prozeßelement von natürlichen Abläufen begreifen. Das TAO-Management gibt den Überlebensschlüssel dazu.

6. Kapitel

Die „innere“ Gesundheit und Ganzheitshygiene des Managers

TAO-Management ist ganzheitliche Führung – Körper-Geist-Ganzheit des Menschen – Den Körper und den Geist angemessen beherrschen – Bewegung und Atmung – Psychotechniken – Meditation und Reflexion – Streßabbau – Das Immunsystem verstärken

Weise Lebensführung gelingt
keinem Menschen durch Zufall.
Man muß, solange man lebt,
lernen, wie man leben soll.
SENECA

6.1 TAO-Management ist ganzheitliche Führung

Das TAO-Management besteht aus einer verstärkten Berücksichtigung und Anwendung bestimmter ganzheitlicher Führungsgrundsätze und Fähigkeiten neben den bisher im Vordergrund stehenden Management-Techniken und überwiegend rational ausgerichteten Führungsstilen. Diese in einem solchen dualen Management stärker zu betonenden musisch-schöpferischen Fähigkeiten und Fertigkeiten habe ich ausführlich im vorangegangenen Kapitel 5 dargestellt. Insofern ist dieses Kapitel 5 ein *Plädoyer für mehr Gefühl, mehr Vision und mehr Kultur im Unternehmen.*

Zur Praxis des ganzheitlich ausgerichteten TAO-Managements gehören aber auch Manager oder Unternehmer, die TAO-bewußt denken und fühlen können sowie auch weitgehend so leben. Dies sind Menschen, die so weit wie möglich eins sind mit dem TAO und die hinter den in Kapitel 4 dargestellten Lebensgrundsätzen stehen. Der ganzheitlich denkende, TAO-bewußte Mensch ist „innerlich“ gesund und stabil; seine Ganzheitshygiene stimmt. Er denkt, fühlt und handelt weitgehend nicht mehr schizophren, das heißt einseitig trennend und kartesianisch vorgehend, also zerlegend und das Rational-Technische überbetonend. Unter *„innerer“ Gesundheit* verstehe ich einen bestimmten Grad von persönlicher Ausgeglichenheit und Reife, die erlernbar und trainierbar ist. Der „innerlich“ gesunde Mensch akzeptiert den dauernden Dualismus und die ständige Ambivalenz des Lebens. Er weiß, daß Yin und Yang überall ist. Mehr noch, er hat gelernt, sich mental und tatsächlich als Ganzheit und als Teil der ganzen Natur zu sehen und so seine Fähigkeiten entsprechend einzusetzen. Dies setzt ein hohes Maß an Bewußtsein und die Fertigkeit, sich zu versenken, voraus. Hier ist vieles erlernbar und dauernd zu üben.

Entscheidend ist das persönliche Wollen und ein großes Maß an persönlicher Disziplin und persönlichem Fleiß. Auf die notwendigen Techniken weise ich Sie hin und gebe einige Hilfestellungen dazu in den folgenden Unterabschnitten.

TAO-Management ist ganzheitliche Führung, bei der der Mensch im Mittelpunkt steht und doch Teil des Ganzen ist. Auch der Manager oder Unternehmer steht selbst im Mittelpunkt und ist Teil des Ganzen. Von ihm hat das TAO-Bewußtsein auszugehen; er muß Vorbild und TAO-Autorität sein. Dies kann er nur, wenn er eine ganzheitliche Einstellung erreicht hat und in sich selbst ruht.

Ganzheit ist nicht addierend,
sondern integrativ.
JUCHLI

6.2 Die Körper-Geist-Ganzheit des Menschen

Aus mehreren Richtungen kommend, beginnt sich die Ansicht durchzusetzen, daß der Mensch sowohl bei der Heilung von Krankheiten physischer oder psychischer Art als auch bei der Konditionierung oder Weiterentwicklung, auch zu anderen Bewußtseinszuständen, immer als Einheit und als Ganzes zu betrachten ist. So sehen zum Beispiel die *Ganzheitspsychologie* von KRÜGER[1] und die grundlegende Einstellung der *anthropologischen Medizin*[2] den Menschen als Leib-Seele-Einheit und jede Krankheit als lebensgeschichtliche Situation des Individuums. Aus der *humanistischen Psychologie* hat sich die *transpersonale Psychologie* entwickelt, bei der zur zentralen Bedeutung des Menschen als Forschungsobjekt mystische Erfahrungen, kosmische Empfindungen, Transzendenz und Synergie zwischen Individuen und Gattungen hinzugekommen ist.[3] Der Gedanke des Holismus, also der Ganzheit und Einheit, spielt dabei eine entscheidende Rolle.

Auch der grundlegende Ansatz der *psychosomatischen Psychologie* geht von einer Ganzheitstheorie aus.[4] Leib und Seele und jede ihrer besonderen Funktionen werden als Ausdruck der ganzheitlichen Realität des Organismus angesehen. Es wird zwar gesagt, daß in der psychoanalytischen Tradition der Mensch als leib-seelische Einheit angesehen werde. Aber bei der Behandlung von Krankheiten sind bis jetzt sowohl die Psychoanalyse als auch die psychosomatische Medizin zu einseitig unter dem einen oder anderen Aspekt herangegangen. Sie haben nicht systematisch von der Fähigkeit des Menschen Gebrauch gemacht, seines Körpers bewußt gewahr zu sein. Dies nennt man *Körperempfinden oder Körperbewußtsein*. Umgekehrt gilt auch für die rein „technische“ Behandlung von Krankheiten, daß zwar das Körperempfinden beachtet wurde, weil es ja Ansatz der Heilung war, nicht aber das Seelenempfinden. Tatsächlich praktizierte Ganzheit in der Gesundheit und in der Heilung des Menschen ist noch viel zu selten.

In der Medizin und in der Gesundheitspflege sind somit vereinzelte Ansätze in Richtung eines *Umdenkens* zu erkennen, das letztendlich durch seinen ganzheitlichen Ansatz auf eine Körper-Geist-Einheit hinausläuft. Es wird gesagt, daß im sogenannten *„alten“ Paradigma* die Medizin durch folgende Vorgehensweisen gekennzeichnet sei[5]:

- *Behandlung von Symptomen;*
- professionell sein heißt: *emotional neutral;*
- *Körper und Geist sind getrennt.* Psychosomatische Erkrankungen sind mentaler Natur und werden an den Psychiater verwiesen;
- Placebo-Effekte beweisen die Macht der *Suggestion.*

Im Gegensatz dazu sorgt die *ganzheitliche Betrachtung* für die folgenden Vorgehensweisen:

- Suche nach *Strukturen und Ursachen;* zusätzliche Behandlung von Symptomen;
- professionelle *Fürsorge ist ein Teil der Heilung;*
- *Körper-Geist-Perspektive:* Psychosomatische Erkrankungen fallen in den Zuständigkeitsbereich aller Heilberufe;
- Placebo-Effekte beweisen die Rolle des Geistes bei Krankheit und Heilung.

Wenn Sie diese vier Punkte der ganzheitlichen Einstellung in der medizinischen Vorsorge und Heilung aufmerksam betrachten, wird es Ihnen sicherlich leichtfallen, *Parallelen zum Management* und zur Menschenführung im Unternehmen (Sozialkompetenz) zu ziehen. Auch in der ganzheitlichen Unternehmensführung muß nach Strukturen und Ursachen geforscht werden; kurieren von betrieblichen Symptomen allein führt nicht zur Gesundung oder zum angemessenen Wachstum. Auch die professionelle Fürsorge ist Teil des Managements; Unternehmensführung im ganzheitlichen Sinn bedeutet integrative Betrachtung und Behandlung der betrieblichen und privaten Sphäre der Mitarbeiter. Auch im Unternehmen gibt es Entsprechungen für Körper und Geist. *Materie im Unternehmen* sind Vermögen, Schulden, Forderungen, Kapital, also Aktiva und Passiva sowie Aufwendungen und Erträge. Die Materie findet sich zusammengefaßt in der Bilanz und in der Gewinn- und Verlustrechnung wieder. Der *Geist des Unternehmens* zeigt sich im Grad der Motivation, im Image, in Strategien und wird zusammengefaßt als Unternehmenskultur bezeichnet (lesen Sie noch einmal nach ab Seite 168). Auch die mentale Unternehmensführung vermag Berge zu versetzen: Die schöpferische Kraft des Managers kooperiert mit dem Wissen und den gelernten Fähigkeiten und kann so das Unternehmen weiterbringen.

CAPRA schreibt in seiner „Physikersprache“, inhaltlich aber völlig richtig, zum Thema Ganzheit und Gesundheit[6]: „Gesundheit ist in Wahrheit ein multidimensionales Phänomen mit voneinander abhängigen physischen, psychischen und sozialen Aspekten. Die übliche Darstellung von Gesundheit und Erkrankung als entgegengesetzte Punkte eines dimensionalen Kontinuums ist ziemlich irreführend. Körperliche Krankheit kann durch positive psychische Haltung und Einstellung zur Gesellschaft ausgeglichen werden, so daß der Gesamtzustand als Wohlbefinden gelten muß. Andererseits können emotionelle Probleme oder gesellschaftliche Isolierung eine Person trotz körperlicher Fitneß sich krank fühlen lassen.“

Ganzheitlichkeit des Menschen bedeutet zu akzeptieren, daß es eine Körper-Geist-Einheit gibt. Alle Versuche der Trennung zwischen Körper und Geist führen zu Störungen oder zu einer schädlichen Einseitigkeit. Insofern sind alle Ansätze der Psychologie und der Medizin zu begrüßen, die ganzheitlich vorgehen. Auch dieses Buch versucht den Ansatz, die Notwendigkeit der ganzheitlichen Betrachtung und Handlung im Management darzustellen. Ich betone es nochmals: Nur der ganzheitlich orientierte Manager oder Unternehmer ist in der Lage, sein Unternehmen und seine Mitarbeiter entsprechend zu führen. Ganzheitlichkeit kann aber nicht fremdbestimmt oder rezepthaft verordnet werden. Es gilt tatsächlich:

Ganzheitlichkeit kann nur von einem nach Ganzheitlichkeit strebenden Menschen verwirklicht werden.

Wenn Sie von der *Körper-Geist-Einheit des Menschen überzeugt* sind, müssen Sie lernen, Ganzheitshygiene zu betreiben. Ganzheitlichkeit ist tatsächlich zu einem gewissen Grad erlernbar und trainierbar. Bestimmt können Sie lernen, so zu leben und zu handeln, daß Sie *selbst mit sich eins* sind. Dann steht Ihnen auch der Weg zu höheren Bewußtseinsebenen offen. Im nächsten Unterabschnitt gebe ich Ihnen deshalb einen Überblick über Grundregeln der Behandlung des Körpers und Gesundheitsübungen des Taoismus. Daraus haben sich im Laufe der Jahrhunderte Psychotechniken entwickelt, die es Ihnen erlauben, in sich hineinzuhören und dem Körper nachzuspüren. Auch oder gerade als Manager oder Unternehmer sollten Sie die eine oder andere Technik oder Übungsfolge beherrschen, um im entscheidenden Augenblick oder als tägliche Routine sich entspannen zu können. Denn ohne ein gewisses Maß an Ganzheitlichkeit ist kein TAO-Management möglich und kein Aufbruch zur neuen Unternehmensführung. Denn es gilt[7]:

Wer Impulse der Ganzheitlichkeit setzt,
lebt und verwirklicht schon Ganzheitlichkeit.
Wer sich bemüht, den Menschen zu verstehen,
ihn in seinen Möglichkeiten und Grenzen sieht,
ist schon ein Träger der Ganzheitlichkeit.

Die der natürlichen Ordnung folgen,
fließen im Strom des TAO.
HUAI NAN-TZU

6.3 TAO-Empfehlungen und TAO-Übungen zur Gesundheit

In der Blütezeit des Taoismus hat sich in China eine Medizin und Gesundheitsvorsorge etabliert, die, nach heutigen Maßstäben gemessen, immer noch beachtenswert ist. Es war die Zeit der theoretischen Darstellung der „inneren Alchimie“[8] und der Akupunktur. Es war die Zeit der Erkenntnis der Körpermeridiane und des Flusses der Lebensenergie Ch'i. In diese theoretischen Überlegungen möchte ich Sie nicht einführen, sondern Ihnen nur die seinerzeit daraus entstandenen und auch heute noch geltenden praktischen Nutzanwendungen darstellen.

Ziel ist, Körper und Geist angemessen zu beherrschen, d. h. unter Kontrolle zu haben. Dies ist nur mit einer einigermaßen strengen Disziplin möglich. Die Beherrschung von Körper und Geist sollte wiederum zwei Oberzielen dienen. Zum einen suchte der Taoist nach einem langen Leben, und zum anderen war und ist die Körper- und Geistbeherrschung Voraussetzung für jede Form der Transzendenz durch Meditation, Askese oder ähnliches. „Ohne angemessene Beherrschung von Körper und Geist wird die größte Mühe nicht zu den gewünschten Ergebnissen führen.“[9]

Zuallererst gilt es, den *Körper zu pflegen.* Nahrung, Kleidung, Reinigung, Schlaf und Bewegung sind Dinge, denen höchste Aufmerksamkeit zu schenken ist. In allen Dingen soll aber auf jeden Fall Mäßigung herrschen. Das TAO TE KING sagt dazu (Kapitel 29):

Darum meidet der Berufene
das Zusehr
das Zuviel
das Zugroß

Nahrung soll ausreichen, den Hunger zu stillen, aber nicht zu üppig sein. Wein darf man nach Ansicht der Taoisten ohne weiteres trinken, aber nicht in solchen Mengen, daß man übermäßig erregt wird und sich einbildet, „die Leute möchten einen unbedingt singen hören“. Ein Fehler ist es nach Ansicht der Taoisten, durch ein Hobby oder eine intensive Beschäftigung ungewöhnlich stark werden zu wollen. Das TAO TE KING sagt dazu (Kapitel 15):

Der Berufene meidet die Fülle der Kraft und darf sicher sein, daß im Maße, in dem seine eigenen Kräfte verausgabt werden, diese sich erneuern.

Überanstrengung des Körpers schadet genauso wie zuviel Schlaf oder die Überforderung der Augen oder der Ohren. Man solle durchaus anspruchslos leben, aber spartanisch war damit nicht gemeint. Körperliche Bewegung solle regelmäßig sein, aber nicht in Überanstrengung ausarten, da insbesondere in zunehmendem Alter der Verlust an Energie durch Höchstleistungen nicht mehr ausgeglichen werden könne.[10] Zur Gesunderhaltung des Körpers sei ein fünffacher Verzicht notwendig und sinnvoll:

Das Festhalten an Reichtum und Ruhm bringt Sorge – gib sie auf!
Übermaß an Freude oder Wutausbrüche stören die Gelassenheit – gib sie auf!
Starke Neigung zu Sinnengenuß erzeugt Unausgeglichenheit – gib ihn auf!
Sorge um den Erfolg in der Kultivierung des Wegs (TAO) führt zum Scheitern – gib sie auf!

Atemübungen sind in fast allen meditativen Disziplinen, ob chinesisch, indisch oder tibetisch, von großer Bedeutung. Durch gezielte und regelmäßige Atemübungen stellen sich zum einen körperliche Vorteile ein, die man durch das regelmäßige Üben der Tiefatmung gewinnt. Zum anderen wird auch Lebenskraft oder aktive Energie (ch'i,[11]) mit der Atemluft in den Körper geleitet. Selbst einfache Atemübungen sind für Ungeübte nicht einfach, wie zum Beispiel das Ein- und Ausatmen nur durch die Nase, wobei der eingezogene Atem immer länger angehalten werden soll. Es muß auch geübt werden, das Fließen des Atems unhörbar zu gestalten. Die richtige Atmung gehört zu den meistzitierten Voraussetzungen eines langen Lebens und umfaßt zum Teil recht komplizierte Übungen.[12]

Neben den Atemübungen haben auch *Bewegungsübungen* einen hohen Stellenwert. Zu den interessantesten und anmutigsten gehört die Kunst des *tänzerischen Schattenboxens,* das für alle Altersstufen geeignet ist. Es ist das t'ai chi ch'üan, das auch in Europa zunehmend gelehrt wird und sich steigender Beliebtheit erfreut.[13] Aus den taoistischen Bewegungsübungen haben sich Sportarten entwickelt, die bis heute in Mode sind. So war *Kung Fu* ursprünglich eine taoistische Kunst.[14] Auch *Judo**, *Kendo** und *Aikido** können als Ableger taoistischer Methoden der bewaffneten und unbewaffneten Selbstverteidigung betrachtet werden.[15] So deutet ja noch heute die japanische Nachsilbe „do“ auf das chinesische TAO hin. Gerade das Judo-Prinzip, das Gewicht und Stärke eines Gegners ausnutzt, ist durch seinen paradoxen Ansatz typisch taoistisch.

Mensch werden
ist eine Kunst.
NOVALIS

6.4 Psychotechniken: In sich hineinhören und dem Körper nachspüren – der Mensch verändert sich

Es gibt heute eine Vielzahl von Methoden, Verfahren und Empfehlungen, wie Menschen

- andere *Bewußtseinszustände* erreichen;
- *neue Wege* für sich entdecken;
- *transformative Erfahrungen* machen;
- persönlich weiterkommen und *Ganzheit leben* können;
- einfach *das Leben meistern.*

Alle diese Methoden und Systeme könnte man *Psychotechniken* nennen.[16] Alle Verfahren, Hilfsmittel und Techniken haben eines *gemeinsam:* Sie gehen von einer *Körper-Geist-Ganzheit* aus und sind auf *Erkenntnis* ausgerichtet. Es geht im Prinzip in der höchsten Stufe der Erkenntnis um Transformation, das heißt Änderung des Bewußtseins. Transformation bedeutet Neugestaltung, Veränderung, Neustrukturierung, also Aufbruch in ein neues Zeitalter durch veränderte Menschen. Mir geht es bei den Psychotechniken darum, sie als Hilfsmittel und Werkzeuge oder Methoden zu begreifen, die dem Menschen dazu verhelfen, ganzheitlich und von einem entspannten Zustand mit zeitweise erweitertem Bewußtsein aus zu leben. Der Manager oder Unternehmer muß solche Entspannungszustände oder Stufen eines erweiterten Bewußtseins erreichen, wenn er ganzheitlich führen will. Darüber hinaus sind solche Transformationszustände wichtig für die eigene „innere“ Gesundheit und Ganzheitshygiene.

Die Psychotechniken sind äußerlich auf den ersten Blick sehr *unterschiedlich.* Sie besitzen jedoch fast alle eine gemeinsame Eigenschaft. Sie richten sich immer auf etwas sehr Fremdes, Komplexes, schwer Faßbares oder Gleichförmiges. Dieses ist meistens so geartet, daß es von der linken Gehirnhälfte, die analytisch und intellektuell arbeitet, nicht oder fast nicht gehandhabt werden kann. Es geht um solche Dinge wie Atmung, gleichmäßige, rhythmische körperliche Bewegungen, Musik, Feuer, Wasser, Wortklänge oder Rezitationen ohne Bedeutung, eine kahle Wand, eine Blume, ein Koan* oder ein Paradox. Bei schwer faßbaren oder gleichförmigen Dingen, wie den beispielhaft genannten, können die Signale der anderen Gehirnhälfte (leichter) vernommen werden. Dadurch erweitert sich das Bewußtsein; ein neuer Seinszustand mit neuen Erfahrungen tritt auf; gelebte Ganzheitlichkeit entsteht.

Psychotechniken sind also Systeme für eine ausgewogene Veränderung des Bewußtseins.[17] Sie können zu ganzheitlichem Fühlen und Handeln führen. Sie erfüllen aber auch eine Sehnsucht der Menschen nach Erfahrung, nach Sicherheit und Erweiterung und nach Erfüllung. Ich will nicht verschweigen, daß es auch Menschen gibt, die in solchen Psychotechniken, die die Seele beeinflussen, eine Art Religion sehen. Legt man das Wort Religion weit in seinem Ursinn aus, fallen solche Systeme und Rituale sicher darunter. Gefährlich wird es erst dann, wenn der Glaube an solche Psychotechniken zu stark wird und dadurch Realitätsverschiebungen auftreten können.

Manche Techniken und Verfahren sind *kompliziert* und erscheinen umständlich. Dies hat nichts mit ihrer Wirksamkeit zu tun. Da die Menschen sehr verschieden sind, gibt es auch viele Techniken. Für den einen sind äußerst komplexe und gegliederte Systeme von Vorteil. Für den anderen bringen einfache Verfahren schnellste Veränderung. Es ist auch denkbar, daß ein Annäherungsweg, der eine gewisse Zeit funktioniert hat, plötzlich wirkungslos wird. Später erkennt man dann ebenso plötzlich, daß etwas Wichtiges vorgefallen ist, was selbst auch zur Technikänderung geführt hat.

Keine Technik funktioniert, wenn sie mit Anstrengung betrieben wird. Nur wer loslassen kann, wird Erfolg haben. Der Schlüssel ist ein entspannter Zustand der Aufmerksamkeit. Er kann nicht erzwungen werden. Es gibt sicher auch Menschen, die weitgehend resistent gegen solche Psychotechniken sind. Gründe hierfür können sein, daß sie in der Kindheit Schmerzen gegenüber empfindlicher gewesen sind oder viele schädliche Einflüsse zu erfahren hatten. Sie haben sich stark von der emotional reagierenden, schmerzempfindlichen Seite des Gehirns getrennt oder isoliert. Hier ist wohl eher eine fachlich fundierte psychologische oder psychiatrische Behandlung angebracht, wenn sonst auch Lebensstörungen auftreten sollten.

Noch etwas scheint mir wichtig. Wie bei körperlichem Training auch, *steigern sich die Wirkungen* bei den Psychotechniken mit zunehmender Praxis. Auch hier macht Übung den Meister. Aber: Veränderungen im Bewußtsein, das heißt im Gehirn, gehen nicht auf dieselbe Art und Weise verloren, wie die Muskelkraft bei nicht fortgesetztem Körpertraining wieder schwindet. *Deshalb ändert sich der Mensch, wenn es ihm gelingt, zu anderen Bewußtseinszuständen vorzudringen.*

Die Grundsätze, nach denen Sie die Psychotechniken betrachten und anwenden sollten, möchte ich noch einmal *zusammenfassen:*

- Die *Kompliziertheit* einer Psychotechnik hat nichts mit ihrer *Wirksamkeit* zu tun;
- es geht darum, die *für Sie geeignete* Technik zu finden: Probieren Sie ruhig einiges aus; aber ein gewisses Maß an Geduld muß auch im Teststadium sein;
- keine Technik funktioniert, wenn sie mit *Anstrengung* und *Hektik* betrieben wird;
- mit *zunehmender Ausdauer* steigert sich die Wirkung;
- betrachten Sie eine solche angewendete Technik *nicht als Religion* und Allheilmittel oder Droge;

- die Psychotechnik ist *nur ein Hilfsmittel* und kein Selbstzweck;
- die folgende Darstellung gängiger Techniken ist *nicht abschließend;* Sie könnten auch Ihre eigene Methode entwickeln.

Die *gängigen Psychotechniken* zähle ich Ihnen im folgenden auf, wobei ich mich jeweils bemühe, in den Anmerkungen Hinweise zu geben, wo Sie bei Interesse tiefer einsteigen oder nachlesen können.

- *Autogenes Training.* Ein Verfahren der Selbstsuggestion und konzentrativen Selbstentspannung. Durch stufenweise erlernbare selbsthypnotische Übungen werden Muskeln, Puls, Atmung, Hautdurchblutung und psychische Haltung beeinflußt. Das Verfahren ist vor über 50 Jahren in Europa entstanden.[18]
- *Biofeedback.* Durch Anwendung entsprechender technischer Apparaturen werden biologische Vorgänge, wie zum Beispiel Gehirnwellenaktivitäten, Muskelaktivitäten, Hauttemperatur, erlebbar und sichtbar gemacht (durch Töne oder grafische Aufzeichnungen). Es kommt nun darauf an, Vorgänge dieser Art unter Kontrolle zu bekommen und zu beeinflussen über eine Art Rückkoppelung, die allerdings nur bei ungewöhnlich wachem und entspanntem Zustand gelingt.[19]
- *Musik.* Musik kann hervorragend zur Entspannung und Bewußtseinserweiterung dienen, insbesondere in Verbindung mit bildlichen Darstellungen (zum Beispiel als Video) oder in Verbindung mit Meditation. Es gibt auch spezielle, für diese Zwecke komponierte und zusammengestellte Musik. Am besten ist es natürlich, selbst Musik zu machen. Gerade Töne und verschiedene Tempi beschäftigen die rechte Gehirnhälfte sehr stark.[20]
- *Weitere musisch-schöpferische Tätigkeiten,* wie zum Beispiel Singen, Malen, Bildhauerei, Töpfern, Weben, ermöglichen es dem Erschaffenden, in seiner Schöpfung und in seinem Werk aufzugehen.

- *Hypnose und Selbsthypnose.* Die Hypnose ist ein durch bestimmte Techniken künstlich erzeugter schlafartiger Zustand, den man psychologisch gesehen als Sonderfall der Suggestion bezeichnen könnte. Die Selbsthypnose spielt besonders bei den indischen Religionen eine große Rolle. Auch das autogene Training gilt als Hypnosemethode.[21]

- *Meditation jeglicher Art.* Dazu zählen zum Beispiel:

  - Zen[22]
  - Tibetanischer Buddhismus[23]
  - Dynamische, transzendentale Meditation[24]
  - Kundalini[25]
  - Raja Yoga, Tantra Yoga und andere Yoga-Formen[26]
  - Kabbala[27]

Im nächsten Unterabschnitt zeige ich Ihnen die wichtigsten Grundsätze der Meditation, weil ich der Meinung bin, daß ein Manager oder Unternehmer irgendeine Meditationsform einigermaßen beherrschen sollte.

- *Theater und Tanz* in Form von Improvisation und spontanen Aktionen und Einfällen. Improvisationstheater und Rollenspiele werden auch in Seminaren angeboten. Dazu gehört auch das *Psychodrama,* da es eine Bewußtheit der Rollen und des Rollenspiels herausfordert.

- *Sufismus und der Tanz der Derwische.*[28] Hierzu könnte man auch alle möglichen Techniken von *Schamanen* und Zauberern zählen, also alles, was eine wache Aufmerksamkeit und vorübergehend andere Bewußtseinszustände erfordert und von uns in den *Bereich der Magie* gerückt wird.[29]

- *Körperliche Disziplinen und Therapien* wie zum Beispiel:

  - Hatha Yoga[30]

- Reich-Therapie
- Übungen und Systeme zur Verbesserung des Sehens und zur Schulung der Augen[31]
- Rolfing
- Bioenergetik[32]
- Alexander-Techniken[33]
- ferner Tai Chi, Aikido, Karate, Kendo[34], Jogging, Tanzen usw.
- Feuerlaufen.[35]

- *Selbsthilfegruppen* und alle Arten von sozialen Netzwerken, wie zum Beispiel Anonyme Alkoholiker, Anonyme Übergewichtige und Untergewichtige. Alle solche Gruppen wenden Methoden und Verfahren der „Innenschau" an, um auf diesem Weg bestimmte Probleme lösen zu können.

- *Physisch erschöpfende Tätigkeiten,* wie sie bei bestimmten Sportarten anzutreffen sind, wie zum Beispiel Bergsteigen, Wildwasserfahren, Tauchen. Diese Aktivitäten führen, da sie sehr intensiv erlebt werden, dazu, daß man sich selbst als lebendig und Teil des Ganzen erfährt. Auch Abgeschiedenheit in der Natur und Einsamkeit können die Erfahrungen des eigenen Selbst fördern.

- Intensive *Erfahrungen in Gruppen* können zu persönlichen und kollektiven Veränderungen führen, zum Beispiel in Sensitivitäts-Gruppen, Encounter-Gruppen und allen Freundesgruppen und Zusammenkünften.

Diese Aufzählung der Psychotechniken ist *keineswegs erschöpfend.* Dennoch werden Sie vielleicht überrascht sein, wie viele Möglichkeiten es gibt, zu sich selbst zu finden und andere Bewußtseinszustände zu erreichen. Auf jeden Fall gibt es bei Interesse für jeden Menschen ein Verfahren oder eine Therapie, das oder die zu ihm paßt. Vielleicht haben Sie selbst bei der einen oder anderen sportlichen oder schöpferisch-musischen Betätigung schon einmal eine Veränderung in und an sich verspürt. Dies kann sogar bei der Betrachtung eines Bildes oder bei einer Kontemplation über die Natur geschehen sein. Wichtig ist jetzt: Sie sind überzeugt, daß auch Sie eine Methode oder eine Therapie intensiv betreiben müssen, um zu sich zu kommen und sich zu entspannen und den Fähigkeiten der rechten Gehirnhälfte mehr zum Durchbruch zu verhelfen. Dann fangen Sie an, ein ganzheitlicher Mensch zu werden, und dann können Sie auch beginnen, ganzheitlich, also zukunftssicher, zu führen.

Become silent: What is happening when nothing is happening?
HEIDER

6.5 Meditation als Tor zur Innenwelt

An mehreren Stellen dieses Buches habe ich auf die Notwendigkeit und Bedeutung der Meditation für Manager und Unternehmer hingewiesen. Wenn Sie zum Beispiel ein hohes Maß an Kreativität in Ihrem Unternehmen wünschen, sollten Sie selbst meditieren können. Auch die Visionsfähigkeit hängt wesentlich davon ab, ob und wie Sie die „Kunst der Innenschau" beherrschen. Dies gilt auch für die notwendige Sensibilität im Unternehmen. Ich beschreibe jetzt, was ich unter Meditation verstehe, die Gründe für und die Gefahren durch die Meditation, und gebe Ihnen weitere praktische Hinweise.

Meditation bedeutet wörtlich Nachsinnen (lat. meditari = für sich messen). Nachsinnen ist mehr als Nachdenken oder Grübeln.[36] Es muß noch eine bestimmte Methode oder ein Verfahren hinzukommen. Als Begriffsbestimmung kann man demgemäß gelten lassen: *Meditation ist ein durch spezielle Übungen bewirkter Zustand geistiger Sammlung.* Daraus ist ersichtlich, daß Meditation nichts Passives ist, sondern vielmehr ein aktives Tun voraussetzt. Es gibt viele *Gründe,* warum Menschen heute Meditation treiben. Folgende Motive sind ersichtlich:

- *Gefahr des Selbstverlustes.* Wer von morgens bis abends im Alltagsgeschäft steckt, sich in Tagesaufgaben verliert und von einer Aktivität zur anderen hetzt, erfährt sich auch oft als „ohne Mitte lebend". Er hat kein wert- und sinnorientiertes Zentrum.

- *Identifikationsprobleme.* Es gibt viele Menschen, die im Grunde nicht wissen, wer sie sind. Ihre Identität wird ausschließlich über die Identifikation mit anderen Personen, Gesellschaften,

Ideologien, Institutionen und Religionen, also immer von außen beziehend, aufgebaut. Diese Art von Leben kann auf die Dauer zu Problemen führen, da diese Menschen oft ahnen, daß sie total fremdbestimmt sind, und so psychosomatische Probleme auftauchen können.

- *Zu großes Werte- und Sinnangebot.* Festgefügte Kollektive und Gruppen mit ganz klaren Wertvorstellungen und Sinngebungen gibt es heute immer weniger. Angeblich darf heute jeder fast alles tun und alles denken. Deshalb muß sich jeder selbst einen eigenen Werterahmen geben. Dies hängt im wesentlichen vom Zeitgeist ab, der in dieser Beziehung sehr stark von der sich weiter „entwickelten" Staatsform und dem Postmaterialismus in seiner derzeitigen Ausprägung beeinflußt wird (sog. Multioptionsgesellschaft).

- Die in allen Lebensbereichen *stark vorherrschende kartesianische Lebenseinstellung und Denkhaltung* vernachlässigt durch ihre technisch-rationale Grundstruktur emotionale und metaphysische Bedürfnisse und Notwendigkeiten. Die notwendige Ganzheit bleibt auf der Strecke. Dies ist der wesentliche Grund, warum ich Managern und Unternehmern in diesem Buch Meditation anrate.

- *Kommunikation wird immer mehr zum technischen Informationsprozeß.* Die Frage: „Wie geht es?" ist zur reinen Grußformel geworden; den Fragenden interessiert in der Regel die Antwort gar nicht. Bei solchen Informationsprozessen, bei denen es darum geht, Informationen abzugeben, anzunehmen und zu verarbeiten, gehen wesentliche Merkmale einer Kommunikation verloren. Dies sind zum Beispiel das echte Knüpfen von menschlichen Kontakten, die notwendige Selbstdarstellung und Profilierung, die jeder Mensch braucht, um psychisch und sozial gesund zu bleiben, und das Ausdrücken eigener Wünsche und Bedürfnisse.

Meditation ist also immer dann notwendig und sinnvoll, wenn elementare menschliche Bedürfnisse nicht ohne weiteres oder in ausreichendem Maße, aus welchen Gründen auch immer, befriedigt werden können. Ich möchte aber betonen, daß es sicherlich viele Menschen gibt, die ohne Meditation auskommen oder andere Wege gefunden haben, ihr Ich und ihr Selbst in Ordnung zu halten. Gerade aber bei Managern und Unternehmern stelle ich fest, daß hier oftmals die Meditation der ideale Weg ist.

Meditieren birgt aber auch Gefahren in sich, die nicht verschwiegen werden dürfen.[37] Ich sehe besonders folgende:

- *Rückzug aus der realen Außenwelt.* Ken WILBER sagt dazu[38]: „Die schlimmste Falle ist, andere Angelegenheiten ‚spirituell zu umgehen‘, Angelegenheiten, die nur in ihren eigenen Begriffen, auf ihrer eigenen Ebene behandelt werden können. Manche glauben, Meditation kümmere sich um ihre Geldprobleme – und natürlich tut sie das nicht. Was sie bewirkt, ist, einen sensitiver und wacher zu machen . . .“ Meditation ist also nur geeignet für Menschen mit starker realistischer Orientierung an der Außenwelt.
- *Meditation als Ideologie.* Der „Trip nach innen“ kann zu ähnlichen Erscheinungen führen wie die Sucht nach Drogen. Meditieren ist deshalb nur etwas für Menschen, die eine ausreichend starke Bindung an eigene Aktivitäten oder eine ausreichend sichere religiöse, politische oder ökonomische Überzeugung haben. Meditation ersetzt also nicht Religion oder Aktion.
- Was vielfach nicht bekannt ist und auch gerne verschwiegen wird, ist die Tatsache, daß Meditation einen erheblichen *Eingriff in die menschliche Psyche* bedeuten kann. Veränderungen des psychischen Grundmusters und des Sozialverhaltens können möglich sein. Deshalb sollte man Meditation nur mit und bei solchen Personen üben, denen man absolut vertrauen kann, oder sich soweit selbst bilden, daß man in der Lage ist, die ersten Meditationsstufen selbst zu erreichen.

- *Rückzug aus Sprache und Kommunikation.* Da Meditation „sprachlos“ ist, kann es zu einem Rückzug aus dem Bereich der sprachlichen Kommunikation kommen. Der Mensch wird wortkarger und geht lieber in sich.

Aus dem Gesagten ergibt sich, daß Meditation nur etwas für psychisch und physisch gesunde Menschen ist, die ausreichend ichstark sind und die sich „lediglich“ weiterentwickeln wollen oder bei denen aufgrund der Tätigkeit einzelne Bereiche zu stark dominieren und deshalb das Bedürfnis nach Ausgleich und Ganzheit besteht. Meditation ist deshalb ein wertvolles Hilfsmittel, um die „innere“ Gesundheit und Ausgeglichenheit aufrechtzuerhalten.

So berichtet ein Manager, daß ihm die Meditation in jeder Hinsicht helfe, den Herausforderungen der Umwelt und des Alltags weitaus besser standzuhalten[39]: „Die Konzentrations-, Wahrnehmungs- und Ausdrucksfähigkeit werden gesteigert. Man verfügt nach regelmäßigem Üben über mehr Gelassenheit, Energie, Spontaneität und Selbstdisziplin, Intuition und Kreativität. Alles das wirkt sich natürlich auch sehr positiv auf das Berufsleben aus.“

Es gibt verschiedene Arten und Formen der Meditation. Sehr bekannt bei uns ist die sogenannte *Yoga-Meditation.*[40] „Sie zielt ab auf eine Vereinigung von Geist und Körper, von Mensch und Umwelt, von unvergänglichem Selbst (atman) und ewiger Kraft (braham); sie bezweckt kurz gesagt die vollendete Harmonie, den ewigen Gleichklang. Da dies alles vom Menschen selbst zu bewerkstelligen ist, . . . bedarf es einer Übungsmethodik.“ Es ist der sogenannte achtgliedrige Yoga-Weg, der durch alle Stufen hindurch zum „samadhi“, der höchsten Erleuchtung, führen soll.

Weiter bekannt ist die *Zen-Meditation.* Zen ist das japanische Wort für Meditation, und zwar nach den Regeln des Buddhismus. Hier liegt der entscheidende Unterschied zur Yoga-Meditation: Der Buddhismus ist eine Religion, Yoga gilt als wertfreier Erkenntnisweg. Beide Meditationsformen stammen aus der gleichen

Quelle, nämlich aus den in den Upanishaden* aufgezeigten Wegen der Verinnerlichung. Buddha hat dann dieses System mit seiner großen, auf dem Prinzip der Seelenwanderung beruhenden Erlösungslehre verbunden. Diese Lehre (dharma) sagt, daß sich der Mensch vom Leiden der ständigen Wiedergeburten durch ein strenges und sittlich ausgerichtetes Leben, das ständige Bemühen um Erkenntnis und grenzenlose Selbstaufopferung zum Wohle seiner Mitmenschen befreien könne. Das Ziel sei, in das nirvana einzugehen, wo kein (nir) Wind (vana) mehr die Wahrheit verwehen könne. Ziel ist also, die Befreiung des Geistes durch Einsicht (vippassana) in das Wesen aller Dinge zu erreichen. Ziel bei der Yoga-Meditation ist dagegen das gleichsam mystische Erlebnis im Ineinanderfallen aller Dinge.

Unter der *transzendentalen Meditation* wird die Weiterentwicklung eines altindischen Meditationssystems verstanden. Durch eine Erweiterung des Bewußtseins sollen Energie und Intelligenz gesteigert werden. Gleichzeitig werden Spannungen und Streßzustände abgebaut. Nach Maharishi Mahesh Yogi hat der Übende seine Aufmerksamkeit so lange auf den Hintergrund seiner Gedanken zu richten, bis er an die Quelle des Denkens gelangt. Diese „Berührung mit der schöpferischen Intelligenz bewirkt sodann die angestrebte Erweiterung des Bewußtseins"[41]. Im Unterschied zur Yoga-Meditation wird der körperliche Aspekt außer acht gelassen.

Es gibt auch eine *christliche Meditation*. Christliches Gebet und Yoga-Meditation haben manches gemeinsam, zum Beispiel den Rückzug in die Stille, die Gebetshaltung und das Erreichen eines höheren Zieles. Der entscheidende Unterschied liegt aber darin, daß der Inhalt des Gebetes die Zwiesprache mit Gott ist. Zweck des Gebetes ist die Erlösung. Der Mensch versucht, sich durch christliche Lebensweise Gott zu nähern. Er muß aber von Gott erlöst werden. Den letzten Schritt zur Erlösung kann er nicht selbst tun. Beim Yoga muß der Mensch die auf den Realitäten der Welt beruhende Trennung selbst überwinden. Eigenes Bemühen um absolute Erkenntnis ist das Ziel, also der Weg in das Entscheidende.

Ohne Techniken geht es allerdings bei der Meditation nicht.[42] Nicht jeder Rückzug aus dem Alltag ist Meditation. Tatsächliche Meditation setzt zuerst einmal voraus, daß eine Technik zur psychischen Ruhestellung beherrscht wird. Von da aus können dann verschiedene, inhaltlich anders gestaltete Meditationsweisen entwickelt werden. Man kann davon ausgehen, daß nahezu alle Menschen die Voraussetzungen mitbringen, um durch Meditation eine neue Dimension ihres Selbst zu entdecken, „die ihr Leben nicht nur reicher, sondern auch erfolgreicher und gesünder machen wird. Heute redet man so viel von Selbstverwirklichung ... Dabei wird vergessen, daß Selbstverwirklichung Selbsterkenntnis und Selbstannahme voraussetzt. Dieses Ziel durch Meditation zu erreichen kann ein gangbarer Weg sein.“[43]

Zu den grundlegenden meditativen Techniken gehören richtiges Sitzen und Atmen, die Beruhigung des Geistes und der Gedanken, ein bestimmter Zeitrhythmus und vor allem innere Bereitschaft. Dazu gibt es gute Bücher mit Anleitungen.[44]

Streß ist die moderne
Form des Selbstmordes.
W. HENKELS

6.6 Lebensstil und Abbau von Streß

Manager und Unternehmer reden gerne vom Streß. Sicher sind Führungskräfte auch relativ oft streßgeplagt. Dies hängt mit der Art der Tätigkeit zusammen. Deshalb sagen Manager oder Unternehmer auch oft: Jetzt brauche ich bald wieder einmal Urlaub, um den Streß abzubauen und mich zu erholen.

Das Problem Streß dauerhaft *so* lösen zu wollen ist sicherlich ein falscher Ansatz. Danach wäre die Freizeit oder der Urlaub jener andere Rhythmus des Lebens, in dem man wieder ganz und „heil“ wird. Der Ansatz des TAO und eines ganzheitlichen Verständnisses ist anders. In der Gesamtrhythmik des Lebens (vergleiche Kapitel 4.5) gibt es eine rhythmische Bewegung „Arbeit“ und eine rhythmische Bewegung „Freizeit“. Im gesamten Leben herrscht das Gesetz des Dualismus vor, also der Anstrengung und Erholung, der Lebendigkeit und des Schlafs usw. Diese Gesamtrhythmik des Lebens wird von einem einzigen Lebenssinn getragen. Es ist also nicht die eine Lebenszeit gegen die andere ausspielbar. Die eine wird nicht durch die andere funktionalisiert. Streß ist also auch ganzheitlich zu sehen und durch eine stabile „innere“ Gesundheit jeweils unmittelbar aufzulösen, somit nicht nur in der Freizeit oder im Urlaub.

Streß bedeutet grundsätzlich fehlende Ausgeglichenheit im Organismus als Reaktion auf irgendwelche Umwelteinflüsse. Vorübergehender Streß tritt häufig auf. Es gibt immer wieder Situationen, die belastend und bedrohend wirken. Diese vorübergehenden Phasen eines Ungleichgewichts sind im Prinzip unschädlich und werden durch einen gesunden physischen Organismus und bei psychisch stabiler Konstitution ohne weiteres verkraftet. Sofern hier im Alltag bei Ihnen Probleme auftreten sollten, liegt es in der Regel an mangelnder Ganzheitshygiene. Wenn der Streß anhält oder chronisch wird, ist er schädlich und wirkt bei vielen Krankheiten als Auslöser.[45]

In der Literatur und bei Gesundheitstips taucht immer wieder das Wort „Streßbewältigung" auf. Streß muß aber nicht bewältigt, sondern integriert werden. Wenn die alltäglichen Streßsituationen als normal betrachtet werden, als ganzheitlicher Teil des Lebens, dann lassen sie sich auch auflösen. Die innere Einstellung und Ruhe kann hier weiterhelfen. Insofern verweise ich auf die vorgestellten Psychotechniken, insbesondere auf Meditation, die insgesamt eine ruhigere Lebenseinstellung bewirken kann. Die richtige Streßreaktion hängt also davon ab, wie Sie Ihren Beruf und Ihr Leben verstehen, wofür Sie sich einsetzen und was Ihnen wichtig ist. Von Bedeutung ist auch, wie Sie mit sich selbst umgehen. Alle taoistischen Lebensgrundsätze, die ich in Kapitel 4 vorgestellt habe, wirken integrativ und vermeiden, daß Streß in der alltäglichen Form zur Belastung wird. Sie helfen, im Gleichgewicht der Kräfte zu bleiben, genauso wie die Yoga-Praxis Indiens oder die christliche Tradition der Kontemplation.

Die richtige Streßreaktion, die automatisch und angepaßt eintritt, beruht darauf, daß ein Grundrezept, das übrigens für alle Heilmethoden und Psychotechniken gilt, angewendet wird:

① *Nur wenn Sie etwas aktiv tun, können Sie in Ihrem Leben etwas verändern und zum Gleichgewicht der Kräfte kommen.*

② *Nur wenn Sie regelmäßig und dauernd üben, werden sich Erfolge bei Ihrer „inneren" Gesundheit zeigen.*

Chronischer Streß, der zu psychosomatischen Beschwerden geführt hat, muß allerdings nach sorgfältiger Diagnose therapeutisch behandelt werden. Dies geht nur mit Hilfe von entsprechend ausgebildeten Fachleuten.

Gerade Manager oder Unternehmer machen bei der Gestaltung ihres Lebensstils gravierende Fehler. Sie leben hauptsächlich zwischen den folgenden *Polaritäten,* die jedoch nicht gleichwertig oder gleichgewichtig geschätzt und behandelt werden[46]:

- Probleme in der *Übereinstimmung zwischen Theorie und Praxis,* das heißt, die Glaubwürdigkeit des einzelnen kommt oft ins Wanken.

- Die Polarität zwischen *Kosten und Nutzen,* also die ständige Überwachung des ökonomischen Prinzips.

- Die Spannung zwischen dem *öffentlichen (unternehmerischen)* und dem *privaten Leben.*

- Das Problem des *Ausgleichs von Leistung und Genuß.*

Beim „typischen“ Unternehmer oder Manager sind diese vier Polaritäten nicht ausgeglichen. Für ihn ist es natürlich, daß die Praxis wichtiger als die Theorie ist, daß der Nutzen immer wichtiger ist, daß das private Leben meistens zurückstehen muß und daß Leistung viel wichtiger ist als Genuß und Muße. Wenn die Prioritäten so gesetzt werden und der Spannungsausgleich zwischen den Polen nicht beachtet wird, entsteht zuerst Streß und meistens in der Folge psychosomatische Krankheiten. Die Ernährung wird nicht wichtig genug genommen, Unsportlichkeit wird mit Zeitmangel begründet, und das Freizeitverhalten ist verkapptes unternehmerisches Tun. In solchen Fällen gibt es keine Ganzheitlichkeit. Die „innere“ Gesundheit gibt es nicht. Was ist deshalb zu raten?

Zu raten ist, daß Sie jeweils beide Pole eines Spannungsbogens sehen und beachten. Sie müssen auf den permanenten Ausgleich bedacht sein. Einseitigkeit in irgendeiner Richtung macht auf die Dauer krank. Geben Sie Ihrer Freizeit mehr Raum und Inhalt. Gönnen Sie sich von Zeit zu Zeit etwas Besonderes. Der Stellenwert Ihres privaten Lebens ist genauso wichtig wie das berufliche oder unternehmerische Tun. Auch für die Mitarbeiter ist die heute noch vielfach übliche strikte Trennung in Privat- und Berufsleben auf die Dauer schädlich und krankheitsfördernd. Hier hilft integrative Personalführung, wie ich sie in Kapitel 5.7 beschrieben habe. Bringen Sie Ihr Verhalten und Ihren Lebensstil mit Ihren Aussagen in Einklang. Wenn Sie ständig anders handeln, als Sie es ankündigen, werden Sie auf Dauer gesundheitliche Schäden davontragen, denn kein Organismus erträgt langfristig eine solche innere Zerrissenheit.

Also bedeutet Streßabbau: den permanenten Dualismus integrativ annehmen und bewußt und regelmäßig beide Pole beachten. Wenn die Energien zwischen beiden Polen richtig fließen, gibt es keinen aufgestauten Streß.

7. Kapitel:

Ist TAO-Management heute überhaupt möglich? – Gedankliche Grundlagen und Voraussetzungen

Transformative Führerschaft – Jeder muß selbst anfangen – Schritte des Umdenkens – Handlungsorientierung des Managers – Die Rentabilität muß nicht leiden – TAO-Management ist keine politische Richtung

Zukunft ist kein Schicksal.
R. JUNGK

TAO-Management ist notwendig:

- für die *Betriebe* und Unternehmen zur langfristigen Existenzsicherung und gedanklichen Rechtfertigung ihres Daseins;
- für die *Menschen,* um selbst menschengerechter im Unternehmen behandelt zu werden und die Trennung von Privat- und Berufsleben zu überwinden sowie brachliegende Fähigkeiten des menschlichen Gehirns endlich zu aktivieren;
- für die *Natur,* um die Möglichkeit der Regenerierung zu schaffen und das langfristige Überleben zu sichern.

Ansatzweise werden auch heute schon in immer mehr Unternehmen einige Grundsätze und Regeln des TAO-Managements verwirklicht. Das zeigt die wachsende Flut von Literatur zu Themen wie Kreativität, Vision, Intuition und Teamarbeit. Ersichtlich wird der Trend auch durch immer mehr Seminarangebote und Weiterbildungsmöglichkeiten zu Themen wie Selbstverwirklichung, Meditation und Ganzheitshygiene. Dies sind alles keine Modeerscheinungen, wie es vielleicht einige Haudegen in Vorständen und Geschäftsführergremien immer noch gerne darstellen möchten. *Ein Aufbruch und ein Umdenken in der Unternehmensführung ist ersichtlich.* Zu lange hat es Stillstand in Theorie und Praxis gegeben. Der Leidensdruck auf vielen Managementebenen ist inzwischen so stark geworden, daß immer mehr Bereitschaft besteht, sich mit neuen Möglichkeiten der Managementpraxis zu beschäftigen und nach Auswegen zu suchen.

Manager werden bestellt oder berufen, Unternehmer wird man kraft Erbrecht oder Gesellschaftsvertrag; deshalb kann man aber noch lange nicht führen. Führen setzt ganz bestimmte Qualifikationen voraus. Es sind zwei wesentliche Eigenschaften, die sich bei guten Unternehmensleitern immer wieder finden:

① *die Fähigkeit zur Interaktion*
② *eindeutiges menschliches Vorbild*

Die Fähigkeit zur Interaktion bedeutet, alle Abläufe zwischen Chef und Mitarbeitern verstehen und beeinflussen zu können. Die zwischenmenschlichen Beziehungen im Unternehmen müssen also stimmen. Dazu gehört besonders, daß der Führende seine spezifische Rolle nur ausfüllen und behaupten kann, wenn die Mitarbeiter das Gefühl haben, sie könnten ihre Bedürfnisse befriedigen, wenn sie dem Führenden folgen. „Ein effektiver Führer ist (aber) weder ein einseitiger Spezialist in zwischenmenschlichen Beziehungen, der ausschließlich die Bedürfnisse der Gruppenmitglieder befriedigt, noch ein einseitiger Produktivitätsspezialist, der einseitig die Bedürfnisse der Organisation befriedigt."[1] Er ist beides in einer Person.

Man könnte diese Art von Führerschaft als *„transformative Führerschaft"* bezeichnen.[2] Als bekanntes politisches Beispiel wird Gandhi genannt, der es verstanden habe, die Bedürfnisse seiner Gefolgschaft zu spüren und dadurch selbst wieder die Menschen zu verändern. Der wahre Führer ist nicht bloß jemand, der Macht ausübt, um persönliche Ziele zu erreichen. Der wahre Führer spürt und transformiert die Bedürfnisse seiner Gefolgschaft bzw. seiner Mitarbeiter. Das TAO-Management braucht Manager oder Unternehmer, die sich mit dem Umdenken im Unternehmen und dem notwendigen Aufbruch in die geschilderten Richtungen beschäftigen und identifizieren. Solche Manager wissen, daß es schwierig, wenn nicht gar unmöglich ist, anderen eine höhere Bewußtheit oder neue Denkweisen beizubringen oder ihnen dazu zu verhelfen. Es gibt keine einfachen Rezepte oder Reparaturanleitungen. „Man kann die Menschen zu direkten Erfahrungen anregen oder Freiheit oder Lebendigkeit beispielhaft verkörpern, aber man kann niemanden überzeugen, sich zu verändern."[3]

Die erfolgreichen Führer nehmen auch nicht das Verdienst für die Veränderungen in Anspruch, die sie hervorzurufen helfen. Wie LAOTSE es einmal ausdrückte:

> *Die beste Führung ist die, unter der die Menschen sagen: Wir haben es selbst geschafft.*

TAO-Management ist also heute möglich, wenn ein überzeugter Unternehmer oder Manager nach den Lebensregeln des TAO versucht zu leben und damit Vorbild ist (Kapitel 4). Die Anwendung der Regeln und Techniken des Managements muß hinzukommen (Kapitel 5). Eine Änderung in der Unternehmensführung in Richtung TAO-Management ist aber auch dann nur möglich, wenn der einzelne in seiner Stellung als Unternehmer oder Manager *selbst anfängt*. Diese Aufgabe ist nicht delegierbar. Sie löst sich auch nicht durch Zeitablauf, das Gegenteil ist eher der Fall. Es gilt hier wie überall das Analogiegesetz: Wie oben so unten.

Ich fasse die *persönlich besonders hervorzuhebenden Eigenschaften* eines Unternehmers oder Managers, der transformativer Führer in Richtung TAO-Management sein will, noch einmal zusammen:

- Er ist *intuitiv* und *spontan* und überschätzt das Rationale nicht.

- Er weiß, daß Gewinne und Vorteile *nur auf Kosten anderer* erzielt werden können.

- Er ist immer *glaubwürdig, einfach* und *bescheiden.*

- Er kann *Gegensätze annehmen* und lebt in *Harmonie* mit sich, der Natur und anderen.

- Er hat Freude am Schönen, denkt *positiv* und ist *zukunftsorientiert.*

- Er hat ein gesundes Verhältnis zu *natürlichen Abläufen* und zur *Zeit.*

- Er *diszipliniert* sich und lebt *gesund.*

Mit diesen Eigenschaften, Fähigkeiten und Fertigkeiten kann man Vorbild sein für die Mitarbeiter. Dann ist es möglich, *im Unternehmen folgendes durchzusetzen und zu installieren:*

- *Intuition* und *Kreativität;*
- *Visionen* und *Zukunftsoptimismus;*
- sensible *Unternehmenskultur;*
- lebenslanges *Lernen;*
- *Team-* und Gruppenarbeit;
- Akzeptanz von *Wandel* und Wechsel;
- *integrative Personalführung* mit hoher Sozialkompetenz;
- *Ökologisierung* im und mit dem Unternehmen.

Das Ziel des TAO-Managements besteht darin, mehrere Umdenkensstufen zu bewältigen. Wenn letztendlich die Menschen, die Unternehmen, das System und die Natur überleben wollen, müssen einige theoretische und gedankliche Schritte gegangen werden. Dies sind besonders:

Schritt 1

Die heute im westlichen Wirtschafts- und Unternehmenssystem vorherrschende Grundregel, den Konsum zu fördern, was immer es koste, muß überwunden werden. Geplanter Mangel, Druck der Werbung oder sogenannte „künstliche" Bedürfnisse können keine Unternehmensziele auf Dauer sein. Wichtiger ist es, zu einem menschlich „sinnvollen" Konsum zu kommen. Bewahren, Behalten und Wiederverwenden sind entscheidende künftige Grundsätze, die in Ansätzen bereits hier und da verwirklicht werden.

Schritt 2

Die zunehmende Aggressivität am Markt, der Wettbewerbsdruck und die Maxime des „Geschäfts um des Geschäfts willen" können auf Dauer nur schädlich sein. In der ganzheitlichen Unternehmenspraxis gewinnt die Kooperation und der konsensbetonte Führungsstil einen neuen Stellenwert. Menschliche Werte überlagern das Gewinnen um jeden Preis. Ein neuer gedanklicher Ansatz könnte sein: „Spiele hart, spiele fair, verletze niemanden."

Schritt 3

Die natürlichen Ressourcen der Erde werden mehr oder weniger kurzsichtig ausgebeutet. Man setzt seine Hoffnung darauf, daß der Forschung und Technik zu gegebener Zeit schon etwas einfallen werde. TAO-Management bedeutet aber, sensibel zu sein gegenüber den Folgekosten und so wenig wie möglich in natürliche Abläufe einzugreifen. Das Verwalten der Natur und das Haushalten mit den Rohstoffen sind neue Handlungsqualitäten.

Schritt 4

Konventionelle Manager oder Unternehmer haben nur zum Rationalen Vertrauen. Sie glauben nur ihren Daten, die möglichst noch beweisbar sein sollten. In der ganzheitlichen Führungspraxis stehen Rationalität und Intuition gleichwertig nebeneinander. Die Logik von Daten wird erweitert durch Vision, Gefühl, Scharfblick und (nichtlinearen) holistischen Sinn für Strukturen.

Schritt 5

Die Tendenz geht heute immer noch dahin, Unternehmen zu zentralisieren und aus Markt- und Machtgründen möglichst große Einheiten zu schaffen. Der Faktor Humankapital wird nur als notwendig, nicht aber als zentral empfunden. TAO-Management versucht, dezentralisierte Einheiten zu bilden und den Menschen als Maßstab zu nehmen.

Auch aus diesen gedanklichen Schritten sehen Sie, daß TAO-Management menschengerechtes und umweltfreundliches Management bedeutet. Zugleich haben Sie erkannt, daß Schritte in die richtige Richtung nur getan werden können, wenn jeder selbst anfängt. Darauf zu warten, daß ein Umdenken in der Politik mit entsprechenden Gesetzen und Regeln kommt, oder darauf, daß die Mehrheit der Menschen von sich aus etwas tut, dürfte eine reine Illusion sein. Manager und Unternehmer sind ganz besonders dazu geeignet, dem Umdenken auch entsprechende Taten folgen zu lassen. Zum einen haben sie tatsächlich die Möglichkeiten dazu, und zum anderen sind diese Personen *stark handlungsorientiert.*

Jeder Manager oder Unternehmer weiß, daß der Erfolgreiche immer eine Nasenlänge Vorsprung hat. Jeder weiß, daß Aktion besser ist als Reaktion. Warum sollte sich nicht die heutige Wirtschaft zum Ziel setzen, das TAO-Management aktiv vorzubereiten und schrittweise zu realisieren?

Sicherlich wird vielfach dagegen eingewendet werden, daß man weiterhin so erfolgreich sein müsse wie bisher. Manche glauben auch, daß sich alles von selbst regeln werde, gewissermaßen ohne ihr Zutun. Manager haben aber viele Möglichkeiten, Entwicklungen voranzutreiben und die Zukunft zu gestalten. So ist es sicher auch möglich, TAO-Management schrittweise einzurichten, ohne daß die Rentabilität leidet. Dafür wird die Zukunft gesichert. Aber über eines müssen sich alle Manager oder Unternehmer im klaren sein: Sie müssen anfangen, etwas zu ändern. *Wenn sie nicht anfangen, wird sich nicht viel tun.*

„Die Wirtschaft ist allerdings noch wenig bereit zur Selbstkritik. Die in manchen Zweigen angespannte Lage stellt hohe kurzfristig zu erfüllende Anforderungen an den Manager, der darob langfristiges Denken verdrängt. Es ist leicht, aber auch billig, Bestrebungen auf dem Weg zur ökologischen Wirtschaft einfach als gesellschaftsverändernde linke Tendenzen abzutun. Gesellschaftsveränderung ist Weiterentwicklung, und deshalb ist die ökologische Wirtschaft an eine gesellschaftliche Veränderung gebunden. Veränderung war immer das Wahrzeichen einer vitalen Gemeinschaft.“[4]

8. Kapitel:

Überlebenschancen durch ganzheitliches Handeln: Umsetzung und praktische Schritte im Unternehmen

Vorbild und persönliche Autorität – Entscheidende Fehler vermeiden – Die TAO-Kultur entsteht – Notwendige Strategieschritte – Geduld und die richtige Reihenfolge entscheiden

Ich weiß, warum viele Menschen es lieben, Holz zu hacken. Bei dieser Tätigkeit sieht man sofort das Ergebnis.
EINSTEIN

In diesem Kapitel versuche ich aufzuzeigen, wie TAO-Management in dem hier verstandenen Sinn im Unternehmen *praktisch umgesetzt* werden könnte. Sie müssen sich darüber im klaren sein, daß dies nur langsam und schrittweise geht. Viel Geduld und Einfühlungsvermögen sind dabei erforderlich.

Die praktischen Schritte im Unternehmen in Richtung TAO-Management setzen voraus, daß der Manager oder Unternehmer seinerseits zuerst überzeugt ist, daß ein Umdenken und das Gestalten neuer Handlungsalternativen notwendig ist. Nur mit eigener Überzeugungskraft und unter Ausnutzen der Vorbildfunktion und der natürlichen Autorität gelingen praktische Schritte im Unternehmen. Alles, was ich im vorangegangenen Kapitel über den „transformativen Führer" gesagt habe, ist Voraussetzung für eine erfolgreiche Gestaltung des TAO-Managements. Hier wirkt eine wichtige Lebensregel des Taoismus selbst bei der Umsetzung wesentlich mit: *Führen durch Vorbild und kraft Autorität* (vergleiche Kapitel 5.4).

Wenn Sie nach der bisherigen Lektüre dieses Buches der Meinung sind, daß TAO-Management die für die Zukunft richtige Führungspraxis ist, genügt es nicht, wenn Sie ab irgendeinem Zeitpunkt die Führungsgrundsätze einfach in Ihrem Unternehmen anwenden. Sie müssen mit aller persönlicher Überzeugungskraft und Einstellung den Boden in Ihrem Unternehmen erst vorbereiten. Wenn Sie dies nicht tun, werden Sie bei den meisten Mitarbeitern entweder auf Unverständnis stoßen oder sogar auf Widerstände.

Sie dürfen vor allem folgende Fehler nicht machen:

- Ziele und Termine *zu kurzfristig* zu setzen;
- zu *oberflächlich denken* und ohne wirklich überzeugt zu sein, an die Realisierung herangehen;
- die *Erwartungen zu hoch* zu schrauben.

Leider geht der Trend im Management und in der Berichterstattung über das Management zu immer kürzeren Perioden. Die größeren Unternehmen veröffentlichen bereits vierteljährliche Erfolgsberichte. Der Trend zum schnellen Geschäft und zur Wahrnehmung kurzfristiger Gelegenheiten hält an. Auch scheinen die meisten Unternehmer und Manager aufgrund der täglich komplexer werdenden Probleme kurzfristiger zu denken. Dies hat wiederum oft zur Folge, daß auch unternehmerische Ziele zu kurzfristig gesetzt werden. Innerhalb der vorgegebenen Zeitspannen können die Ziele nur unvollkommen oder recht oberflächlich verwirklicht werden. Noch schlimmer wird es, wenn das Management zwar die Probleme erkannt hat, aus Gründen der Trägheit aber beispielsweise bei den bisherigen Lösungsansätzen bleibt. *Spitzenleistungen lassen sich nur erzielen,* wenn kurzfristige durch langfristige Bedürfnisse am Markt ersetzt werden und wenn das Management in der Lage ist, langfristig strategisch zu denken. Diese Überlegung gilt auch, wenn es darum geht, TAO-Management in seinen Grundsätzen zu verwirklichen. Da hier zum Teil fundamentale Lebenseinstellungen und eingeübte Traditionshaltungen verändert werden müssen, kann dies auch nur sehr langfristig und dosiert geschehen. TAO-Management kurzfristig verwirklichen zu wollen wäre ein schwerer Fehler.

Wer als Manager oder Unternehmer eine unübersehbare Fülle von täglichen Problemen zu lösen hat oder aufgrund mangelnder eigener Arbeitsmethodik nicht in der Lage ist, die Menge an Arbeit in den Griff zu bekommen, läßt sich leicht zu oberflächlichem Denken verleiten, da die kreative Energie fast nie benötigt wird und so verkümmert.[1] Wer in der Regel aus den geschilderten Gründen oberflächlich denkt, entwickelt in seinem Unternehmen gewöhnlich auch eine ganz bestimmte Strategie, die meistens zum Administrations- oder Protektionsunternehmen führt (vergleiche Seite 138). Damit sind langfristig Marktstellungen und die Existenz des Unternehmens gefährdet. *Wirtschaftliche Folgen und TAO-Management verlangen intensives Nachdenken.*

Auf der anderen Seite ist es sicherlich auch gefährlich, wenn die Erwartungen zu hoch geschraubt werden. Auch beim Umsetzen von TAO-Management im Unternehmen ist Realismus gefragt. Es geht darum, das Machbare zu erkennen und die Schritte in die richtige Richtung zu lenken.

Wenn Sie erkannt haben, welche falschen Einstellungen oder gar Fehler das wirksame Umsetzen von TAO-Management im Unternehmen verhindern, Sie also sicher sein können, daß Sie diese Fehler nicht begehen, dann können Sie daran gehen, den Weg zu neuem Denken und Handeln strategisch vorzubereiten. Um überhaupt im Unternehmen strategisch denken und handeln zu können, muß der Unternehmer oder Manager drei Bereiche beherrschen und jeweils miteinander abstimmen. *Realisierung von TAO-Management setzt die gleichzeitige Beobachtung dieser Bereiche voraus:*

- *Gesellschaft und Umwelt.* Es ist wichtig, sich über Einstellungen und Erwartungen der Gesellschaft Gedanken zu machen bzw. so viel wie möglich zu wissen. Dies gilt auch für entsprechende Reaktionen des Wettbewerbs.

- *Das Unternehmen selbst.* Lernen Sie die Stärken des Unternehmens genau kennen, und setzen Sie sie ein. Die Entwicklung von Stärken benötigt aber Zeit. Passen Sie Produktion und Technik den sich laufend verändernden Herausforderungen durch Vergrößerung des Nutzens für die Gesellschaft an.[2]

- *Führung und Organisation.* Wichtig ist die Ausrichtung auf menschengerechtes, umweltfreundliches, sinnstiftendes und nutzbringendes Management.

Strategisch vorgehen heißt in diesem Zusammenhang, daß die Anwendung der Führungsgrundsätze des TAO-Managements im Unternehmen und das Umdenken nur zusammen mit allen anderen, für das Unternehmen wichtigen Bereichen geschehen kann. Isoliertes Handeln führt zu Differenzen zwischen dem Denken des Managements und dem Markt, den Konkurrenten und dem Umfeld. TAO-Management läßt sich *nur integrativ* einführen und wirkungsvoll umsetzen.

Das integrative strategische Denken und Handeln bei der Einführung und Umsetzung von TAO-Management im Unternehmen führt zu einer neuen, ganz bestimmten Unternehmenskultur. Diese, durch das *TAO-Management gekennzeichnete Kultur im Unternehmen hat folgende Merkmale*[3]*:*

① *Sache und Wert sind untrennbar verbunden.* Im westlichen System herrscht bislang eine strikte Trennung von Sache und Bedeutung. Neu ist der ganzheitliche Betrachtungsansatz und das Erkennen von Systemen und Netzwerken. So scheint zum Beispiel heute eine Symbiose von Ökonomie und Ökologie möglich.

② *Qualitäten sind genauso wichtig wie Quantitäten.* Früheres Denken ging davon aus, daß nur meßbare Erscheinungen bearbeitet und begriffen werden könnten („Die Menge macht's"). Heute ist Lebensqualität, die laufende Qualifizierung von Mitarbeitern und Sinndenken wichtiger als „Haben".

③ *Das Irrationale ist so bedeutsam wie das Rationale.* Intuition, Kreativität und Vision bekommen einen neuen Stellenwert. Fähigkeiten der „rechten Gehirnhälfte" des Menschen werden im Unternehmen höchstens zu 10 % genutzt.

④ *Das Ganze ist immer mehr als die Summe der Teile.* Dies bedeutet, daß Synergieeffekte durch Teams und Projekteinheiten das Unternehmen erfolgreicher machen.

⑤ *Fortschritt* im herkömmlichen Sinn ist nicht immer tatsächlicher Fortschritt. Wuchernder Fortschritt verbunden mit absoluter Technikgläubigkeit führt in die Sackgasse.

⑥ *Der Mensch steht im Mittelpunkt* des betrieblichen Geschehens. Seine Potentiale müssen besser genutzt werden. Sozialkompetenz des Managements wird immer wichtiger.

Sie wissen inzwischen, daß TAO-Management Umdenken in grundlegenden Fragen und Einstellungen bedeutet. Es bedeutet auch Abschied nehmen von liebgewordenen Gewohnheiten. Auf jeden Fall müssen eingefahrene Geleise verlassen werden. Als *Strategieschritte hin zum TAO-Management* schlage ich deshalb folgendes vor[4]:

Schritt 1:

Fangen Sie an, mit und *durch Prozesse zu führen* und nicht mit Strukturen. Denken Sie in Netzwerken, fördern Sie die Bildung solcher Organisationseinheiten. Verlassen Sie ab und zu Hierarchieebenen und die starre Organisation. Das Unternehmen ist kein auf Dauer festgelegtes, nur nach einem bestimmten Schema funktionierendes Räderwerk.

Schritt 2:

Denken Sie daran, daß das TAO-Symbol der Kreis ist. Das bedeutet, daß Sie künftig Prozesse und Abläufe *zirkulär und interaktiv* auffassen müssen. Vorteile auf der einen Seite sind Nachteile auf einer anderen Seite. Sie können nicht allein unbeeinflußt handeln und entscheiden. Alles hat seine Rückwirkungen, die Sie sehen müssen. Den Kreisprozeß können Sie nie entflechten. Führen ist kein einseitiger Vorgang, sondern immer zweiseitig.

Schritt 3:

Es gibt viel mehr *Potential,* als Sie meinen. Sie müssen es nur nutzen. Wecken Sie Kreativität und Intuition im Mitarbeiter. Zeigen Sie Vertrauen in die verborgenen Fähigkeiten der Mitarbeiter. Sie können jedes Problem lösen, wenn Sie die Willensbildung nicht nur zentral steuern, sondern die Mitarbeiter mitwirken lassen.

Schritt 4:

Störungen haben Vorrang und müssen bearbeitet werden durch Besinnen auf die Grundsätze des dualen Managements. Auftretende Konflikte und Auseinandersetzungen müssen Sie bearbeiten. Lösen Sie sich von der einfachen Taktik, durch Verschieben Konflikte und Friktionen zu befrieden. Wichtig ist die klare Problemanalyse und vor allem der persönliche Dialog mit dem Mitarbeiter, wann immer es geht. Dann bekommen Sie auch den Bruch zwischen Beruf und Privat langsam in den Griff und erlösen den Mitarbeiter von der Schizophrenie dieser traditionellen Trennung.

Schritt 5:

Gewähren Sie *mehr Freiheitsgrade, und seien Sie positiver.* Freiräume und Pufferzonen setzen mehr Kreativität frei und geben mehr Mut zum Experiment. Dazu müssen Sie sich wahrscheinlich von Ihrer Angst lösen, durch mehr Freiräume würde das Chaos ausbrechen, und Sie hätten nichts mehr zu sagen. Ich meine ja nicht, daß Sie in das andere Extrem verfallen und nun nichts mehr regeln sollen. Der gesunde Mittelweg ist gefragt; weg von der Einseitigkeit des Denkens und Handelns.

Diese Strategieschritte kann ich Ihnen empfehlen, wenn Sie das TAO-Management ansteuern wollen. Haben Sie Geduld, aber seien Sie unbeirrbar. Wenn Sie die TAO-Lebensregeln beherzigen, sind Sie in der Lage, Vorbild und Autorität kraft Persönlichkeit zu sein. Dann werden die Mitarbeiter Ihnen auch abnehmen, was Sie denken und wie Sie handeln. Dann ist es an der Zeit, die Führungsgrundsätze des TAO-Managements anzuwenden. Durch die entsprechenden Strategieschritte schaffen Sie die TAO-Kultur im Unternehmen und bewirken den Prozeß des Umdenkens.

9. Kapitel:

Management plus TAO gleich Weltflucht?

Gefährlich ist der „Nur-Manager“ – Nicht den Wegweiser mit dem Weg verwechseln – Ganzheit ist die Basis – Die neue Verantwortungsethik – Versöhnung von Ökonomie und Ökologie

Es gibt nur eine Wahrheit. Sie ist unabhängig von Zeit, Kultur und Religion.
DETHLEFSEN

In Gesprächen und Diskussionen während der Entstehungszeit dieses Buches ist mir mehrfach gesagt worden, daß die Kombination von wirtschaftlich orientierten Managementgrundsätzen und der fernöstlichen Philosophie des Taoismus als nicht realistischer Lösungsversuch der tatsächlichen Krise der Unternehmensführung anzusehen sei. Die Kombination sei gewissermaßen als „Weltflucht" zu bezeichnen. Dabei wurde häufig daran erinnert, daß die heute vielfach in Mode gekommenen Psychokulte und der gegenwärtige Auftrieb der Esoterikbewegung auch als Fluchtbewegung aus der Realität oder der vermeintlichen Sinnlosigkeit des Lebens zu bezeichnen seien.

Ich will keineswegs aus der Realität fliehen. Das TAO-Management versucht lediglich, Ungleichgewichte zu beseitigen, damit das System des Wirtschaftens, von dem ich im Prinzip überzeugt bin, stabilisiert werden kann. Deshalb ist für mich nach wie vor der *Gewinn und der unternehmerische Erfolg* die Größe, die letztlich zählt und alles Weitere entscheidet. Der Unternehmer als Gewinnstratege hält die Wirtschaft in Bewegung. Es ist wohl eine folgerichtige Entwicklung, daß nach Jahrzehnten schlechter Erfahrungen auch die kommunistischen Staaten einschließlich der Volksrepublik China beginnen, auf Unternehmer westlicher Prägung zu setzen.

Gefährlich ist es jedoch, wenn der Mensch den Wegweiser mit dem Weg verwechselt.[1] Gefährlich empfinde ich den total rationalen und technokratischen „Nur-Manager" oder den „absolutistischen Unternehmer", der glaubt, auf seinem Gebiet den Schlüssel zur Welt gefunden zu haben, und der meint, alles richtig zu machen. Gefährlich ist aber auch auf der anderen Seite die einseitige Einstellung eines alternativen New-Age-Trends, der in überbetonter Ethik, dem Abbau unternehmerischer Verantwortung und einer überzogenen Dritte-Welt-Romantik sein Heil und seine Anhänger sucht.[2] Beide extremen Positionen werden von Menschen eingenommen, die an liebgewonnenen oder hart erkämpften Wegweisern stehenbleiben und sich selbst daran hindern, den Weg weiterzugehen.

Ich will es noch einmal deutlich sagen: Ein Unternehmen läßt sich nicht ohne klare, vom Management vorgegebene *Zielsetzungen* führen. Ein Unternehmen läßt sich auch nicht nur mit Teams und Projektgruppen führen. Genausowenig kann das Management die Gesamtverantwortung delegieren. Nur mit ethischen Grundsätzen und dem Verwöhnen der Mitarbeiter sind auf Dauer keine Gewinne zu erzielen.

> *Aber mit einer an humanen Gestaltungskriterien orientierten, auf Versöhnung von Ökonomie und Ökologie ausgerichteten Verantwortungsethik kann die Zukunft bewältigt werden.*[3]

Die Prinzipien des TAO-Managements, abgeleitet aus den Lebensregeln, sind dazu bestens geeignet, weil *Ganzheit* ihre philosophische Grundlage ist. Insofern besteht keine Gefahr der Weltflucht oder der Abkehr von der Realität, wenn das TAO-Management angewendet wird, sondern die Chance, unsere Unternehmen umweltfreundlicher und menschengerechter zu führen.

10. Kapitel:

Verzeichnisse und Hilfsmittel

Anmerkungen und Fußnoten zu den einzelnen Kapiteln – Lösungen zu den Denksportaufgaben – Die wichtigste Literatur – Glossar – Was ist das? – Stichwortverzeichnis

10.1 Anmerkungen und Fußnoten zu den einzelnen Kapiteln

Anmerkungen zum 2. Kapitel

1 Vgl. z. B. GERKEN, Gerd, Der neue Manager, Freiburg 1976, AMMELBURG, Gerd, Die Unternehmens-Zukunft, Freiburg, 3. Auflage 1987.
2 Z. B. MÜRI, P., Chaos-Management, Zürich, o. J. (1985).
3 Siehe besonders die guten Darstellungen und Hilfen im Informationsdienst „Radar für Trends", hrsg. von G. GERKEN c/o MUDITAS GmbH, Postfach 1206, 2862 Worpswede.
4 Sehr gut zu diesem Thema SPÄTH, Lothar, Wende in die Zukunft, Hamburg 1985, S. 49 ff.
5 Siehe MARTEL, Leon, Auch morgen noch erfolgreich, Freiburg 1986, S. 60 ff.; ferner FLESCH, Peter, Wieviel Informationen können und wollen wir aufnehmen? Finanz und Wirtschaft 1981, Nr. 90, S. 33.
6 MARTEL, L., a. a. O., S. 61.
7 Vgl. WIRTH, Harry/BECK, Marlis, Personalführung und Personalarbeit in Betrieben Bayerns, München 1986, S. 4.
8 Vgl. z. B. KÜHN, Gundolf, Gesellschaftlicher Wertewandel, Betriebs-Berater 1986, S. 265; KRÜGER, Wolfgang, Kein Teufelswerk von Intellektuellen, Zeit 1986, Nr. 8, S. 22.
9 Vgl. MARTEL, Leon, a. a. O., S. 218.
10 Siehe ausführlich dazu GERKEN, Gerd, Der neue Manager, Freiburg 1986.
11 MANN, Rudolf, Unternehmensführung des Neuen Denkens, Controlling-Berater, 1986, Gruppe 3, S. 9 ff. (grün).
12 Vgl. besonders ECCLES, Sir John C., Das Gehirn des Menschen, München 1975; fortgeführt in POPPER/ECCLES, Das Ich und sein Gehirn, München 1982.
13 Also entgegen der Auffassung von MARCUSE, L., Unverlorene Illusionen – Pessimismus, ein Stadium der Reife, München, 2. Auflage 1963.
14 CAPRA, Fritjof, Das Tao der Physik, 8. Auflage der Neuausgabe, München 1986.
15 FULDER, Stephen, Tao der Medizin, Basel 1985.
16 GROF, Stanislav (Hrsg.), Alte Weisheit und modernes Denken, München 1986.
17 MATURANA, Humberto/VARELA, Francisco, Der Baum der Erkenntnis, 2. Auflage, München 1987.
18 GROF, a. a. O., S. 31.

Anmerkungen zum 3. Kapitel

1 LAOTSE, Tao Te King, Text und Kommentar, Köln 1986, Kapitel 1.
2 Auch mit Text und Einführung von BACKOFEN, München/Engelberg 1984.
3 KALTENMARK, Max, Lao-tze und der Taoismus, Frankfurt 1981, S. 45.
4 HEIDER, John, The Tao of Leadership, Aldershot 1985, S. 49.

[5] Tao Te King, Kapitel 16.
[6] Tao Te King, Kapitel 14.
[7] HOFF, Benjamin, Tao Te Puh, Essen 1984, S. 18.
[8] Vgl. Yin/Yang, Lexikon der östlichen Weisheitslehren, Bern/München/Wien 1986, S. 456.
[9] Yin wird in der chinesischen Symbolik mit einem unterbrochenen Strich – – und Yang mit einem durchgezogenen Strich —— gekennzeichnet.
[10] Das Viereck symbolisiert im Taoismus die Erde, der Kreis kennzeichnet den Himmel. Himmel und Erde können sich nicht vereinen: Es sind zwei „Pole" (Denken Sie hierbei an die mathematisch nicht mögliche Quadratur des Kreises!).
[11] Siehe z. B. ASSHAUER, Egbert, Die Akupunktur, München/Zürich 1985.
[12] Z. B. IRWIN, Yukiko, Shiatzu, Bern/München/Wien 1983; PALOS, Stephan, Chinesische Heilkunst, Bern/München/Wien 1984.
[13] In diesem Zusammenhang möchte ich anmerken, daß in der Psychologie bereits von C. G. Jung darauf hingewiesen wurde, daß alle Menschen ein gegengeschlechtliches Element in ihrer Psyche haben (Anima/Animus); ferner auf die Folgen von Ungleichgewichtigkeiten. Weitere Hinweise auch auf Rudolf Steiner, bei COLEGRAVE, Sukie, Yin und Yang, Frankfurt 1984, S. 82 ff.
[14] HEIDER, a. a. O., S. 3.
[15] KALTENMARK, a. a. O., S. 61/62.
[16] Vgl. WATTS, Alan, Der Lauf des Wassers, Eine Einführung in den Taoismus, München 1983, S. 156.
[17] Kapitel 52.
[18] Kapitel 37.
[19] Zitiert bei WATTS, a. a. O., S. 115.
[20] WATTS, a. a. O., S. 116.
[21] a. a. O.
[22] Kapitel 29.
[23] Kapitel 60; oftmals auch in der Übersetzung: ... als brate man einen kleinen Fisch (d. h. mit kurzem Stöckchen und nicht zu lange).
[24] Kapitel 36 und 40.
[25] I Ging, Das Buch der Wandlungen, hrsg. von Richard WILHELM, Köln 1986.
[26] KIELCE, Anton, Taoismus, München 1985, S. 52 f.
[27] Die Zeit vom 6. 2. 1987, S. 68 (Uta van STEEN), So fließt alles dahin.
[28] WING, R. L., Das Arbeitsbuch zum I Ging, Köln, 4. Auflage.
[29] STEINDL-RAST, David, Fülle und Nichts, Die Wiedergeburt christlicher Mystik, München 1985, S. 186.
[30] HOFSTADTER, D. R./DENNETT, D. C., Einsicht ins Ich, Stuttgart 1986, dort ab S. 308; SMULLYAN, R. M., Ist Gott Taoist?, besonders S. 319.
[31] KALTENMARK, a. a. O., S. 24.
[32] Vgl. ausführlich DSCHUANG DSI, Das wahre Buch vom südlichen Blütenland, Köln 1969.
[33] Nach KIELCE, a. a. O., S. 38.
[34] Vgl. ausführlich LIÄ DSI, Das wahre Buch vom quellenden Urgrund, Köln 1981.
[35] MYNAREK, Hubertus, Ökologische Religion – ein neues Verständnis der Natur, München 1986, S. 238.

[36] Ebenda.
[37] BLOFELD, John, Der Taoismus, Köln 1986, S. 7.
[38] Vgl. z. B. die erstaunliche und sehr gute Veröffentlichung von KÖHLER, Hans-Uwe L., Musashi für Manager, Düsseldorf/Wien 1986.
[39] Vgl. HUXLEY, Aldous, Die ewige Philosophie, Steinberg/Zürich 1949; er spricht von der „Philosophia perennis".
[40] Vgl. zu dem Problem verschiedener Wirklichkeiten z. B. o. V., Was ist Wirklichkeit?, Stuttgart 1983 (Edition Weitbrecht).

Anmerkungen zum 4. Kapitel

[1] CAPRA, Fritjof, Der Kosmische Reigen, München 1983, S. 116.
[2] Vgl. COOPER, a. a. O., S. 82.
[3] COOPER, a. a. O., S. 83.
[4] Kapitel 40.
[5] KALTENMARK, a. a. O., S. 81.
[6] Vgl. JUCHLI, Schwester Liliane, Heilen durch Wiederentdecken der Ganzheit, Stuttgart 1985, S. 38.
[7] PRIGOGINE, Ilja, Vom Sein zum Werden, München 1982.
[8] In diese Richtung gehen auch die Forschungen und Überlegungen von SHELDRAKE, Rupert, Das schöpferische Universum, München 1985; Theorie der morphogenetischen Felder.
[9] COOPER, a. a. O., S. 60.
[10] DETHLEFSEN, Thorwald, Schicksal als Chance, München 1985, S. 69/70.
[11] COOPER, a. a. O., S. 63.
[12] Aus dem Wort bzw. Wortstamm „holistisch, Holismus" (griechisch) lassen sich interessante Ableitungen finden mit Rückschlüssen auf die ursprünglichen Zusammenhänge: whole (engl.) = ganz; holy (engl.) = heilig oder auch früher heil; wir sagen heute, wenn etwas in Ordnung ist, es ist heil und ganz; die heile (heilige) Welt ist eine „ganze" (intakte) Welt.
[13] COOPER, a. a. O., S. 78.
[14] STEINDL-RAST, a. a. O., S. 165.
[15] JUCHLI, a. a. O., S. 49.
[16] HEIDEGGER, Martin, Gelassenheit, Pfullingen, 7. Auflage 1982, S. 23.
[17] Ebenda, S. 13.
[18] STEINDL-RAST, a. a. O., S. 179 ff.
[19] COOPER, a. a. O., S. 59.
[20] BLOFELD, a. a. O., S. 24.
[21] DETHLEFSEN, a. a. O., S. 69.
[22] BLOFELD, a. a. O., S. 32.
[23] COOPER, a. a. O., S.19.
[24] COOPER, a. a. O., S. 89.
[25] Vgl. z. B. LÖHN, Johann, Ablauf von Problemlösungen, in: Tägliche Betriebspraxis, Gruppe 12 A, S. 1 ff., Loseblatt, Freiburg 1988.
[26] BRUNS/SPREITHER, Durchbruch zur größeren Wirklichkeit, Konstanz 1980, S. 497.

[27] CAPRA, a. a. O., S. 110.
[28] BLOFELD, a. a. O., S. 92.

Anmerkungen zum 5. Kapitel

[1] Vgl. z. B. BLAKESLEE, Thomas R., Das rechte Gehirn – Das Unbewußte und seine schöpferischen Kräfte, 2. Auflage, Freiburg 1988; RESTAK, Richard M., Geist, Gehirn und Psyche – Psychobiologie: die letzte Herausforderung, Frankfurt 1981; ECCLES, Sir John C., Das Gehirn des Menschen, München 1975.
[2] VON BERGEN, Hans, New Marketing – Die Zukunft inszenieren, Freiburg 1988.
[3] Bericht in: Industriemagazin 10/87, S. 120 „Management by Intuition".
[4] Vgl. hierzu und im folgenden COHN, Ruth C., Von der Psychoanalyse zur themenzentrierten Interaktion, Stuttgart 1978.
[5] Eine gute Einführung in Romanform zu diesem Thema ist: RAMPA, Lobsang, Das dritte Auge, München 1986.
[6] HOFFMANN, Heinz, Kreativität, in: Kreativität – die Chance für unsere Zukunft, Frankfurt 1984, S. 48.
[7] HICKMAN/SILVA, Der Weg zu Spitzenleistungen – Kreatives Management im New Age, München 1986, S. 29.
[8] In Anlehnung an HICKMAN/SILVA, a. a. O., S. 111.
[9] HOFFMANN, a. a. O., S. 51 f.
[10] Vgl. Tägliche Betriebspraxis, Loseblatt, Freiburg 1988, Gruppe 4, S. 343.
[11] LINNERT/MÜLLER-SEYDLITZ/NESKE, Lexikon der Management-Begriffe, München 1977.
[12] Besonders gut die technische Darstellung bei LINNEWEH, Klaus, Kreatives Denken, 4. Auflage, Rheinzabern 1984, S. 94 ff.
[13] Siehe dazu Tägliche Betriebspraxis, a. a. O., Gruppe 12/B, S. 60; ebenso LINNEWEH, a. a. O., S. 100 ff.
[14] Ausführlich dazu Der Controlling-Berater (CB), Loseblatt, Freiburg 1988, Gruppe 1/Seite A 2; bionische Grundregeln, Gruppe 3, Seite 38 ff.
[15] DE BONO, Denkschule, Zu mehr Innovation und Kreativität, Landsberg 1986.
[16] Eine instruktive Darstellung des Grundsätzlichen sowie der einzelnen Szenario-Typen findet sich bei SCHARIOTH, Joachim, Prognosen – mehr als Spekulationen, Computer-Magazin 12/87, S. 20 ff.
[17] NAISBITT, zitiert nach GERKEN, Gerd, Der neue Manager, a. a.O., S. 144.
[17a] LINNEWEH, a. a. O., S. 17.
[18] PÜMPIN, Cuno, Visionen gefragt, Wirtschaftswoche 31/85, S. 58 ff.
[19] GERKEN, Gerd, Der neue Manager, a. a. O., S. 71.
[20] Nach DIEHL, Rolf, Was ist sanftes Management? Manuskript, 1987, S. 6.
[21] Gut dargestellt bei PÜMPIN, Cuno, a. a. O.
[22] In Anlehnung an PÜMPIN, Cuno, a. a. O.
[23] Vgl. HICKMAN/SILVA, a. a. O., S. 165; ferner WIDMER, Rolf, Visionen im Management, io-Management-Zeitschrift Nr. 2/87, S. 77.
[24] Ähnlich HICKMAN/SILVA, a. a. O., S. 168.

25 HICKMAN/SILVA, a. a. O., S. 169.
26 EBENDA, S. 179 f.
27 GERKEN, a. a. O., S. 153.
28 EBENDA, S. 214.
29 Z. B. GERKEN, a. a. O.
30 Z. B. DIEHL, Rolf, Was ist sanftes Management? Als Manuskript gedruckt, o. O., o. J. (1987); ebenso GERKEN, a. a. O.
31 AMMELBURG, Gerd, a. a. O., S. 318 ff.
32 PÜMPIN/KOBI/WÜTHRICH, Unternehmenskultur, Bern 1985.
33 HEIDER, a. a. O., S. 57.
34 HICKMAN/SILVA, a. a. O., S. 233 ff.
35 HOFF, Benjamin, Tao Te Puh, Essen 1984.
36 In Anlehnung an HICKMAN/SILVA, a. a. O.
37 Vgl. z. B. MURPHY, Kevin J., Besser zuhören – mehr Erfolg, Freiburg 1987.
38 Vgl. HICKMAN/SILVA, a. a. O., S. 139.
39 MASLOW, Abraham H., Motivation und Persönlichkeit, Hamburg 1984; siehe auch HECKHAUSEN, Heinz, Motiv und Motivation, in: Handbuch psychologischer Grundbegriffe, München 1977, S. 296 ff.
40 GERKEN, a. a. O., S. 40.
41 PÜMPIN/KOBI/WÜTHRICH, a. a. O., S. 11.
42 EBENDA, S. 27 ff.
43 Vgl. z. B. eine andere mögliche Klassifizierung der Grundorientierung bei RÜTTINGER, Rolf, Unternehmenskultur-Erfolge durch Vision und Wandel, Düsseldorf 1986, S. 143 ff.
44 PÜMPIN/KOBI/WÜTHRICH, a. a. O., S. 38.
45 a. a. O., S. 95.
46 WEBER, Dieter, Der Chef als Coach, Management-Wissen 10/86, S. 13 ff.
47 EBENDA.
48 Zitiert nach ZÜRN, Peter, Vom Geist und Stil des Hauses, Landsberg 1985, S. 157.
49 WIRTH, Harry, zitiert in Management-Wissen 10/86, S. 24.
50 Hierzu und im folgenden GEYER, Erich, Innovationsorientiert führen im Mittel- und Kleinbetrieb, Eschborn 1980, S. 89 ff.; ebenso LINNEWEH, a. a. O., S. 113 ff.
51 Vgl. LINNEWEH, a. a. O., S. 116.
52 In Anlehnung an SÜNNEMANN, Otto, Warum der Controller moderieren können muß, Controlling-Berater, Loseblatt, Freiburg 1988, Gruppe 7, Seite 1 ff.
53 Vgl. z. B. MÜRI, Peter, Chaos-Management, a. a. O., S. 263; ebenso SÜNNEMANN, a. a. O.
54 COHN, Ruth C., Von der Psychoanalyse zur themenzentrierten Interaktion, Stuttgart 1978.
55 Zur Transaktionsanalyse vgl. z. B. BERNE, Eric, Spiele der Erwachsenen, Hamburg 1970, bes. S. 32 ff.; MLEKUSCH, Rudolf, Transaktionsanalyse, in: Der Arbeitsmethodiker, 4/82, Gruppe 3, S. 17 ff.; FISCHER, Gabriele, Wenn der Chef Psychologie studiert, Manager-Magazin, 2/87, S. 136 ff.; BERNE, Eric, Was sagen Sie, nachdem Sie guten Tag gesagt haben, Frankfurt 1986.
56 COHN, a. a. O., S. 115.

[57] VESTER, Frederic, Das Überlebensprogramm, München 1976.
[58] Vgl. hierzu und im folgenden MUELLER, Robert K., Betriebliche Netzwerke, Freiburg 1988.
[59] Siehe MÜRI, Peter, a. a. O., S. 127.
[60] Vgl. z. B. KÜHN, Gundolf, Gesellschaftlicher Wertewandel, Betriebs-Berater 1986, S. 265 ff.; PROSKE, Rüdiger, Gedanken zu Personalfragen, Hamburg 1986, Nr. 21.
[61] LUTZ, Christian, Die Kommunikationsgesellschaft, Rüschlikon 1986, S. 45.
[62] GERKEN, Gerd, Die Geburt der neuen Kultur, Düsseldorf 1988.
[63] EBENDA, S. 28.
[64] Untersuchung des B.A.T-Freizeit-Forschungsinstituts, Hamburg, zitiert z. B. in Management-Wissen 8/86, S. 12 und FAZ vom 16. 9. 1987, Nr. 214, S. 10.; vgl. die ähnliche Untersuchung in der Schweiz des Forschungsinstituts der Schweizerischen Gesellschaft für Marketing, SHZ 1986, Nr. 9, S. 11.
[65] Vgl. HÖHLER, Gertrud, Unternehmerforum Davos 1987, BddW vom 4. 2. 1987.
[66] Der Begriff „innere Kündigung“ stammt von HÖHN, Reinhard, Akademie für Führungskräfte der Wirtschaft, Bad Harzburg.
[67] Vgl. VOLK, Hartmut, Das neue Bild vom Chef: Lernziel Sozialkompetenz, Börsenblatt vom 15. 9. 1987, S. 2365.
[68] Auflistung ebenda, nach Prof. RAIDT.
[69] Z. B. bei HICKMAN/SILVA, a. a. O., S. 182 ff.
[70] In Anlehnung an HICKMAN/SILVA, a. a. O., S. 193.
[71] EBENDA.
[72] MARTEL, Leon, Auch morgen noch erfolgreich, Freiburg 1986, S. 348 ff.
[73] EBENDA.
[74] Erhältlich über MUDITAS GmbH, Postfach 1206, 2862 Worpswede.
[75] KNEBEL/ZANDER, Neue Arbeitswelt und neue Führungsorganisation, Freiburg 1987.
[76] Quellen: Radar für Trends, a. a. O.; Info-Dienst Trendwende, hrsg. v. UEBEL, Jochen; BDI, Hrsg., Bildungspolitische Aufgaben in einer sich wandelnden Gesellschaft, Köln 1987; Sozio-ökonomische Trendfaktoren für das Marketing bis in die 90er Jahre, Marketing-Praxis-Kalender 1988, Düsseldorf 1988, S. 77 f., o. V., Fit für den Wettbewerb der 90er Jahre?, io-Management-Zeitschrift, Nr. 2/88, S. A 8 ff.
[77] STEINBUCH, Karl, Neue Arbeitswelt und falsche Weltbilder, in: Analytik ’87-Kongreßband, a. a. O., S. 13.
[78] LÖHN-Methode (Selbstmanagement), Rudolf Haufe Verlag, Hindenburgstraße 64, 7800 Freiburg, Tel. 0761/36830; SEIWERT, L. J., Mehr Zeit für das Wesentliche, 6. Auflage, München 1987; SCHMIDT-Colleg, TIMING-Zeitplansystem, R.-Wagner-Straße 37, 8580 Bayreuth, Tel. 0921/65023; GROSSMANN, G., Sich selbst rationalisieren, 26. Auflage, München 1986; MEWES-System (EKS), Im Trierischen Hof 7/h, 6000 Frankfurt 1, Tel. 069/294443; HIRT-Institut, Winterthurerstraße 338, CH-8062 Zürich, Tel. 00411/401020; TIME/System, Kellerblek 3, 2000 Hamburg 54, Tel. 040/55300516; KITZMANN, Management-Institut, Julius-Hart-Straße 9, 4400 Münster, Tel. 0251/28663; HelfRecht Studienzentrum, 8591 Bad Alexandersbad, Tel. 09232/60150; STROEBE, Rainer W., Arbeitsmethodik I, Heidelberg 1978.

[79] In Anlehnung an: Das tägliche Brot des Managements, Management-Wissen 11/87, S. 87 ff.
[80] ROHRBACH, Bernd, zitiert nach Management-Wissen 11/87, S. 92.
[81] Vgl. dazu KORFF/REINEKE, Arbeitstechniken für Vielbeschäftigte, 4. Auflage, Heidelberg 1978, S. 169 ff.; ferner ZIELKE, Wolfgang, Handbuch Lern-, Denk- und Arbeitstechniken, München 1980.
[82] Z. B. FISCHER, R., Effektiver lesen, Sindelfingen/Grafenau 1983; ZIELKE, Wolfgang, Schneller lesen – intensiver lesen – besser behalten, Landsberg 1983.
[83] Methoden-Handbuch, hrsg. von der Gesellschaft für Arbeitsmethodik e. V., Redaktion Ellenbrunner Straße 5, 6750 Kaiserslautern, Tel. 0631/72892; siehe auch HEINOLD, Ehrhardt, Erfolgreich durch methodisches Arbeiten, Düsseldorf 1987.
[84] Zur ABC-Analyse vgl. Praxis des Rechnungswesen, Loseblatt, Freiburg 1988, Gruppe 3 Nr. 191, Seite 2; gute Darstellung auch bei SEIWERT, a. a. O., ferner WAGNER, Hardy, Persönliche Arbeitstechniken, Speyer 1984; BUDDE, Rainer, Wie mache ich eine ABC-Analyse? Tägliche Betriebspraxis, Loseblatt, Freiburg 1988, Gruppe 5, Seite 17 ff.
[85] Vgl. dazu z. B. AMMELBURG, G., Konferenztechnik Düsseldorf, 2. Auflage 1985; DERSELBE, Wie man Besprechungen führt, Freiburg 1983; PULLIG, K.-K., Brevier der Konferenztechnik, Bern/Stuttgart 1981.
[86] KEPNER, Ch. H./TREGOE, B., Entscheidungen vorbereiten und richtig treffen, 3. Auflage, Landsberg 1985.
[87] Siehe besonders „Netzplantechniken" in: Methodenhandbuch der Gesellschaft für Arbeitsmethodik, vgl. Anmerkung 83.
[88] Zitiert nach COOPER, a. a. O., S. 158.
[89] Zum Beispiel BAHRO, Rudolf, Logik der Rettung, Stuttgart 1987; FORNALLAZ, Pierre, Die ökologische Wirtschaft, Aarau/Stuttgart 1986.
[90] FORNALLAZ, Pierre, Manager . . . heraus aus der Erstarrung, io-Management-Zeitschrift 6/87, S. A 5.
[91] Gute Ansätze bei HENDERSON, Hazel, Das Ende der Ökonomie – Die ersten Tage des nach-industriellen Zeitalters, München 1985; PIEROTH/WICKE, Chancen der Betriebe durch Umweltschutz, Freiburg 1988.
[92] Zum Beispiel WICKE, Lutz, Betriebliche Umweltbeziehungen, in: Umwelt und Energie, Loseblatt, Freiburg 1988, Gruppe 3/12 a.

Anmerkungen zum 6. Kapitel

[1] KRÜGER, Felix, Lehre vom Ganzen, Bern 1948.
[2] Zum Beispiel VON WEIZSÄCKER, C. F., Die Einheit der Natur, München 1971; DERSELBE, Der Garten der Menschlichkeit, München 1977.
[3] Siehe GROF, Stanislav, Alte Weisheit und modernes Denken, München 1986, S. 7 ff.
[4] Zum Beispiel COHN, Ruth C., a. a. O., S. 15 ff.
[5] JUCHLI, Schwester Liliane, Heilen durch Wiederentdecken der Ganzheit, Stuttgart 1985, S. 35.
[6] CAPRA, Fritjof, Wendezeit, 5. Auflage, München 1983, S. 360.

[7] JUCHLI, a. a. O., S. 43.
[8] Vgl. z. B. BLOFELD, John, Der Taoismus, Köln 1986, S. 233 ff.
[9] EBENDA.
[10] Energie wird hier im Sinne der „drei Schätze“ verstanden, auf die ich im Text nicht weiter eingehe. Es sind diese: ching = (Essenz; auch Feinstmaterie oder Struktivpotential); ch'i = (Lebenskraft; auch energetisches Prinzip oder aktive Energie); shen = (Geist; auch spirituelle Energie oder konstellierende Kraft).
[11] Entspricht „prana“ im Sanskrit.
[12] Z. B. bei BLOFELD, a. a. O., S. 257 ff.; ferner WALTER, Johannes, Die heilende Kraft des Atems, München 1987.
[13] Dazu sehr gut: CHANG/POKORNY/WILLIAMS, Easy Tao, Wien 1987; TULKU, Tarthang, Selbstheilung durch Entspannung, München 1980; ANDERS, Frieder, Taichi, Köln; HUANG, Al, Lebensschwung durch T'ai Chi, München 1979; KOBAYASHI, Petra, Der Weg des T'ai Chi Ch'uan, München; Kurse über LIVING TAO, Postfach, CH-4002 Basel.
[14] Zu Kung Fu siehe: MINICK, Michael, Kung Fu, Heilgymnastik und Fitneß-Training, München 1982.
[15] Siehe zusammenfassend REID, H./CROUCHER, M., Der Weg des Kriegers – Kampfsportarten, München 1986.
[16] FERGUSON, Marilyn, Die sanfte Verschwörung, Basel 1983, S. 98.
[17] EBENDA.
[18] SCHULTZ, J. H., Das autogene Training, Stuttgart 1970; THOMAS, K., Praxis der Selbsthypnose des autogenen Trainings, 1976; BRAND-HETZEL, Christiane, Autogenes Training, München.
[19] Zum Biofeedback siehe z. B. unter diesem Stichwort in: HERRMANN/HOFSTÄTTER u. a. (Hrsg.), Handbuch psychologischer Grundbegriffe, München 1977, S. 86 ff.
[20] Eine gute Auswahl von für diese Zwecke geeigneten Audio-Kassetten finden Sie im Prana-Katalog des Hermann Bauer Verlags, Postfach 167, 7800 Freiburg, Tel. 0761/70820; ferner TEGTMEIER, Ralph, Musikführer für die Reise nach innen, Haldenwang 1985.
[21] Zur Hypnose siehe z. B. SCHULTZ, J. H., Hypnose-Technik, 1976; TEPPERWEIN, Kurt, Die hohe Schule der Hypnose, München/Genf; CAPRIO, F. S./BERGER, J. R., Selbsthilfe durch Selbsthypnose, München; CHERTOK, Leon, Hypnose – Theorie, Praxis und Technik, Genf.
[22] Zur ZEN-Meditation siehe z. B. BANCROFF, Anne, Zen, München 1985; DESHIMARU-ROSHI, Taisen, Die Praxis der Konzentration – Zen und Alltagsleben, Freiburg 1986; DÜRCKHEIM, Karlfried Graf, Zen und wir, München 1976; SUZUKI, Daisetz T., Die große Befreiung, München 1978; HAUSER, Renate, Kreuzweg – Wie Zen europäische Manager stark macht, Capital 2/88, S. 244 ff.; IZUTSU, Toshihiko, Philosophie des Zen-Buddhismus, Hamburg 1986.
[23] DALAI LAMA, Das Auge der Weisheit, München 1975; TRUNGPA, Lama Tschögyam, Aktive Meditation, Olten 1984; VARENNE, Jean-Michel, Tibetischer Buddhismus, München 1985.

[24] Zur dynamischen und transzendentalen Meditation siehe z. B. LAY, Rupert, Meditationstechniken für Manager, Hamburg; MANKE, Wolfgang, Transzendentale Meditation, Levitationserfahrung und Entspannung, Nienburg 1984.

[25] Zu Kundalini siehe z. B. LÜTGE, Lothar-Rüdiger, Kundalini – Die Erweckung der Lebenskraft, Freiburg; MUKTANANDA PARAMAHANSA, Kundalini, Freiburg 1987.

[26] Eine Auswahl zum Yoga: BESANT, Annie, Raja-Yoga – der königliche Weg, München; CHIA, Mantak, Tao-Yoga, Interlaken 1985; MERGEL, Siegfried, Gesund und vital durch Yoga, München 1985.

[27] Zur Kabbala: FRANCIS, Karl A., Heilweg der Kabbala, Freiburg; BENEDICT, Heinrich E., Die Kabbala, 2 Bände, Freiburg.

[28] Zum Sufismus siehe z. B. SHEIKHHAKIM, Die Heilkunst der Sufis, Freiburg; STODDART, William, Das Sufitum, Freiburg 1976.

[29] Zu Magie und Schamanentum siehe z. B. EDWARDS, Harry, Praxis der Geistheilung, Freiburg 1987; SHERWOOD, Keith, Die Kunst spirituellen Heilens, Freiburg.

[30] Zum Hatha Yoga siehe z. B. DORSCHNER, M./VOGEL, W., Yoga mit Heilwirkungen, St. Georgen; LUBY, Sue, Hatha Yoga, Das Programm für Ihre Gesundheit, München; SLATER, V. Wallace, Hatha Yoga, Graz.

[31] Zu den Augenübungen siehe z. B. MARKERT, Christopher, Ohne Brille besser leben, Freiburg; SELBY, John, Das Gesundheitsbuch für die Augen, München 1985; SELBY, John, Wieder klar sehen, Berlin; BITTAU, Dietmar, Sehen wie ein Adler, Haldenwang 1985.

[32] Zur Bioenergetik siehe z. B. LOWEN, Alexander, Bio-Energetik, Therapie der Seele durch Arbeit mit dem Körper, München 1985; SOLLMANN, Ulrich (Hrsg.), Bioenergetische Analyse, Essen.

[33] Zu den Alexander-Techniken siehe z. B. RIEMKASTEN, Felix, Die Alexander-Methode, Heidelberg 1985.

[34] Dazu das sehr gute und für unsere Zeit mutige Buch von KÖHLER, Hans-Uwe L., Musashi für Manager, Düsseldorf/Wien 1986.

[35] Siehe z. B. SCHWEIGHARDT, Kurt E., Feuerlaufen, München.

[36] Vgl. WEISS, Hartmut, Yoga-Meditation, Düsseldorf/Wien 1978, S. 11.

[37] In Anlehnung an LAY, Rupert, Meditationstechniken für Manager, München 1976.

[38] WILBER, Ken, in: Trendwende 11-12/1987, S. 9.; übersetztes Interview von UEBEL, Jochen.

[39] BONSEN, in: Capital 2/88, S. 248.

[40] Siehe hierzu WEISS, Hartmut, a. a. O.

[41] EBENDA, S. 21.

[42] Hierzu LAY, Rupert, Meditationstechniken für Manager, München 1976.

[43] LAY, Rupert, Meditation – Flucht oder Selbstverwirklichung, Creditreform 1984, S. 95.

[44] Zum Beispiel BLOFELD, John, Selbstheilung durch die Kraft der Stille, Bern/München 1983, S. 58 ff.; TREVELYAN, George, Eine Vision des Wassermann-Zeitalters, München 1984, S. 175 ff.; HICKMAN/SILVA, a. a. O., S. 118 ff.; SCHWÄBISCH, Lutz/SIEMS, Martin, Selbstentfaltung durch Meditation, Ham-

burg 1981; TULKU, Tarthang, Selbstheilung durch Entspannung, Bern/München 1980.

[45] Siehe z. B. VESTER, Frederic, Phänomen Streß, München 1986; JUCHLI, Schwester Liliane, a. a. O.; CAPRA, Fritjof, Wendezeit, a. a. O., S. 363 ff.; STROEBE, Rainer W., Arbeitsmethodik II, Heidelberg 1978, S. 64 ff.

[46] Ähnlich bei HALHUBER, Max J., Lebensstil der Führungskräfte, in: Management-Wissen, 8/87, S. 103.

Anmerkungen zum 7. Kapitel

[1] GORDON, Thomas, Manager-Konferenz, Hamburg 1986, S. 29.

[2] Der Begriff taucht im deutschen Schrifttum erstmals auf bei FERGUSON, Marilyn, Die sanfte Verschwörung, Basel 1983, S. 234.

[3] EBENDA.

[4] FORNALLAZ, a. a. O., S. 119.

Anmerkungen zum 8. Kapitel

[1] Vgl. HICKMAN/SILVA, a. a. O., S. 34.

[2] Vgl. HOCHSTRASSER, Fred G., Der neue Manager denkt ganz anders, in: io-Management-Zeitschrift 11/86, S. A 11.

[3] Vgl. MÜRI, Peter, Chaos-Management, Egg-Zürich 1985, S. 111.

[4] DERSELBE, S. 112.

Anmerkungen zum 9. Kapitel

[1] DETHLEFSEN, Thorwald, Schicksal als Chance, München 1985, S. 25.

[2] Vgl. RÜEGGER, Max, Wertewandel im Management, in: io-Management-Zeitschrift Nr. 2/88, S. A 5.

[3] Ähnlich SPÄTH, Lothar, Wende in die Zukunft, Hamburg 1985, S. 210.

10.2 Lösungen zu den Denksportaufgaben

Lösung des Streichholz-Zahlenrätsels von Seite 127

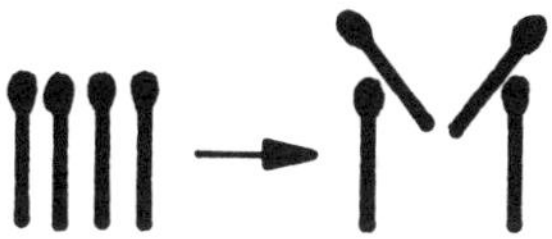

Lösung der Denksportaufgabe von Seite 127

Sechs Töchter und einen Sohn = Sieben Kinder

Lösung der 9-Punkte-Aufgabe von Seite 127/128

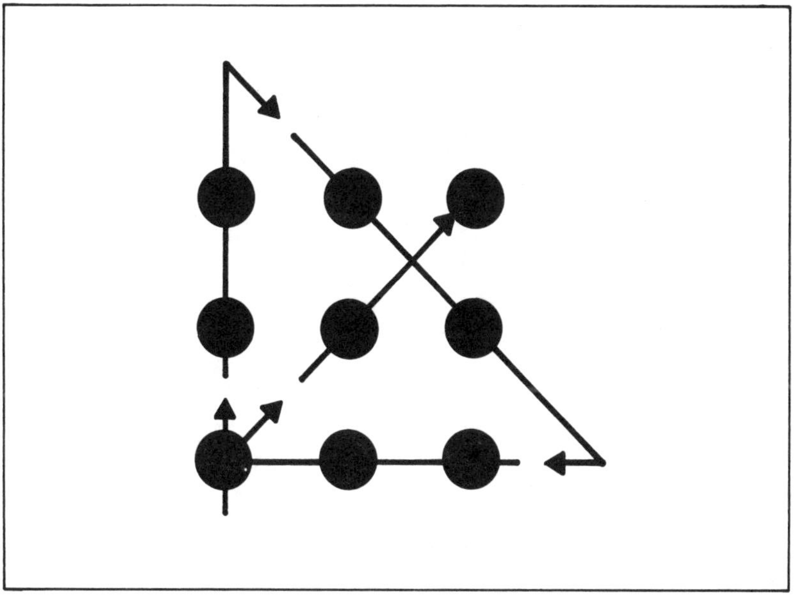

Lösung der morphologischen Aufgabe von Seite 131

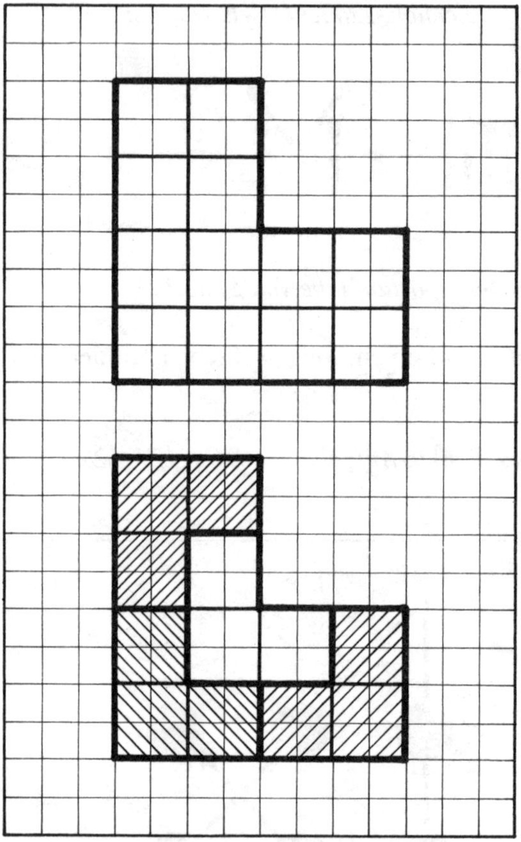

10.3 Die wichtigste Literatur

ALBERTI, G. F., Werkstatt des Wandels – ein Weg zum kreativen Kommunikations-Management, in: Finanz und Wirtschaft 1986, Nr. 22, S. 39

AMMELBURG, Gerd, Die Unternehmens-Zukunft, Strukturen und Führungsstil im Wandel zum 3. Jahrtausend, Freiburg, 3. Auflage 1987

AMMELBURG, Gerd (Hrsg.), Kreativität – die Chance für unsere Zukunft, Frankfurt 1984

BAHRO, Rudolf, Logik der Rettung, Stuttgart 1987

BERENDT, Joachim-Ernst, Das dritte Ohr, Hamburg 1985

BLAKESLEE, Thomas R., Das rechte Gehirn – Das Unbewußte und seine schöpferischen Kräfte, 2. Auflage, Freiburg 1988

BLOFELD, John, Das Geheime und das Erhabene, Mysterien und Magie des Taoismus, München 1984

BLOFELD, John, Der Taoismus oder Die Suche nach Unsterblichkeit, Köln 1986

BLOFELD, John, Jenseits der Götter, München 1986

BRENDL, Erich, Wie man Innovationschancen nützt, Wiesbaden 1978

BRENDL, Erich, Kompetenz, Die innere Stärke Ihres Unternehmens, Landsberg 1985

BRÜGGE, Peter, Die Anthroposophen, Hamburg 1984

BRUNS, M./SPREITHER, F., Durchbruch zur größeren Wirklichkeit, Konstanz 1980

BÜHLER, Walther, Soziale Hygiene, Gedanken zu Tschernobyl, Liebenzell, 2. Auflage 1987

BUSCAGLIA, Leo, Ganz Mensch sein, München 1985

CAPRA, Fritjof, Das Tao der Physik, 8. Auflage der Neuausgabe, München 1986

CAPRA, Fritjof, Der kosmische Reigen, 7. Auflage 1983, München

CAPRA, Fritjof, Wendezeit, München, 5. Auflage 1983

CAPRA, Fritjof, Das neue Denken, München 1987

COHN, Ruth C., Von der Psychoanalyse zur themenzentrierten Interaktion, Stuttgart 1975

COLEGRAVE, Sukie, Yin und Yang, Die Kräfte des Weiblichen und des Männlichen, Frankfurt 1984

COOPER, J. C., Der Weg des Tao, 4. Auflage, München 1985

DE BONO, Edward, Denkschule, Zu mehr Innovation und Kreativität, Landsberg 1986

DETHLEFSEN, Thorwald, Krankheit als Weg, München 1983

DETHLEFSEN, Thorwald, Schicksal als Chance, 10. Auflage, München 1985

DRUCKER, Peter F., Die Praxis des Managements, München/Zürich 1972

DRUCKER, Peter F., Managing in Turbulent Times, New York 1980

DSCHUANG DSI, Das wahre Buch vom südlichen Blütenland, Köln 1984

FERGUSON, Marilyn, Die sanfte Verschwörung, Basel, 3. Auflage 1983

FORNALLAZ, Pierre, Die ökologische Wirtschaft, Aarau/Stuttgart 1986

FRIEBE, Margarete, Vom Kopf zum Herzen, Zürich 1987

FULDER, Stephen, Tao der Medizin, Basel 1985

GEISLER, Gert (Hrsg.), New Age – Zeugnisse der Zeitenwende, Freiburg 1984

GERKEN, Gerd, Der neue Manager, Freiburg 1988

GERKEN, Gerd, Die Zukunft des Handels, Freiburg 1987

GERKEN, Gerd, Die Geburt der neuen Kultur, Düsseldorf 1988

GERKEN, Gerd/LUEDECKE, Gunther A., Die unsichtbare Kraft des Managers, Düsseldorf 1988

GEYER, Erich, Innovationsorientiert führen im Mittel- und Kleinbetrieb, Eschborn 1980

GORDON, Thomas, Manager-Konferenz, Hamburg 1986

GRIFFITHS, Bede, Rückkehr zur Mitte, München 1987

GROF, Stanislav (Hrsg.), Alte Weisheit und modernes Denken, Spirituelle Traditionen in Ost und West im Dialog mit der neuen Wissenschaft, München 1986

HEIDEGGER, Martin, Gelassenheit, 7. Auflage, Pfullingen 1982

HEIDER, John, The Tao of Leadership, Aldershot 1985

HEIDER, John, Tao der Führung, Basel 1988

HEINOLD, Eberhardt, Erfolgreich durch methodisches Arbeiten, Düsseldorf 1987

HENDERSON, Hazel, Das Ende der Ökonomie, München 1985

HENNINGSEN, Peter, Werkzeuge der Erkenntnis, Zur Transformation unseres Lebens, Basel 1984

HICKMAN, Craig R./SILVA, Michael A., Der Weg zu Spitzenleistungen, kreatives Management im New Age, München 1986

HOFF, Benjamin, Tao Te Puh, Essen 1984

HOFSTADTER, D. R., Gödel, Escher, Bach, Stuttgart, 3. Auflage 1985

HOFSTADTER, D. R./DENNETT, D. C., Einsicht ins Ich, Fantasien und Reflexionen über Selbst und Seele, Stuttgart 1986

HOFSTADTER, D. R., Metamagicum – Fragen nach der Essenz von Geist und Struktur, Stuttgart 1988

IZUTSU, Toshihio, Philosophie des Zen-Buddhismus, Hamburg 1986

I GING, Das Buch der Wandlungen, Köln 1986

JUCHLI, Schwester Liliane, Heilen durch Wiederentdecken der Ganzheit, Stuttgart 1985

KÄLIN, Karl/MÜRI, Peter (Hrsg.), Führen mit Kopf und Herz, Thun 1988

KAHN, Herman/REDEPENNING, Michael, Die Zukunft Deutschlands, Stuttgart 1982

KALTENMARK, Max, Lao-tzu und der Taoismus, Frankfurt 1981

KIELCE, Anton, Taoismus, München 1985

KOBI, J.-M./WÜTHRICH, H. A., Unternehmenskultur – verstehen, erfassen und gestalten, Landsberg 1986

KÖHLER, Hans-Uwe L., Musashi für Manager, Düsseldorf/Wien 1986

KORFF, Ernst/REINEKE, Wolfgang, Arbeitstechnik für Vielbeschäftigte, Heidelberg, 4. Auflage 1978

KUMAR, Satish/HENTSCHEL, Roswitha (Hrsg.), Viele Wege, Paradigmen einer neuen Politik, München 1985

LAOTSE, Tao-Te-King, Text und Einführung von Rudolf Backofen, München/Engelberg 1984

LAOTSE, Tao-Te-King, Text und Kommentar, Köln 1986

LAY, Rupert, Das Bild des Menschen, München 1984

LEONARD, George, Der Rhythmus des Kosmos, München, 2. Auflage 1983

LEUENBERGER, Hans-Dieter, Das ist Esoterik, Freiburg 1986

LIÄ DSI, Das wahre Buch vom quellenden Urgrund, 2. Auflage, Köln

LINNEWEH, Klaus, Kreatives Denken, 4. Auflage, Rheinzabern 1984

LIONEL, Frederic, Aufbruch zu neuem Bewußtsein, Genf 1984

LORENZ, Konrad, Der Abbau des Menschlichen, München 1983

LUHMANN, Niklas, Ökologische Kommunikation, Köln 1986

LUTZ, Christian, Die Kommunikationsgesellschaft - Ein Leitbild für die Politik und Wirtschaft Westeuropas, Rüschlikon 1986

MANN, Rudolf, Ganzheitliche Unternehmensführung, München 1988

MARCUSE, Ludwig, Unverlorene Illusionen, 2. Auflage von „Pessimismus - ein Stadium der Reife", München 1963

MARTEL, Leon, Auch morgen noch erfolgreich, Freiburg 1986

MASLOW, Abraham H., Motivation und Persönlichkeit, Hamburg 1984

MATURANA, Humberto/VARELA, Francisco, Der Baum der Erkenntnis, 2. Auflage, München 1987

MÜHSAM, Paul, TAO - der Sinn des Lebens, München/Engelberg, 2. Auflage 1979

MUELLER, Robert K., Betriebliche Netzwerke, Freiburg 1988

MÜRI, Peter, Chaos-Management, Egg-Zürich, 1985 (?)

MULLER, Robert, Die Neuerschaffung der Welt, München 1985

MURPHY, Kevin J., Besser zuhören – mehr Erfolg, Freiburg 1987

MYNAREK, Hubertus, Ökologische Religion, Ein neues Verständnis der Natur, München 1986

O. V., Werte und Wandel, Perspektiven für die Zukunft, ein Grundlagenpapier zu den Ideen des Internationalen Creativ-Centrums, Reigoldswil 1984

PIEROTH, Elmar/WICKE, Lutz, Chancen der Betriebe durch Umweltschutz, Freiburg 1988

PÜMPIN/KOBI/WÜTHRICH, Unternehmenskultur, Bern 1985

RAWSON, Philip/LEGEZA, Laszlo, Tao, Die Philosophie von Sein und Werden, München/Zürich 1974

RÜTTINGER, Rolf, Unternehmenskultur – Erfolge durch Vision und Wandel, Düsseldorf 1986

RUSSEL, Peter, Die erwachende Erde, München 1984

SCHIWY, Günther, Der Geist des neuen Zeitalters, München 1987

SCHWÄBISCH, Lutz/SIEMS, Martin, Selbstentfaltung durch Meditation. Eine praktische Anleitung, Hamburg 1981

SHELDRAKE, Rupert, Das schöpferische Universum, München 1985

SPÄTH, Lothar, Wende in die Zukunft, Hamburg 1985

STEINDL-RAST, David, Fülle und Nichts, Die Wiedergeburt christlicher Mystik, München 1985

SUZUKI, Daisetz Taitaro, Der westliche und der östliche Weg, Frankfurt 1981

TAWM, Kim, Geheime Übungen taoistischer Mönche, Freiburg 1982

TOFFLER, Alvin, Der Zukunftsschock, München 1970

TREVELYAN, George, Eine Vision des Wassermann-Zeitalters, München 1984

TULKU, Tarthang, Raum, Zeit und Erkenntnis, Zur Philosophie der Wendezeit, München 1985

VESTER, Frederic, Das Überlebungsprogramm, München 1976

VESTER, Frederic, Neuland des Denkens, Stuttgart 1986

WATTS, Alan, Der Lauf des Wassers, Eine Einführung in den Taoismus, München 1983

WEISS, Hartmut, Yoga-Meditation, Schulung zur Selbstverwirklichung, Düsseldorf/Wien 1978

WILBER, Ken (Hrsg.), Das holographische Weltbild, München 1986

WING, R. L., Das Arbeitsbuch zum I Ging, Köln, 4. Auflage 1984

WIRTH, Harry/BECK, Marlis, Personalführung und Personalarbeit in Betrieben Bayerns, München 1986

ZÖLLER, Josephine, Das Tao der Selbstheilung, Die chinesische Kunst der Meditation in der Bewegung als Weg der Selbsthilfe und Heilung, München 1984

ZÜRN, Peter, Vom Geist und Stil des Hauses, Landsberg 1985

10.4 Glossar – Was bedeutet das?

Aikido	Weg der Harmonie
Ambivalenz	Doppelwertigkeit; z. B. Nebeneinanderbestehen entgegengesetzter Gefühle, z. B. Haß und Liebe
Anthroposophie	Menschenweisheit. Nach Rudolf STEINER die Schule des Geistes zur Verbindung mit übergeordneten Geistern und Wesen
AT	Autogenes Training
Aura	persönlichkeitsgeprägte Ausstrahlung des menschlichen Körpers; Wirkung auf andere
Autogenes Training	Methode der psychischen Entspannung durch Ruheübungen und geistige Selbstbeherrschung
Autosuggestion	Selbsthypnose bzw. Selbstbeeinflussung
CAD	Computer Aided Design; computerunterstützte Konstruktion
chado	Weg des Tee
Chairman	Vorsitzender, Leiter; bei der TZI doppelsinnig: Chairmann of myself = Leiter meiner selbst; und Chairman of a group = Vertreter der Interessen

	aller in einer Gruppe (nicht nur Vorsitzender oder Moderator)
Chakra	geheime Sinnesorgane und Kraftzentren des Körpers, die durch Übungen entwickelt werden können
ch'i	(chin.) Lebensenergie
CIM	Computer Integrated Manufacturing; computerunterstützte Produktion einschließlich Entwicklung und Qualitätssicherung
Dharma	Die Lehre des Buddha, auch: universales Gesetz
Dualismus	Lehre von einer doppelten und oberflächlich gegensätzlichen Weltgrundlage
Engramm	Erlebnis von prägender Bedeutung; beeinflußt die Verhaltensweise
Entropie	makrophysische Zustandsgröße thermodynamischer Systeme; verwendet zur Berechnung von Wirkungsgraden
Esoterik	Die Lehre des verborgenen und geheimen Wissens. Die Unterscheidung zwischen Exoterik und Esoterik geht auf Pythagoras zurück
Hatha-Yoga	Auf den Körper bezogene, bei uns sehr verbreitete Yoga-Form

Hermetische Philosophie	Philosophie des Hermes Trismegistos aus dem ersten vor- und zwei nachchristlichen Jahrhunderten, die z. B. Astrologie, Alchemie und Medizin einschließt
Hypnose	Durch Suggestion hervorgerufene Bewußtseinsveränderung
Judo	Weg des Nachgebens
Kabbala	Jüdische Mystik, seit dem 12. Jahrhundert in Form einer Geheimlehre
Kalligraphie	Schönschreibekunst, besonders in Ostasien
Karma	Die Kette von Ursache und Wirkung; Gesetz der Wiedergeburt
Kartesianisch	abgeleitet von Descartes; bedeutet einseitig rational und logisch-analytisch denken und handeln; „cogito ergo sum"
Kendo	Weg des Schwertes
Koan	Zen- oder Meditationserfahrung aufgrund eines Paradox, das mit dem Verstand nicht zu lösen ist; zu einer „Lösung" bedarf es eines Sprungs auf eine andere Bewußtseinsebene
Kundalini	geheime, im Menschen verborgen vorhandene „Schlangenkraft", die über die Stufen der Chakras erweckt wird

Kyudo	Weg des Bogens
Mahayana-Buddhismus	Form des Buddhismus, die auf der Sanskrit-Fassung des buddhistischen Kanons beruht
Metaphysik	Grunddisziplin der Philosophie (meta = jenseits, danach); die sich mit dem allgemeinen und unendlichen Sein befaßt. Es geht um Fragen von Geist, Materie, Sein, Werden, Wahrheit, Unsterblichkeit
Mystik	Eine Grundform religiösen Lebens, die durch Versenkung die Trennung zwischen Ich und Gott aufzuheben sucht
mythisch	sagenhaft, erdichtet
New Age	Die New-Age-Bewegung behauptet, in der Gegenwart seien wir Zeugen eines Paradigmenwechsels, der unterschiedlich aufgefaßt wird: Während die einen das Pendel von der linken zur rechten Gehirnhälfte, vom männlichen zum weiblichen Prinzip, von einem egoistischen zu einem altruistischen, vom Interesse des Menschen zum Interesse der Natur usw. ausschlagen sehen, erhoffen oder erwarten die anderen ein Zeitalter der Synthese zwischen diesen Gegensätzen
Paradigma/ Paradigmenwechsel	Paradigma bedeutet griechisch Gleichnis, Muster, Modell. Man kann die

	vorherrschenden wissenschaftlichen Denkmuster als komplexes System interpretieren, das unter einem zunehmenden Anpassungsdruck durch mit ihm in Konflikt tretende Information steht. Dieser führt schließlich in eine Phase der Turbulenz, aus dem sich ein neues Denkmuster herauskristallisiert, das dem Informationsstrom wieder für eine lange Weile angemessen ist. Paradigmenwechsel von einem Denkmuster oder Weltbild zum andern finden aber nicht nur in der Wissenschaft statt, sondern auch in der Gesellschaft als Ganzem (vgl. LUTZ, Die Kommunikationsgesellschaft, Rüschlikon 1986)
Raja-Yoga	Stufe des Yoga, die der geistigen und seelischen Vervollkommnung dient
Redundanz	Weitschweifigkeit, Überfülle, überschüssiger Gehalt
Schamane	Heiler, Zauberer, Wahrsager, Mystiker der Naturvölker in Asien, Afrika und Amerika
shinto	Weg der Götter
spirituell	geistig, geistlich
Sufismus	Aus dem Islam entstandene mystische Bewegung, die auf einem universalen Gottesglauben beruht

Synergie	syn (mit) und ergon (Arbeit)
TA	Transaktionsanalyse
Transformation	Veränderungsvorgang, mit dessen Hilfe neue Bewußtseinsebenen erreicht werden können
Turbulenz	ungestüme Bewegungen; labiler, unberechenbarer Zustand von Systemen
TZI	Themenzentrierte Interaktion
Upanishaden	Hinduistische Lehre, auf deren Grundlage die Vedanta-Philosophie entwickelt wurde
Veden	Das göttliche Wissen; ältester Literaturschatz der Inder
Yoga	Übungssystem auf der Grundlage von Meditation und Askese
Zen	Japanischer Ausdruck für Meditation

10.5 Stichwortverzeichnis